O CÓDIGO
DA BÍBLIA

Michael Drosnin

O CÓDIGO DA BÍBLIA

As Profecias Ocultas no Antigo Testamento

Tradução:
MERLE SCOSS

EDITORA CULTRIX
São Paulo

Título original: *The Bible Code*.

Copyright © 1997 Michael Drosnin.

Capa: Chip Kidd.
Fotografia do autor: Sigrid Estrada.

As "Seqüências Alfabéticas Eqüidistantes no Livro do Gênesis", de Doron Witztum, Eliyahu Rips e Yoav Rosenberg foram reproduzidas com a permissão do Institute of Mathematical Statistics.

Todos os direitos reservados. Nenhuma parte deste livro pode ser reproduzida ou usada de qualquer forma ou por qualquer meio, eletrônico ou mecânico, inclusive fotocópias, gravações ou sistema de armazenamento em banco de dados, sem permissão por escrito, exceto nos casos de trechos curtos citados em resenhas críticas ou artigos de revistas.

A Editora Cultrix não se responsabiliza por eventuais mudanças ocorridas nos endereços convencionais ou eletrônicos citados neste livro.

Dados Internacionais de Catalogação na Publicação (CIP)
(Câmara Brasileira do Livro, SP, Brasil)

Drosnin, Michael
  O código da Bíblia : as profecias ocultas no Antigo Testamento / Michael Drosnin ; tradução Merle Scoss. -- São Paulo : Cultrix, 2006.

  Título original : The Bible Code
  9ª reimpr. da 1ª ed. de 1997.
  ISBN 978-85-31 -0569-7

  1. Bíblia. A. T. - Processamento de dados 2. Bíblia. A.T. Profecias - Processamento de dados 3. Códigos na Bíblia 4. Drosnin, Michael 5. Rips, Eliyahu I. Título.

06-7841   CDD-221.68

Índices para catálogo sistemático:
1. Códigos : Antigo Testamento : Bíblia : Religião 221.68
2. Profecias ocultas : Antigo Testamento : Bíblia : Religião 221.68

O primeiro número à esquerda indica a edição, ou reedição, desta obra. A primeira dezena à direita indica o ano em que esta edição, ou reedição foi publicada.

Edição   Ano

10-11-12-13-14-15-16   11-12-13-14-15-16-17

Direitos de tradução para o Brasil
adquiridos com exclusividade pela
EDITORA PENSAMENTO-CULTRIX LTDA.
Rua Dr. Mário Vicente, 368 – 04270-000 – São Paulo, SP
Fone: (11) 2066-9000 – Fax: (11) 2066-9008
E-mail: atendimento@editoracultrix.com.br
http://www.editoracultrix.com.br
que se reserva a propriedade literária desta tradução.
Foi feito o depósito legal.

*Para minha família,
meus amigos
e todos aqueles que conservaram a fé,
mais uma vez*

"Quanto a ti, Daniel, guarda estas palavras em segredo, e conserva selado este livro até o fim dos tempos."

Daniel, 12:4

"A distinção entre passado, presente e futuro é apenas uma ilusão, embora persistente."

Albert Einstein, 1955

SUMÁRIO

Introdução	11
1. O Código da Bíblia	13
2. O Holocausto Atômico	51
3. "Todo o Seu Povo Para a Guerra"	67
4. O Livro Selado	83
5. O Passado Recente	103
6. O Armagedon	119
7. O Apocalipse	135
8. Os Dias Finais	153
Epílogo	177
Notas	179
Dos Capítulos	181
Das Ilustrações	215
Apêndice	233
Agradecimentos	251
Índice Remissivo	253

INTRODUÇÃO

REPORTAR é o primeiro esboço da História. Este livro é o primeiro relato amplo sobre um código existente na Bíblia que revela acontecimentos ocorridos milhares de anos após a Bíblia ter sido escrita.

Desse modo, ele talvez seja o primeiro esboço do futuro.

Começamos a compreender o código da Bíblia. É como um quebra-cabeça com um número infinito de peças, e delas temos somente algumas centenas ou alguns milhares. Tudo o que podemos fazer é imaginar o quadro completo.

A única coisa que posso afirmar com certeza é que existe um código na Bíblia e este, em alguns casos dramáticos, previu acontecimentos que ocorreriam exatamente conforme predito.

Não há como saber se o código também está correto quanto ao futuro mais distante.

Tentei lidar com esta história do mesmo modo como lidaria com qualquer outra história: como um repórter investigador. Passei cinco anos verificando os fatos.

Nada foi aceito pela fé.

Confirmei cada descoberta feita no código da Bíblia em meu próprio computador, usando dois programas diferentes — o mesmo que foi usado pelo matemático israelense que primeiro descobriu o código, e um segundo programa criado independentemente daquele.

Também entrevistei os cientistas dos Estados Unidos e de Israel que investigaram o código.

Testemunhei muitos dos acontecimentos aqui descritos. Os relatos de outros acontecimentos baseiam-se em entrevistas com as pessoas diretamente envolvidas ou foram confirmados através de publicações.

No final deste livro apresento notas detalhadas sobre cada capítulo, notas sobre as ilustrações e uma reimpressão da experiência original que provou a realidade do código da Bíblia.

Meu objetivo foi reportar aquilo que está codificado na Bíblia do mesmo modo como reportei incidentes de distritos policiais quando trabalhava no jornal *Washington Post*, do mesmo modo como reportei atividades empresariais quando trabalhava no *Wall Street Journal*.

Não sou um rabino ou sacerdote, nem um estudioso da Bíblia; não tenho crenças preconcebidas. Tenho um único objetivo — a verdade.

Este livro não é a última palavra. É o primeiro relato.

CAPÍTULO 1

O CÓDIGO DA BÍBLIA

Em 1º de setembro de 1994, voei até Israel e encontrei-me em Jerusalém com um amigo íntimo do primeiro-ministro Yitzhak Rabin, o poeta Chaim Guri. Dei-lhe uma carta que ele passou imediatamente ao primeiro-ministro. Eis o que dizia aquela carta:

"Um matemático israelense descobriu um código oculto na Bíblia que parece revelar detalhes de acontecimentos que ocorreram milhares de anos após a Bíblia ter sido escrita.

"A razão pela qual estou lhe dizendo isso é que, na única vez em que seu nome completo — Yitzhak Rabin — está codificado na Bíblia, as palavras 'assassino que assassinará' o cruzam.

"Este fato não deve ser ignorado, pois os assassinatos de Anuar Sadat e de John e Robert Kennedy também estão codificados na Bíblia — no caso de Sadat, com o nome e sobrenome de seu matador, bem como a data e local do crime e como ele se deu. Penso que você corre perigo real; mas esse perigo pode ser evitado."

Em 4 de novembro de 1995, veio a terrível confirmação, um tiro pelas costas desferido por um homem que acreditava cumprir uma missão divina, o assassino que fora codificado na Bíblia três mil anos antes.

O assassinato de Rabin é uma dramática confirmação da realidade do código da Bíblia, o texto oculto no Antigo Testamento que revela o futuro.

O código foi descoberto pelo Dr. Eliyahu Rips, um dos maiores especialistas mundiais em teoria de grupo — campo da matemática que está subjacente à física quântica. Foi confirmado por famosos matemáticos de Harvard, de Yale e da Universidade Hebraica. Foi duplicado por um decodificador sênior do Departamento de Defesa dos Estados Unidos. Foi aprovado por três níveis de revisores seculares de uma importante publicação matemática norte-americana.

O assassinato de Rabin não foi o único acontecimento moderno encontrado. Além dos assassinatos de Sadat e dos irmãos Kennedy, centenas de outros acontecimentos que comoveram o mundo também estão codificados na Bíblia — tudo, desde a Segunda Guerra Mundial ao escândalo de Watergate, do Holocausto à bomba de Hiroshima, do pouso na Lua à colisão de um cometa com Júpiter.

E o assassinato de Rabin não foi o único acontecimento encontrado antecipadamente. A colisão com Júpiter foi encontrada, com a data exata do impacto, antes que acontecesse; e as datas da Guerra do Golfo foram encontradas na Bíblia antes que a guerra começasse.

Isso não faz sentido no nosso mundo secular e eu, como não sou religioso, normalmente estaria entre os primeiros a descartar essas previsões como "febre milenarista".

Mas eu já conhecia os fatos havia uns cinco anos. Passei muitas semanas com o matemático israelense, Dr. Rips. Aprendi hebraico e verifiquei o código em meu próprio computador, dia após dia. Conversei com aquele funcionário do Departamento de Defesa, que me confirmou a real existência do código da Bíblia. E fui a Harvard, a Yale e à Universidade Hebraica para encontros com os mais famosos

○ YITZHAK RABIN   □ ASSASSINO QUE ASSASSINARÁ

matemáticos do mundo. Todos eles confirmaram que a Bíblia contém um código que revela o futuro.

Eu não acreditei plenamente... até que Rabin foi assassinado.

Eu próprio encontrei a predição de seu assassinato no código da Bíblia, um claro aviso de que ele seria morto no ano judaico que começou em finais de 1995, mas nunca cheguei a acreditar realmente que aquilo aconteceria. E quando ele foi morto, conforme predito e na data predita, meu primeiro pensamento foi, "Ah, meu Deus, é real!"

Não podia ser uma coincidência. As palavras "assassino que assassinará" cruzam o nome "Yitzhak Rabin" na única vez em que esse nome completo aparece no Antigo Testamento. O código da Bíblia afirmava que ele seria assassinado no ano judaico que começava em setembro de 1995. E então, em 4 de novembro, Rabin estava morto.

○ YITZHAK RABIN □ NOME DO ASSASSINO QUE ASSASSINARÁ
◇ AMIR △ NOME DO ASSASSINO

O amigo de Rabin, Chaim Guri, contou-me que esse também foi seu primeiro pensamento quando o primeiro-ministro levou o tiro:

— Foi como uma facada no meu coração. Liguei para o chefe do gabinete, General Barak, e lhe disse: "O repórter americano sabia disso há um ano, eu contei ao primeiro-ministro. Estava na Bíblia."

Quando encontrei a codificação do assassinato de Rabin, lembrei-me da primeira pergunta que meu editor me fizera: "E se você soubesse do assassinato de Sadat antes que acontecesse? Você poderia alertá-lo e evitar a tragédia?"

Com Rabin, eu tentei e fracassei. Antes do assassinato, nunca fui capaz de encontrar o nome do pistoleiro ou a data exata. Poucos dias após meu primeiro contato com o primeiro-ministro, o Dr. Rips e eu nos reunimos com o cientista-chefe do Ministério da Defesa de Israel, General Isaac Ben-Israel. Procuramos detalhes. Mas a única coisa evidente era o ano predito para o crime.

Após a morte de Rabin, o nome de seu assassino — Amir — foi imediatamente encontrado no código da Bíblia. Esteve sempre ali, logo acima do nome de Rabin, mas oculto ao olhar.

○ ASSASSINATO DE RABIN   □ EM 5756 (1995/96 d.C.)
◇ AMIR   △ TEL-AVIV

"Amir" estava codificado no mesmo lugar que "Yitzhak Rabin" e "assassino que assassinará". Além disso, as palavras "nome do assassino" apareciam no texto aberto da Bíblia, no mesmo versículo em que aparecia o nome "Amir" no texto oculto. E, também no mesmo versículo, o texto oculto afirmava, "Ele abateu, ele matou o primeiro-ministro".

Chegava a ser identificado como um israelense que atirou à queima-roupa: "Seu assassino, um de seu povo, aquele que se aproximou."

O código revelava quando e onde o crime aconteceria. "Em 5756" — o ano judaico que começou em setembro de 1995 — cruzava tanto "Tel-Aviv" como "assassinato de Rabin". "Amir" aparece de novo no mesmo local.

Mas, antes de Rabin ser morto, sabíamos apenas que o código da Bíblia predizia seu assassinato "em 5756". E Rabin ignorou o sinal de aviso.

— Rabin não vai acreditar em você — dissera-me seu amigo Guri quando lhe entreguei aquela carta. — Ele não é de modo algum um místico. E é um fatalista.

De todo modo, ainda não sei se o assassinato poderia ter sido impedido. Sei apenas aquilo que disse ao primeiro-ministro em minha carta: "Ninguém pode dizer se um acontecimento que está codificado é predeterminado ou se é somente uma possibilidade. Minha própria opinião é que se trata apenas de uma possibilidade — que a Bíblia codifica todas as probabilidades e aquilo que nós fazemos determina o resultado real."

Não fomos capazes de salvar a vida de Rabin. Mas de súbito, brutalmente, eu tive a prova absoluta de que o código da Bíblia era real.

Há cinco anos, quando voei para Israel pela primeira vez, o código da Bíblia e a própria Bíblia eram o que mais distava dos meus pensamentos. Fui até lá para discutir o futuro da guerra com o chefe do Serviço de Informações de Israel.

Mas enquanto lá estava, soube de outro mistério, um mistério que subitamente arrastou-me vários milênios de volta no tempo — 3.200 anos para ser exato, até a época em que, conforme a Bíblia, Deus falou com Moisés no Monte Sinai.

Quando eu saía do quartel-general do Serviço de Informações, um jovem oficial meu conhecido deteve-me e disse:

— Há um matemático em Jerusalém que você deve ver. Ele descobriu a data exata em que começou a guerra do Golfo Pérsico... na Bíblia.

— Não sou religioso — respondi, entrando no carro.

— Nem eu — replicou o jovem oficial. — Mas aquele homem descobriu um código na Bíblia, com a data exata, três semanas antes que a Guerra do Golfo começasse.

Parecia inacreditável. Mas o jovem oficial do Serviço de Informações era tão secular quanto eu, e o homem que descobrira o código era considerado quase um gênio no mundo da matemática. Fui vê-lo.

O Dr. Eliyahu (Eli) Rips é um homem modesto. Tão modesto que tende a dar aos outros o crédito por seu próprio trabalho, e ninguém nunca adivinharia que é um matemático de fama mundial. Quando o encontrei pela primeira vez, em junho de 1992, em sua casa nos arredores de Jerusalém, pensei que no final da tarde eu saberia que nada havia digno de mérito em sua alegação.

Rips tirou um livro da estante e leu-me um trecho que citava um sábio do século XVIII, um homem chamado Genius de Vilna: "A regra é que tudo o que foi, tudo o que é e tudo o que será, até o fim dos tempos, está incluído na Torah da primeira à última palavra. E não só num sentido geral, mas nos detalhes de cada espécie e de cada um individualmente, com detalhes dos detalhes de tudo o que lhe aconteceu desde o dia de seu nascimento até sua morte."

Peguei uma Bíblia na mesa de seu escritório e lhe pedi que me mostrasse a Guerra do Golfo. Em vez de abrir a Bíblia, ele ligou o computador:

— O código da Bíblia é um programa de computador — explicou-me.

Na tela do computador apareceram letras hebraicas destacadas em cinco cores diferentes, criando um padrão de palavras cruzadas.

O CÓDIGO DA BÍBLIA

```
הכנעניוהפרזיאזישבבארצויאמראברמאללוטאלנאתחימריבהבינינוביניכוביןרעיובינרעימקניךאנ ﭏ
לאכלהארצלפניכהפרדנאמעליאמהשמאלואמהימנהואמחימנואשמאילהויהוימאטטוטאטאטאטאלכב
שקהלפניישחתיובמאותיבאאתדמואתעמרהמרהכנגיוהכארצצמריםבאכתהצערוייבחלולוטאתכלככר הידגנוייסעל
אישמעלאחיואחריבבארמוישבבארצכנענולוטישבבערוהככריוהנצעדבתערטמואנשיסדמרעים ⓢⓍ ⓐוהמאד
רמאחריהפרדלוטמעמואמראיוניכורהאהמנהמקוםאשרגתשמצפנהונגבהויממהאקדמהכיאתכלהארצאשר
הולזרעךעדעולמושמתיאתזרעךכעפרהארצואשראמייוכלאישלמנלאתעפרהארצגמורעכיכוכחתהלכ
תבהכילכאתהיאתנכיאהלאברמויבאוישבבאלניממראאשרבחברונויבנשםמזכחליוחיהיביםיאמרפלמ
לכלכסרדרלעמרםלכעילמותלעמלכסדםויצתהעמההאליםלתומוכעיוכלעההלכעמרהשנאבמל ﭏⓐֿמח
ימולמלכבלעאהצערכלאלהחברואלעמקהשדימהואיםהמלח  ﬡ שתים עשרה ש נה עבדו את בדרל עמר וש לש  ﬡ שלש ﬡⓈⓗⓗ
עשרהשנחבאתרדרלעמרהמלכומלכיםאשראתווכואתרפאיםבעשתרתקרניואתהזזיםבהמואתהאימי ﭏב ﭏוח
בהררםשעירעדאילפארנאשרעלהמדברוישבוויבאואלעיןמשפטהיאקדשויכואתכלשדהחעמלקי 〈ﮭﮭ ﭏאת
צנחםרויאמלכטמלכעמרהומלכאדמהומלכצביםומלכבלעהואצערויערכואתםתלחמהבעמק〈ש〉ש〉〉〈יםרת
עיולמותעימלכעליואמרפלמלכשנערוארידכמלכאלסרוכדרלעמרמלכעילםותלעלמלכגוים〈בעאהאאתל ﭏב ﭏרת
דמועמרהיעפלוישארחהנשארהארהינסווימלאובראתבראתחמריוחמראוינסועמרהויפלהעמקהשדיםברת חמר
מוילכוהויאיםויקחואתכלרכשסדמועמרהואתכלאכלמוילכוויקחואתלוטואתרכשובנאחיאברםוילכווהואישב ﭏבסדםויכאהפלטויגד לאברםהעברי והואמאם
רמייםעארנכימביאאחיוחועלייריוריאחחיבריתעפל  〈ברךך  〉ישמע אותהסיהמאברברם  את חניכיויל ידיב ית וישמ ונה עשר ושל שמא ותוירדפעד
מלקראחיוישבוכמהבאהאאהרטשוהעודאתלוטאחיווהבאלונהעצהמלכוישאתבעמויו ותאא ממעללמלו
והואכהנלאל*עליוןויברכהוויאמרברוךאכרםלאלעליוןקנהשמיםוארצוברוךאל־עליוןאשרמגנצרדיך
שרמבלויאמראברםאלמלדסכםהרמתיידיאלידוהכמלךסדםהרםאברםאלמלךסדםהרמתייריאליו
```

○ FOGO NO 3º DIA DE SHEVAT   ◇ MÍSSIL   ☐ GUERRA
    (18 DE JANEIRO DE 1991)

△ HUSSEIN (ESCOLHEU UM DIA)   ☐ SADDAM   ☐ INIMIGO

Rips estendeu-me a listagem do computador. "Hussein", "Scuds" e "Míssil russo" estavam codificados juntos no Gênesis. Toda a seqüência codificada afirmava que "Hussein escolheu um dia".

— Aqui no Gênesis, Capítulo 14, onde temos a história das guerras de Abraão contra os reinos vizinhos, encontramos a data... "fogo no terceiro dia de Shevat".

Rips levantou os olhos do computador e explicou-me.

— No calendário judaico, essa data é equivalente a 18 de janeiro de 1991. Foi o dia em que o Iraque lançou o primeiro míssil Scud contra Israel.

— Quantas datas você encontrou?

— Só essa, três semanas antes do começo da guerra.

— Mas, três mil anos atrás, quem saberia de uma guerra no Golfo Pérsico? E quem poderia saber que um míssil seria lançado em 18 de janeiro?

— Deus.

O código da Bíblia foi descoberto na versão hebraica original do Antigo Testamento, a Bíblia tal como foi escrita em sua origem. Aquele livro, agora traduzido para todos os idiomas, é o alicerce de todas as religiões ocidentais.

O código da Bíblia é ecumênico, a informação destina-se a todos nós. Mas o código existe somente em hebraico, pois este é o idioma original da Bíblia.

Rips disse-me que o primeiro indício do código tinha sido encontrado havia mais de cinqüenta anos, por um rabino de Praga, Tchecoslováquia. O rabino, H. M. D. Weissmandel, notou que saltando 50 letras e depois outras 50, e assim por diante, a palavra "Torah" estava soletrada no início do Livro do Gênesis. E aquela mesma seqüência de saltos também soletrava a palavra "Torah" no Livro do Êxodo. E também no Livro dos Números. E também no Livro do Deuteronômio.

— Ouvi falar disso totalmente por acaso, conversando com um rabino em Jerusalém — disse Rips. — Tentei encontrar o livro original e finalmente descobri o único exemplar que existe, acho, na Biblioteca Nacional de Israel. Havia umas poucas páginas sobre o código, mas parecia interessante.

Isso acontecera doze anos antes.

— De início, tentei apenas contar letras como Weissmandel — disse Rips. — Você sabe, Isaac Newton também tentou descobrir um código na Bíblia. Ele a achava mais importante do que a sua Teoria do Universo.

Sir Isaac Newton, o primeiro cientista moderno, o homem que imaginou a mecânica do nosso sistema solar e descobriu a força da gravidade, estava certo de que havia um código oculto na Bíblia, o qual revelaria o futuro. Newton aprendeu hebraico e passou metade de sua vida tentando descobrir esse código.

Isso, na verdade, foi uma obsessão para Newton, segundo seu biógrafo John Maynard Keynes. Quando assumiu a reitoria da Universidade de Cambridge, Keynes descobriu os ensaios que Newton ali deixara ao se aposentar do cargo de reitor em 1696. Keynes ficou perplexo.

Em sua maior parte, os milhões de palavras escritas pelo próprio punho de Newton não tratavam de matemática nem de astronomia, mas de teologia esotérica. Revelavam que o grande físico acreditava que, oculta na Bíblia, estava uma profecia da história humana.

Newton, disse Keynes, estava certo de que a Bíblia, na verdade todo o Universo, era "um criptograma criado pelo Todo-poderoso" e queria "ler o enigma da Divindade, o enigma dos acontecimentos passados e futuros, predeterminados pela mão divina".

Newton pesquisava ainda o código da Bíblia quando morreu. Mas sua busca de toda a vida fracassou, qualquer que tenha sido o modelo matemático por ele aplicado.

Rips teve êxito. A descoberta que escapou a Sir Isaac Newton foi feita por Eliyahu Rips porque este tinha a ferramenta essencial que faltava a Newton — o computador. O texto oculto da Bíblia foi codificado com uma espécie de "fechadura com controle de tempo". Não podia ser aberta até o computador ter sido inventado.

— QUANDO recorri ao computador, achei a brecha — explicou Rips.
— Encontrei palavras codificadas, numa quantidade muito maior do que permitido pelo acaso randômico da estatística, e então soube que estava chegando a algo de real importância.

— Foi o dia mais feliz da minha vida — continuou Rips, que emigrou da Rússia para Israel há mais de vinte anos e ainda fala com um sotaque mesclado de russo e israelense.

Embora seja um homem religioso que escreve duas letras hebraicas no canto superior direito de cada folha de cálculos, agradecendo a Deus, a matemática também é sagrada para Rips, assim como era para Newton.

Rips disse-me que tinha desenvolvido um sofisticado modelo matemático que, quando implementado por um programa de computador, confirmara que o Antigo Testamento está realmente codificado.

Mas ele não conseguia achar a brecha final, uma maneira de provar a realidade de modo simples e elegante. Foi então que conheceu outro israelense, Doron Witztum.

Embora seja físico, Witztum não está ligado a nenhuma universidade e, comparado com Rips, é um desconhecido no mundo da ciência. Mas foi Witztum quem completou o modelo matemático, e Rips o considera "um gênio igual a Rutherford".

Ele me passou uma cópia de sua experiência original, "Seqüências Alfabéticas Eqüidistantes no Livro do Gênesis". O resumo na capa dizia, "A análise randômica indica que informações ocultas estão entremeadas no texto do Gênesis, sob a forma de seqüências alfabéticas eqüidistantes. O efeito é significativo em 99,998%."

Li o ensaio enquanto estávamos sentados na sala de sua casa. O que Rips e seus colegas tinham feito foi buscar os nomes de 32 grandes sábios, dos tempos bíblicos aos tempos modernos, para determinar se seus nomes, bem como as datas de nascimento e morte, estavam codificados no primeiro livro da Bíblia. Buscaram os mesmos nomes e as mesmas datas na tradução hebraica de *Guerra e Paz* e em dois textos originais hebraicos. Na Bíblia, os nomes e as datas estavam codificados juntos. Em *Guerra e Paz* e nos outros dois livros, isso não acontecia.

E descobriram que, em última análise, as probabilidades de encontrar randomicamente as informações codificadas eram de 1 em 10 milhões.

Na experiência final, Rips pegou os 32 nomes e as 64 datas e os misturou em 10 milhões de combinações diferentes, de modo que 9.999.999 seriam incompatíveis e só um emparelhamento seria correto. Ele então rodou esse programa no computador para ver quais dos 10 milhões de exemplos alcançariam um resultado melhor — e só os nomes e datas corretos se uniram na Bíblia.

— Nenhum dos emparelhamentos randômicos combinava — disse Rips. — Os resultados foram zero *versus* 9.999.999 ou 1 em 10 milhões.

Um decodificador sênior da secretíssima Agência de Segurança Nacional, o posto de escuta clandestina do governo dos Estados Unidos, ouviu falar da espantosa descoberta em Israel e decidiu investigá-la.

Harold Gans passara sua vida criando e desvendando códigos para o Serviço de Informações norte-americano. Era formado em estatística. Falava hebraico. E acreditava que o código da Bíblia era um "embuste, uma farsa ridícula".

Gans estava certo de que poderia provar que o código não existia. Escreveu seu próprio programa de computador e buscou as mesmas informações que os israelenses tinham encontrado. Ficou surpreso. Tudo estava ali. As datas em que aqueles sábios tinham nascido e morrido estavam codificadas junto com seus nomes.

Gans não conseguia acreditar. Decidiu buscar informações totalmente novas no código da Bíblia, a fim de expor a falha da experiência de Rips e talvez mesmo revelar uma possível mistificação.

— Se fosse real — disse Gans —, então imaginei que as cidades onde aqueles homens tinham nascido e morrido também deveriam estar codificadas.

Numa experiência que levou 440 horas, Gans verificou não só os nomes dos 32 sábios usados na experiência final de Rips, mas também 34 outros de uma lista anterior, checando os nomes dos 66 homens com as cidades. E os resultados o fizeram acreditar.

— Senti um arrepio na espinha — relembra Gans. No código da Bíblia, as cidades também combinavam com os nomes dos sábios.

Esse decodificador do Pentágono, usando seu próprio programa de computador, tinha duplicado independentemente os resultados dos israelenses. Homens que viveram centenas ou milhares de anos depois que a Bíblia foi escrita estavam codificados em detalhes. Rips encontrara as datas. Gans encontrara as cidades. O código da Bíblia era real.

"Concluímos que estes resultados corroboram os resultados reportados por Witztum, Rips e Rosenberg", escreveu Gans no relatório final sobre sua investigação.

— Quando avaliei o código da Bíblia — disse ele mais tarde — eu estava fazendo o mesmo tipo de trabalho que fazia no Departamento de Defesa.

— De início, eu estava 100% cético — disse o decodificador do Pentágono. — Pensei que aquilo era idiota. Fui em frente para desacreditar o código e acabei comprovando-o.

CODIFICADAS na Bíblia, há informações sobre o passado e sobre o futuro, de uma maneira que está matematicamente além do acaso randômico e que não é encontrada em nenhum outro texto.

Rips e Witztum submeteram seu ensaio ao importante boletim matemático norte-americano *Statistical Science*. O editor, Robert Kass, professor em Carnegie-Mellon, mostrou-se cético. Mas decidiu mandá-lo verificar por outros especialistas, o processo de revisão por uma pessoa da área, usual nas publicações científicas sérias.

Para surpresa de Kass, o ensaio Rips-Witztum foi aprovado. O primeiro avaliador disse que a matemática era sólida. Kass chamou um segundo especialista. Este também afirmou que os números se sustentavam. Kass fez algo sem precedentes — chamou um terceiro especialista.

— Nossos avaliadores ficaram desconcertados — disse Kass. — Todas as suas crenças os levavam a pensar que o Livro do Gênesis não poderia conter referências significativas sobre indivíduos dos tempos modernos. Porém, quando os autores realizaram verificações adicionais, o efeito persistiu.

Kass enviou uma mensagem, via E-mail, aos israelenses: "Seu ensaio foi aprovado pelos três avaliadores. Vamos publicá-lo."

Apesar do ceticismo automático dos matemáticos seculares, nenhum deles conseguiu encontrar falhas na matemática. Nenhum deles conseguir fazer perguntas sobre a experiência que ficassem sem resposta. Nenhum deles conseguiu descartar o surpreendente fato de que a Bíblia estava codificada — de que a Bíblia revelava acontecimentos que ocorreram após ela ter sido escrita.

A Bíblia está construída como um gigantesco problema de palavras cruzadas. Está codificada do começo ao fim, com palavras que se conectam para contar uma história oculta.

Rips explicou que cada código é um caso de ir adicionando cada quarta letra, ou décima segunda ou qüinquagésima letra, para formar uma palavra. Saltam-se x espaços, e outros x espaços, e outros x espaços, e a mensagem oculta é soletrada. Tal como ocorre neste parágrafo.*

---

* Começando com a primeira letra do parágrafo acima (no original inglês), salta-se cada três letras e o código é revelado: Rips ExplAineD thaT eacH codE is a Case Of adDing Every fourth or twelfth or fiftieth letter to form a word. A mensagem oculta é: "**READ THE CODE**" (Leia o código).

No entanto, trata-se de mais do que um simples código de saltar letras. Entrecruzando todo o texto conhecido da Bíblia, oculta sob o hebraico original do Antigo Testamento, está uma rede complexa de palavras e frases, uma nova revelação.

Há uma Bíblia por trás da Bíblia.

A Bíblia não é apenas um livro — é também um programa de computador. Foi primeiro talhada na pedra e escrita à mão num rolo de pergaminho, e finalmente impressa em forma de livro, esperando que nós a alcançássemos através da invenção do computador. Agora ela pode ser lida como sempre o pretendia.

Para encontrar o código, Rips eliminou todos os espaços entre as palavras, transformando todo o texto bíblico original num único fluxo contínuo de letras, 304.805 ao todo.

Ao fazê-lo, ele estava na verdade reconstituindo a Torah na forma que os grandes sábios dizem ser sua forma original. Segundo a lenda, foi assim que Moisés recebeu de Deus a Bíblia — "palavras contíguas, sem quebras".

Nesse fluxo de letras, o computador procura nomes, palavras e frases ocultas, através de códigos de saltar palavras. Ele começa com a primeira letra da Bíblia e procura todas as possíveis seqüências de saltos — palavras soletradas com saltos de 1, 2, 3 letras, subindo sempre até muitos milhares. Depois repete a busca começando com a segunda letra, e repete o processo muitas e muitas vezes até chegar à última letra da Bíblia.

Após encontrar a palavra-chave, o computador pode então procurar informações correlatas. Uns depois dos outros, ele encontra nomes, datas e lugares conectados, codificados juntos — Rabin, Amir, Tel-Aviv, o ano de seu assassinato, tudo no mesmo trecho da Bíblia.

O computador classifica as combinações entre as palavras, usando dois testes — quão próximas estão umas das outras, e se os saltos que soletram a busca são os mais curtos.

Rips explicou como funciona o processo, usando a Guerra do Golfo como exemplo:

— Pedimos ao computador para procurar "Saddam Hussein". Depois buscamos palavras correlatas para ver se elas apareciam juntas de uma maneira que fosse matematicamente significativa. Com Guerra do Golfo, encontramos Scuds e mísseis russos, e a data em que essa guerra começaria estava codificada junto com o nome Hussein.

As palavras formavam um problema de palavras cruzadas. Coerentemente, o código da Bíblia traz juntas palavras entrelaçadas que revelam informações correlatas. Com Bill Clinton, presidente. Com pouso na Lua, nave espacial e Apolo 11. Com Hitler, nazismo. Com Kennedy, Dallas.

Experiência após experiência, os problemas de palavras cruzadas foram encontrados somente na Bíblia. Não em *Guerra e Paz* nem em qualquer outro livro, e nem em 10 milhões de testes gerados por computador.

Segundo Rips, há um número infinito de informações codificadas na Bíblia. Cada vez que um novo nome, palavra ou frase é descoberto no código, forma-se um novo problema de palavras cruzadas. As palavras correlatas se cruzam no sentido vertical, horizontal e diagonal.

PODEMOS usar o assassinato de Rabin como estudo de caso.

Primeiro, pedimos que o computador procure na Bíblia o nome "Yitzhak Rabin". Apareceu uma única vez, com uma seqüência de saltos de 4.772 letras.

○   YITZHAK RABIN

O CÓDIGO DA BÍBLIA

O computador dividiu a Bíblia inteira — todo o fluxo de 304.805 letras — em 64 fileiras de 4.772 letras. A listagem do código da Bíblia é um instantâneo do centro daquela matriz. No meio do instantâneo está o nome "Yitzhak Rabin", com cada letra dentro de um círculo.

Se "Yitzhak Rabin" fosse soletrado com um código de saltos de 10, então cada fileira teria 10 letras de comprimento. Se o salto fosse de 100, então as fileiras teriam 100 letras de comprimento. E cada vez que as fileiras são rearranjadas, cria-se um novo conjunto de palavras e frases entrelaçadas.

Cada palavra do código determina o modo como o computador apresenta o texto da Bíblia, determina qual problema de palavras cruzadas será formado. Há três mil anos, a Bíblia foi codificada de modo tal que a descoberta do nome de Rabin revelasse automaticamente algumas informações correlatas.

Cruzando o nome "Yitzhak Rabin", encontramos as palavras "assassino que assassinará". Elas aparecem no quadro abaixo, com cada letra dentro de um quadrado:

○   YITZHAK RABIN   □   ASSASSINO QUE ASSASSINARÁ

As probabilidades contra o nome completo de Rabin aparecer junto com a predição de seu assassinato eram de pelo menos 3.000 para 1.

Os matemáticos dizem que 100 para 1 está além do acaso. O teste mais rigoroso já usado é de 1.000 para 1.

Voei até Israel para alertar Rabin em 1º de setembro de 1994. Mas foi só depois de ele ter sido assassinado, um ano mais tarde, que descobrimos o nome de seu assassino. "Amir" estava codificado no mesmo trecho, junto com "Yitzhak Rabin" e "assassino que assassinará".

○ YITZHAK RABIN □ (ASSASSINO) QUE ASSASSINARÁ ◇ AMIR

O nome de Amir esteve ali por três mil anos, esperando que o encontrássemos. Mas o código da Bíblia não é uma bola de cristal — não se pode encontrar coisa alguma sem saber o que se procura.

CLARAMENTE, não é Nostradamus, não é como as palavras "Uma estrela erguer-se-á no Leste e um grande rei cairá", que mais tarde podem ser lidas de modo a significarem qualquer coisa que tenha realmente acontecido.

Ao contrário, havia detalhes tão precisos quanto a história reportada pela rede CNN — o nome completo de Rabin, o nome de seu assassino, o ano em que ele foi morto. Tudo (exceto Amir) encontrado antes que acontecesse.

E, ainda assim, era difícil de acreditar. Perguntei a Rips se não seria possível encontrar informações similares em outros textos quaisquer, combinações randômicas de letras que não tivessem sentido real. Talvez a descoberta da data da Guerra do Golfo, e mesmo o assassinato de Rabin, fossem apenas uma coincidência.

Rips tirou uma moeda do bolso, jogou-a para cima e explicou:

— Se esta moeda está "limpa", ao cair na mesa ela deve dar cara metade das vezes e metade das vezes dar coroa. Se eu a jogar vinte vezes e toda vez der cara, então você pode assumir que a moeda está "viciada". A probabilidade de que o mesmo lado apareça vinte vezes seguidas é menos de uma num milhão.

— A Bíblia — continuou — é como a moeda "viciada". A Bíblia está codificada.

Ele citou sua experiência original, os sábios codificados no Gênesis:

— A outra única possibilidade é ter acontecido um evento randômico... que nós, por acaso, tenhamos encontrado a melhor combinação de 32 nomes e 64 datas... e isso só aconteceria uma vez em 10 milhões.

Mas, se Rips está certo, se existe um código da Bíblia, se ela prediz o futuro, então a ciência convencional ainda não o pode explicar.

Não é de surpreender que alguns cientistas convencionais não o aceitem. Um deles, o estatístico australiano Avraham Hasofer, atacou o código da Bíblia antes que Rips publicasse sua experiência, antes que a evidência matemática fosse conhecida. "Certos tipos de padrões precisam inevitavelmente ocorrer em grandes conjuntos de dados", disse ele. "Não se pode encontrar um arranjo de dígitos ou letras sem um padrão, assim como não se pode encontrar uma nuvem sem forma."

"De todo modo", disse Hasofer, "o uso de um teste estatístico em questões de fé acarreta graves problemas."

Rips diz que a crítica de Hasofer está errada quanto à ciência, e errada quanto à religião. Observa que Hasofer nunca fez um teste estatístico, nunca verificou a matemática e nunca viu o código da Bíblia em si.

— É claro que podemos encontrar combinações randômicas de letras em qualquer texto — diz Rips. — É claro que encontraremos "Saddam Hussein" em qualquer banco de dados suficientemente grande, mas não encontraremos "Scuds", "mísseis russos" e o dia em que a guerra começou, tudo no mesmo lugar, com antecedência. Não importa se estamos procurando num texto de 100 mil ou 100 milhões de letras, nunca encontraremos informações coerentes... exceto na Bíblia.

— Hoje em dia, grande parte da humanidade assume que a Bíblia é apenas folclore antigo, mito, e que a ciência é a única imagem confiável da realidade. Outros dizem que a Bíblia, por ser a palavra de Deus, deve ser verdadeira e, portanto, a ciência deve estar errada. Eu acho que finalmente chegamos a compreender as duas bastante bem... religião e ciência virão juntas... teremos uma Teoria de Campo Unificado.

Nos quase três anos que se passaram desde que o ensaio Rips-Witztum foi publicado, ninguém apresentou qualquer refutação ao boletim matemático.

Os principais cientistas que examinaram realmente o código da Bíblia o confirmam. O decodificador do Pentágono, os três avaliadores do boletim matemático, os professores de Harvard, Yale e da Universidade Hebraica, todos eles começaram céticos e acabaram acreditando.

EINSTEIN disse certa vez: "A distinção entre passado, presente e futuro é apenas uma ilusão, embora persistente." O tempo, afirmou Einstein, não é de modo algum aquilo que parece ser. O tempo não flui numa única direção, e o futuro existe simultaneamente com o passado.

O outro grande físico que definiu nosso Universo, Newton, não só dizia que o futuro já existe, mas acreditava que poderia ser conhecido com antecedência; e, na verdade, ele próprio buscou na Bíblia o código oculto que revelaria o futuro.

Alguns cientistas de hoje, incluindo o maior físico do mundo atual, Stephen Hawking, acreditam que as pessoas um dia serão realmente capazes de viajar no tempo. "A viagem no tempo", diz Hawking, "talvez esteja dentro de nossa capacidade no futuro."

É possível que o poeta T. S. Eliot esteja certo: "Tempo presente e tempo passado / Ambos talvez presentes no tempo futuro / E o tempo futuro talvez contido no tempo passado."

Mas eu não estava preparado para acreditar que o futuro estivesse codificado na Bíblia sem aquele tipo de prova em que um repórter confia, a informação que pode ser verificada no mundo real.

Passei toda uma semana com Eli Rips, trabalhando com ele em seu computador. Pedi-lhe para encontrar coisas relacionadas com os acontecimentos atuais do mundo, com um cometa que acabava de ser visto, com a ciência moderna, e uma vez depois da outra ele encontrava a informação que eu pedia codificada no Antigo Testamento. Quando verificávamos o texto de controle, *Guerra e Paz*, a informação não estava lá. Quando verificávamos a Bíblia, a informação estava lá.

Naquela semana, e em seis viagens subseqüentes a Israel, e nas minhas próprias investigações nos cinco anos seguintes, encontramos dez, e depois cem, e depois mil acontecimentos mundiais codificados na Bíblia. Era possível, num dia qualquer, pegar o *New York Times* ou o *Jerusalem Post* e, se a história nas manchetes fosse suficientemente importante, encontrá-la codificada num documento que foi escrito há três mil anos.

As informações, uma vez depois da outra, provaram ser tão exatas quanto os relatos dos jornais, os nomes, os lugares, as datas, tudo codificado do Gênesis ao Deuteronômio. E às vezes eram descobertas com antecedência.

SEIS meses antes das eleições de 1992, o código revelou a vitória de Bill Clinton. Conectado a "Clinton" estava seu futuro título: "presidente".

○ CLINTON ☐ PRESIDENTE

O grande tumulto nos Estados Unidos em época recente, a queda de Richard Nixon devido ao escândalo de Watergate, também está codificado na Bíblia. "Watergate" aparece junto com "Nixon" e com o ano em que ele foi forçado a renunciar, 1974.

No local em que "Watergate" está codificado, o texto oculto da Bíblia faz uma pergunta: "Quem é ele? Presidente, mas foi expulso."

○ WATERGATE   □ QUEM É ELE? PRESIDENTE, MAS FOI EXPULSO

A Grande Depressão está codificada junto com o colapso do mercado acionário. "Colapso econômico" e "Depressão" aparecem juntos na Bíblia, com a palavra "Ações". O ano em que a Depressão começou, 1929 ("5690" no calendário judaico), está codificado no mesmo local.

Mas os triunfos do homem, tais como o pouso na Lua, também estão codificados. "Homem na Lua" aparece junto com "Nave espacial" e "Apolo 11". Mesmo a data em que Neil Armstrong deu o primeiro passo na superfície lunar (20 de julho de 1969) está na Bíblia.

As palavras de Armstrong, "Um pequeno passo para mim, um grande salto para a humanidade", encontram eco na Bíblia. No trecho em que está codificada a data em que ele pôs os pés na Lua, as palavras bíblicas que cruzam "Lua" são "Feito pela humanidade, feito por um homem".

Está tudo codificado no Gênesis junto com "Apolo 11", no trecho em que Deus diz a Abraão, "Levanta os teus olhos para os céus, e conta as estrelas, se és capaz..."

O COLAPSO ECONÔMICO   △ A DEPRESSÃO   ◇ 1929   □ AÇÕES

Nos anos que se seguiram à minha primeira viagem a Israel, continuei pesquisando o código da Bíblia por minha própria conta, não como um matemático, mas como um repórter investigador que verifica os fatos.

O que está sujeito a prova e pode ser definido além da matemática são as informações sobre o passado recente e o futuro próximo. Em dois anos de investigações, encontrei algo cósmico predito no código — e então observei-o acontecer no mundo real.

○ HOMEM NA LUA   □ NAVE ESPACIAL

Em julho de 1994, o mundo testemunhou a maior explosão já vista no nosso sistema solar. Um cometa bombardeou Júpiter com força superior a um bilhão de megatons, criando bolas de fogo do tamanho da Terra.

Eu mesmo tinha encontrado a codificação Júpiter/cometa na Bíblia, dois meses antes da colisão, usando um programa de computador que fora escrito para mim em Israel, baseado no modelo matemático de Rips.

A colisão estava codificada duas vezes, uma no Livro do Gênesis e outra no Livro de Isaías. O cometa, "Shoemaker-Levy", aparecia ambas as vezes com seu nome completo — os nomes dos astrônomos que o descobriram em 1993 — e seu impacto com Júpiter era apresentado graficamente. No código da Bíblia, o nome do planeta e o nome do cometa se cruzam duas vezes. Em Isaías, a data exata do impacto era afirmada com antecipação: 16 de julho.

שחי־וחצבא!תלכלהעמימבהרהזהמשתחתהשמנימשתחתהשמרימשמנימממחימשמרימממזקקימוובלעבהרהזהפנ
מוירמעלכלהארצכיי־והדברואמרביואמרחהואאהנואהנא*חינוזחקיינולויושיעינוזהי־וחקיינולונ
שרפרשהחלשהותו 𝕊 ילגאותועמארבותחידיוימבצרומשבחומתיכתהשהשפילהגיעלארצעדעפרביו
סמוכתצרשלומכילובכב ⓘ בטחונבי־וחעדיעדכיביה־וחצורעולמיכיהשחישבימרומקריהנשגב
לסמארחמשפטיכי־וחקיי־נוכל ⓘ ולזכרכתאותנצנשפשיאריתיכבלילהאפרוחיבקרביאשחארככיכאש
זיונגיהזוירבשוקנאתעמאאשאכרי כתמסי־והתשפשלולנובגמכלמעשיינמפעלתלנוי־ווהא*חינ
תלגוייי־והיספתלג רחבכ ⓘ פכ ⓓ פ ⓧ ה ⓕ ז ⓖ ארכלקצוי ⓘ ב נלחמוסרכלמוכמוהרהחתקרי בלד
יומתיכנבבלדחתיירמיציורנחקיצוירכנשועברכיעפרכיופעראפרכסמתפאיפרכסמתפ בצאם באת דברהידרי כוסגרד
אתכסתהעודעלחרויגיהביומחהואיפקדי־והחרבוהחקש ⓡ וגדולחתוחחיקהעללוחנשהברחתועלליתונ
יוחאצרנהחמאחיכלימיתננישמריישתנמבלחטמהשעבהבהאחא ⓥ נהיחדאויחזקבמעוזיייעשהושלומישל
אהבשלחתהתרבנחתהגברוחוחתקשהתבירחוחתקמקדימדמלכנבזאתיעקבעירוגיכפרעוג־יזהכלפרוזחטאתחיסרחמנכלאב
צוכלהעפיהבישקציררהתשברינוהשיוזמבאותמאירותאמתחכלאלאעמבילאמעמבירותאחכילאוללכנלאעלנכליאריחמנוועשהויי

○ SHOEMAKER-LEVY   ◇ BATERÁ EM JÚPITER   □ 8º DE AV (16 DE JULHO DE 1994)

O evento que os astrônomos foram capazes de predizer com antecipação de poucos meses, o código da Bíblia predissera exatamente três mil anos antes que ocorresse.

Esta descoberta foi tão dramática que me fez voltar a acreditar em tudo. Durante aqueles dois anos de investigação, eu estava sempre me perguntando: "Será que isso é mesmo verdade? Teria alguma inteligência não-humana realmente codificado a Bíblia?" Cada manhã eu acordava duvidando de tudo, apesar das provas esmagadoras.

Poderia ser uma mistificação? Não seria uma nova revelação, mas sim um outro Diário de Hitler, algum Clifford Irving cósmico?

Os rabinos e os professores nunca chegaram a um acordo quanto às origens da Bíblia. As autoridades religiosas dizem que os cinco primeiros livros — Gênesis, Êxodo, Levítico, Números e Deuteronômio — foram escritos por Moisés há mais de três mil anos. As autoridades acadêmicas dizem que foram escritos por muitas mãos diferentes ao longo de várias centenas de anos. O debate tornou-se irrelevante.

Toda bíblia hebraica que hoje existe é a mesma, letra por letra. Uma Torah — os cinco primeiros livros — não poderá ser utilizada se

36   O Código da Bíblia

```
צאלוטויידבראלחתכיילקחיבנתיוריאמרקומוצאומנהמקומהזהכימשחיתי-והאתהעירויהיכמצחקבע
לחככראתהכליישבכיהעריטוצמחחאדמחהתבטאשתומאחריוחתיכציבמלחויישבכמאברהמבקראלהמקוםאא
והצעירהגמחו(Hדחבנותקראשמרובעמירואביאאבייבניעמונעדהיומיסעמשמאברצמחאחנגבוישבני
ויאמראברהמכיאמרתיךקאיניראתא*היממקומהזהוהרגונייעלדבראמתהיוגמאמניהאחדיבתאנייהואאב
לאברהמהיניקבכניעשרהכיילדתדיבנלזקניויגדלהיליידיוגמלועשאברחמםשתחוגדלביוהגמלואתי
מלאאחחחמתמףמותשקאתהנערויחיא*הימאחנערויגדלוישבבמדרויחרבקשחויישבבמדברפארנות
מויגרבראבבארבעפלשתיסיסרבימיימיחאחרההדבריםאחאלחחוהא*הסכנסהאתאברהמוייאמראליאברהם
תלשחטאתבנוריוקראאלחוימלאכי-והמנחשמימיוימארהחאמרהחמוייויאמראלתשלחדמאלהיח
אלהיילדההמלכהגםחוהילדנחורואחיואברההאמרהמוראמחותדלדאמהוראהטבאחגחוואתתשוואתאמעבוחיה
עמהארצלאמראכאמאתהZZמעניינתיכספהדחקחממךייאקברחאתמתימשמהויענעפרוןנאתאבראהמלאמר
להארצאשרצאתממשמוריאמראלייואברחמשמרלכפונתשיאאברהםZZישמחי-והא*היחשמייםאמשרלקחניימניתאא
תרדהעיינהותמלאדכהתעליורצהעבדלקראתחויאמרגמי^יניכאמעטמיממכדרתאמרשתההאדגיייותמחר
הייגוייראמרחאליגמאתחתעדמצחבוואנכיפנייהתוםלממליוגמלמקוםיהבאהאישהתיוייפתחחחג
יממנכדוואמהחאליגמאתחתיגמגמליכאשאמבהוואמהאשרחכיחהאמרישיחיוהלבניאדיניאחייטרבאכלהלדלברחל
ישבחהנעראחהגייפימאוחעשיואחרתלכויאמרמחאלחאחחיואתהריי-והחצלהיחדרכישלחניוואלכהלאדלני
אתחשבאויאתאתדנגדיידקדנחייהיסאתחגנמאיחיומורבנימדיעהרסחנכויעדואלדההכלאלחבן
ימתויאספאלעמויוישכנומחי-טעדוישראלעלפניימצרחוכאהחאשוריהיכלאחיויי-ישמעחאוריכזיימחליםונלדו
תבכרתהכלייאמראנימייעעראשיןתהנאחתהמתידקיבלי*והאלוהייישראלאמרעקבחשעבעתהחלכיייוםוייבעל
אוייאמראלייבאתרצויעלמשואנוחויתעיויריראלייוייחגילהממהיממאראמלאחיהוייעשייותלגכמעטשבאחאחעמעת
הלנוחופרייייאברצויחאאמרהואמראברשבעוהאדוודי-והלבליחנת-חדאריאמראחאחכיא*והבליההתהרואייימיארחמאכנכחיכירא
תכהיעצייוייאמראחייקראאחצעשואבניומגדלוייקראאיומגדליוייאמראליוהנכייאמרהנהכיאאחתעמרטוהידע
שאתייעקבזבנהההקמנואתערתגדייחתעאליי-תיהמהלביישהעלייידרולועצהחלקתהשדחרגדינכתילאלאת
רומברכי כברוביהיאחייישערכלהצחקלרבאתיהיאכייצאייעקבמאחפכייצחקאבקיייעשואחיוביו
עלצוראאראיכוייטמעיאסתיאמיעקבהיבצדהרבראחא()רבואמינייאמרעשרבלבוייסידוומאבלאביואחרבאחשעק
תלומשמהשחבבבברכונאתוייצועריויליייאמראתתקחאקחאחאברביעקנויייאברבאחבאלחיהאמרייואלאמריילכפדקבאאתי
שרשממהשאתיווריישמעאתחומבכאבחיויצקכעבראשיןקראאתשמאמקהחמהקומהמחהאבית*א*ואולמלזישמהעירילראא
מחהבנאנראחבאכלאכלהאאחחחהבאואברחרלבנתבבלבכאנוא*האמאנוואהתאנאגלבצעמאהאואתגשייעקבו
יהוהינבלכיחאתחלפחשפחחתחלאחבנתוישחפחדחחיוחיתדברעינבקריהיןלאחמחיאמראילאלחיאצמאמריחאהטעליתלחלאא
ויייחראמףיעקבבהחלוייאמרחתחתחתמאיזמרחתיחאיהמאיחניייטבטנותאטרחמנחהממחפרימרומרחחאמחיהנאהאמתיכראבלהבההיאלהצתותולדעל
וישמעא*חיהמאלחאלהוחריבחתחתחריוהוזהלדיאיהחעקבנמחיאמרמאחרנתייאחר*ייהמאלחתחתאאהיזונחמחישריינתייפיעמטנאנתיהשכרייעצתי
מראהעבלכלצצאכנהייאלוצאצרבותחשוופלףיIIIשתחוחמבכשבעיקדויטלוייIIIשחחוצביייעבדיימוחמריטעאמאדמבליוולאמר
עקבויIIIצאחאישמאדמאדמאד מהיווויועבדיימוגמלימוחמריוישמעאמאדבגיווילגנלאמר
תא*אאאשרשחתממטשבאחאשרנדלחישמדזרחעדרחתעתקחבמרחתרגגנבאתיוניאחגבאלחכמהחבשלחבסכחהכבנכני
בויתנחבאתחנההגלעזיויחתבילמנחכחאתחלברחרתגבנאתיולאהנבונתי ואשלחכביחוכנתנחבבתיימחימו
כרהלכייעוזייכלאישבכלוייאתצאגלחוגהנתותהחבאאריימןכייתיבלנניאכנךואתהיטרפהאהאמיאמביכיאאנכוייחמיךתיבכשקנחגבחנותיימי
איאמרלבנלכיעקובנהגהזההזחהחהחמצבההזתהזההמחחמצבהאשרייריתיכינרבבמביניסבינרבייעמוייאמראמריעקב*הייאביאברהמואאיאביצחסזי-וח
אלעשרבמצאכמאכחמיואמראתחוהממתמנחיהעברדיכיעקבבאריי-והלכלפלגיייח*חיאבייבצחקדמיכאו
ארבעמאותאיוחאיישיוחצאתהילדיאתלערלואחרלחלויחלשתיהשפחחתחוישמאתאאשפחתהוקיילדיחוניהיםלידיהואלאלאאחלתהאל
גלחלוזמלאחשרבלבלרבבברלאייחגלחעדוגלחואייליחעלנתאאצייחהיעטרויהוייהמונאעמימכמנחימלכיםחמצלציחיצאואחיוויי
שקכאפשובבתעלמוחבחכמכחנאנאאחאחחלאאשרחחתחתנאחתתבנתיןויאהחהיקמתקחלכמהנינותאתזאתכלבבארבל
גונתכלמהאכבעאחתעאתלונאחאוישבתאמהיולאיתועלמאמזאחדיוחלאהבחמידלגנאלגאמרעהמזכרברכאשרחעמנמלימימחט
תאלהיחוחכראחשאברחתבכהמפותחהרווחדלפהשומלהתרוחחלפחאמלחתנעלחתנעלמחוחחעלמחדייא*חאעשעשחמאמלותחלעניחטנה
תאמבנוייסכלעליהיסכחויצהמקלייהשמנויבמכבאמיעקראייקראיעקבלשמחממאחךבאיחדבראתדנרבראתההמימבתייאוי-ישעוביתמביא
תעשיחאדאיאדורתגעשיולקחנאתעישימבכבעניחנכחכעחתדהבתאילויחחאתחהצמחליתבצבעונאחנחחחתתויא
רעצואלופתיסואלואילופוחאלאפאצריגמלחפרחחצלהעכאלהתמלמיאלופוקאצידיחבישיבחבכעיובנברעוישממרמעריייחודנבחב
רוחמלכולדכלמלטלברארצאדוחאוייממארבבעאנוייברעראאולימלכבבלכללוהראיאאחיבאבאבאכחנעאמהעותרמעלקאהיבכהוחנבב
בבנזייקניםימהאלועשהלופטונתעסיהלכונרתחאכתנםפסיסוראתואחיוכיאחיהוהאמבבכלאחייוויפנאנאחואייאלאדנברר
הייתשאלהחוחאשלאיחיהמהמתהבשדהויימראליואמראחחיאנכימבקטמהיבאדנאהאמרחהנאמרהינבאתהכלכאלאתהוואלבנוחב
אחייחלכחיתבכבכבבתוהטחרחיוחלחחיבוטמולמלכיכובמלנחדנאלעונעלמחוהלפישומלמדחמחאורראתייככרכיואתייחנצעתאעתעשיים
קחיחותהאשהחלערבבריברוושמתחמחותמריאחיחערכיתעודחרעעיעגניייי.וחויאמחחי.-וחיאמרצאמתתי
כאשרבידכויתנלחווהייאלאל*ההיואתאלייחחתתרלחלוחתקמתדוחלכוחתסרעיצרפחחמעצעליהתגללההגדיזהאולמההלההחחתא
ויוספהרדממצריייחחיקנהופוטיפרשסריםסרייפרעהשראשר הטבחחיש מצרימיידהישמעאלמאמחרחוירדהחמה
```

○ SHOEMAKER-LEVY   ◇ JÚPITER

uma única letra estiver ausente ou fora de lugar. E o código da Bíblia utiliza esse texto hebraico hoje universalmente aceito.

Detalhes do mundo de hoje estão codificados num texto que ficou gravado na pedra por centenas de anos e que existe há milênios. Há uma versão completa, datada de 1008 d.C., que é praticamente igual, e fragmentos de todos os livros do Antigo Testamento completo, exceto um, foram encontrados entre os Pergaminhos do Mar Morto, que têm mais de dois mil anos de idade.

Desse modo, o texto utilizado no programa de computador — aquele no qual encontrei a data exata (16 de julho de 1994) da colisão do cometa com Júpiter — foi escrito muito antes que o homem contemplasse os céus através de um telescópio.

Qualquer mistificação é descartada simplesmente porque exigiria um falsificador que pudesse ver o futuro. Nenhum falsificador codificou a colisão com Júpiter, nem há dois mil anos, nem há duzentos anos, nem dois meses antes que ela ocorresse. Uma vez mais, eu estava certo disso.

Fui ver Rips na Universidade de Colúmbia. Ele ali estava como professor visitante, ocupando o mesmo gabinete no prédio da matemática que fora ocupado pelo presidente da Sociedade Matemática Americana, Lipman Bers, o homem que organizara, 26 anos antes, a campanha internacional que acabaria por libertar Rips de uma prisão soviética.

Enquanto jovem universitário na União Soviética, Rips fora preso em 1968 durante uma demonstração contra a invasão da Tchecoslováquia. Passara os dois anos seguintes como prisioneiro político. Sua libertação e permissão para emigrar para Israel só se tornaram possíveis graças à intercessão de matemáticos do Ocidente.

Professor na Universidade Hebraica de Jerusalém, Rips também lecionou nas Universidades de Chicago e Berkeley, e é respeitado no mundo da matemática.

Em seu gabinete na Universidade de Colúmbia, Rips contemplava minha listagem sobre a colisão do cometa com Júpiter.

— Isso é excitante — disse ele, às vezes tão cheio de reverência quanto eu pela precisão do código da Bíblia.

Os astrônomos sabiam que o cometa atingiria Júpiter porque tinham traçado sua trajetória, e sabiam quando ocorreria a colisão porque podiam medir a velocidade do cometa. Mas quem quer que tenha codificado a Bíblia tinha a mesma informação milhares de anos antes que isso fosse possível, milhares de anos antes de Shoemaker e Levy descobrirem o cometa; senão, como poderia a Bíblia codificar a data do impacto?

Esta era, é claro, a grande pergunta: Como poderia o futuro ser conhecido?

Fui com Rips ver um dos principais matemáticos de Harvard, David Kazhdan. Kazhdan disse-me acreditar que o código da Bíblia era real, mas que era incapaz de explicar como funcionava.

— Parece que a Bíblia foi codificada há três mil anos, com informações sobre acontecimentos futuros — disse Kazhdan. — Eu vi os resultados. Não existe base científica para desafiar este código. Eu acho que ele é real.

— Como ele funciona? — perguntei.

— Não sabemos — respondeu Kazhdan. — Mas reconhecemos a existência da eletricidade cem anos antes de podermos explicá-la.

Perguntei a Rips e Kazhdan como alguém, homem ou Deus, poderia ver aquilo que ainda não existe. Eu sempre assumi que o futuro não existe até que ele aconteça.

A primeira resposta de Rips foi teológica:

— O mundo foi criado. O Criador não está confinado pelo tempo ou espaço. Para nós, o futuro não existe. Para o Criador, todo o universo do começo ao fim é visto numa só pincelada.

Kazhdan deu uma explicação newtoniana:

— A ciência aceita que, se conhecemos a posição de cada átomo e molécula, podemos prever tudo. No mundo mecânico, se conhecemos a posição e velocidade de um objeto... seja uma bala de revólver ou um foguete rumo a Marte... então podemos também saber precisamente quando e onde ele chegará. Assim, neste sentido não há problema algum em conhecer o futuro.

E acrescentou:

— Mas se você me perguntar se eu fico surpreso com o fato de o futuro estar codificado na Bíblia, é claro que sim.

I. Piatetski-Shapiro, um dos maiores matemáticos de Yale, também confirma o código da Bíblia, mas fica igualmente espantado pela revelação de acontecimentos que ocorreram muito depois que a Bíblia foi escrita.

— Acredito que o código é real — disse Piatetski-Shapiro. — Eu vi os resultados, e eram surpreendentes. As predições do futuro, de Hitler e do Holocausto.

○ HITLER △ HOMEM MAU □ NAZISTA E INIMIGO ◇ MASSACRE

O israelense que trabalha com Rips, Doron Witztum, fez uma extensa busca por "Holocausto" no código da Bíblia, e encontrou-o explicado num nível extraordinário de detalhes.

"Hitler" e "Nazista" estavam codificados junto com "Massacre". A expressão "Na Alemanha" surgiu codificada junto com "Nazistas" e "Berlim". E o nome do homem que comandou os campos de concentração, "Eichmann", estava codificado junto com "Os fornos" e "Extermínio".

A expressão "Em Auschwitz" estava codificada no local em que o texto aberto da Bíblia decreta "um fim a toda carne". Mesmo os detalhes técnicos da "solução final" ali estavam. O gás usado para matar os judeus, "Zyklon B", estava codificado junto com "Eichmann".

Piatetski-Shapiro tinha visto estas descobertas e estava perplexo:

— Como matemático, meu instinto me diz que há algo real aqui.

Mas o professor de Yale não conseguia explicar como a coisa era feita:

— Não há como explicar, dentro das leis conhecidas da matemática, a visão do futuro. A física newtoniana é simples demais para explicar um conjunto tão complexo e detalhado de previsões. A física quântica tampouco é suficiente. Estamos falando, aqui, de alguma inteligência fora do comum.

O matemático calou-se por alguns instantes, e depois disse:

— Acho que esta é a única resposta... que Deus existe.

— O senhor acha que algum dia seremos capazes de explicá-lo em termos puramente científicos? — perguntei.

— Duvido. Talvez parte dele, mas uma parte sempre permanecerá desconhecida.

E acrescentou:

— É possível, em teoria, acreditar no código da Bíblia sem acreditar em Deus. Mas se assumimos que Deus existe, não precisamos responder à pergunta: Quem pode ver o futuro?

SE o futuro pode ser previsto, poderá também ser mudado?

Se soubéssemos sobre Hitler de antemão, poderíamos ter evitado a Segunda Guerra Mundial?

Rabin ou Kennedy poderiam ter sido salvos das balas dos assassinos?

Mesmo se Amir ou Lee Harvey Oswald tivessem sido descobertos de antemão no código da Bíblia, poderiam ter sido detidos? Havia uma probabilidade alternativa — de que os atiradores fossem apanhados, de que Rabin ou Kennedy vivessem?

A questão é saber se o código da Bíblia nos diz o que acontecerá ou talvez aconteça, se ele apresenta um futuro predeterminado ou se prediz todos os futuros possíveis.

Os físicos vêm mantendo o mesmo debate desde que Werner Heisenberg formulou seu famoso Princípio da Incerteza. Stephen Hawking o definiu em termos leigos: "Certamente não podemos predizer os acontecimentos futuros com exatidão, pois nem sequer podemos medir com exatidão o atual estado do Universo!"

A maioria dos cientistas acredita que o Princípio da Incerteza é uma propriedade fundamental e inescapável do mundo. E esse Princípio afirma que não existe um único futuro, mas sim muitos futuros possíveis.

Hawking assim o expressa: "A mecânica quântica não prediz um único resultado definido para uma observação. Em vez disso, prediz inúmeros diferentes resultados possíveis, e nos diz como cada um deles provavelmente é."

Será que o código da Bíblia, tal como a física quântica, apresenta todas as probabilidades? Ou as predições codificadas estão entalhadas na pedra? Algumas predições, como o assassinato de Rabin, ocorrem claramente. Será que todas as predições se tornam realidade?

Ainda não temos experiência suficiente com o código da Bíblia para saber as respostas, mas mesmo a regra aparentemente rígida do Princípio da Incerteza talvez não se aplique ao código.

No fim, é possível que toda a ciência convencional, na verdade todos os conceitos convencionais de realidade, sejam irrelevantes. Se algum ser que permanece fora do sistema, fora das nossas três dimensões, fora do tempo, codificou a Bíblia, então o código não obedeceria nenhuma das nossas leis, científicas ou não.

Mesmo Hawking admite que as regras do acaso talvez não se apliquem a Deus: "Podemos ainda imaginar que há um conjunto de leis que determina todos os acontecimentos, feito por algum ser supranatural."

Se admitimos que não estamos sós — que existe no Universo uma inteligência além da nossa — tudo o mais precisa ser reexaminado.

E o maior cientista do nosso tempo, Einstein, nunca aceitou que o Universo fosse governado pelo acaso.

"A mecânica quântica por certo se impõe", disse Einstein. "Mas uma voz interior me diz que ainda não é bem isso. A teoria diz muitas coisas, mas não nos aproxima realmente do segredo do 'Velho'."

"Deus", disse Einstein, "não joga dados."

PODERIA realmente existir um código na Bíblia que registrasse os acontecimentos milhares de anos antes que eles ocorressem, que contasse nossa história com antecipação, que pudesse agora revelar um futuro que para nós ainda não existe?

Fui ver o mais famoso matemático de Israel, Robert J. Aumann. Ele é um dos especialistas mundiais na Teoria dos Jogos, e membro da Academia de Ciências tanto de Israel quanto dos Estados Unidos.

— O código da Bíblia é simplesmente um fato — disse Aumann. E continuou:

— A ciência é impecável. Os resultados de Rips são tremendamente significativos, além de tudo o que se costuma ver na ciência. Eu li o material dele de ponta a ponta, e os resultados são diretos e claros.

"Estatisticamente, estão bem além do que é costume exigir. O padrão mais rigoroso já aplicado é 1 em mil. Os resultados de Rips são significativos ao nível de 1 em 100 mil, pelo menos. Não se vêem resultados assim nas experiências científicas usuais.

"É muito importante tratar esta experiência como qualquer outra experiência científica... com muita frieza, de modo muito metódico, testando e observando os resultados. Tanto quanto posso ver, o código da Bíblia é simplesmente um fato.

"Estou falando como um contador. Chequei os livros e está tudo *Kosher*. Não só *Kosher*, mas *Glatt Kosher*."

Aumann estivera cético. De início, não conseguia acreditar que um código na Bíblia revelasse o futuro. Ele disse:

— Vai contra toda a minha formação de matemático e mesmo contra o pensamento religioso com o qual me sinto bem. É diferente de todas as coisas conhecidas pela ciência. Nunca houve nada igual em todas as centenas de anos da ciência moderna.

Aumann conversou com grandes matemáticos em Israel, nos Estados Unidos, no mundo todo. Nenhum deles conseguiu encontrar uma única falha na matemática do modelo. Ele acompanhou o trabalho de Rips durante anos, e continuou a investigá-lo por meses a fio.

Finalmente, em 19 de março de 1996, o mais famoso matemático de Israel declarou à Academia Israelita de Ciências: "O código da Bíblia é um fato estabelecido."

AINDA há muito que ninguém sabe sobre o código da Bíblia. Rips, que sabe mais do que qualquer outro, diz que é como um gigantesco quebra-cabeça com milhares de peças, das quais temos apenas umas poucas centenas.

— Quando o código da Bíblia se tornar amplamente conhecido e as pessoas tentarem usá-lo para predizer o futuro, elas deverão saber que é complicado — diz Rips. — Talvez todas as probabilidades estejam lá, e aquilo que fazemos talvez determine o que realmente acontecerá. Talvez o código tenha sido feito deste modo para preservar nosso livre-arbítrio.

"A pior coisa que poderia acontecer é algumas pessoas interpretarem aquilo que encontram no código da Bíblia como mandamentos, como ordens quanto ao que elas devem fazer... e não se trata disso, são apenas informações e talvez sejam apenas probabilidades."

Mas se todas as probabilidades estiverem no código da Bíblia, isso apenas faz a grande pergunta subir para um novo nível. Como poderia cada momento da história humana estar codificado? No amplo movimento da História, até mesmo o assassinato de Rabin, o pouso na Lua e Watergate não passam de simples momentos. Como poderiam estar, todos eles, codificados num único livro?

Perguntei a Rips se existiria um limite para as informações contidas no código, quanto de nossa História estaria oculto na Bíblia.

— Tudo — respondeu o matemático. Citou novamente a frase que tinha lido para mim quando nos conhecemos, as palavras de Genius de Vilna, sábio do século XVIII: "Tudo o que foi, tudo o que é e tudo o que será, até o fim dos tempos, está incluído na Torah."

Como era possível isso, se o texto original do Antigo Testamento continha apenas 304.805 letras?

— Em tese, não há limite algum para a quantidade de informações que podem ser codificadas — disse Rips. Pegou meu bloco e começou a escrever uma equação. — Se temos um conjunto finito, podemos procurar pelo conjunto de potências e pelo conjunto de todos os seus subconjuntos. E cada elemento de cada conjunto pode estar a intervalos diversos.

No bloco, ele tinha escrito a fórmula:
$S, P(S), P(P(S)) = P^2(S)..., P^K(S)$.

Não entendi a matemática, mas captei o sentido. Mesmo com um banco de dados limitado, poderia haver um número infinito de combinações e permutações.

— Pelo menos dez ou vinte bilhões — disse Rips, e explicou o sentido daquele número: — Se você começar a contar a partir do um e nunca parar, dia e noite, levará cem anos para contar até três bilhões.

Em outras palavras, o código da Bíblia contém mais informações do que poderíamos contar, muito menos encontrar, durante várias vidas. E isso sem levar em conta os "problemas de palavras cruzadas" que se criam quando 2 ou 3 ou 10 palavras diferentes se unem. No fim, disse Rips, a quantidade de informações é incalculável e provavelmente infinita.

E este era apenas o primeiro nível, mais tosco, do código da Bíblia.

SEMPRE imaginamos a Bíblia como um livro. Sabemos agora que o livro foi somente sua primeira encarnação. A Bíblia é também um programa de computador. Não um livro que Rips simplesmente digitou no computador, mas algo que seu autor original realmente pretendia fosse interativo e mutável.

O código da Bíblia talvez seja uma série programada de revelações, cada qual destinada à tecnologia de sua época.

Talvez seja alguma forma de informação que ainda não somos capazes de imaginar em sua plenitude, algo que nos pareceria tão estranho hoje quanto um computador para os nômades do deserto há três mil anos.

— É quase certo que a Bíblia tem muitos outros níveis de profundidade, mas ainda não temos um modelo matemático suficientemente poderoso para alcançá-los — diz Rips. — Provavelmente ela é menos como um problema de palavras cruzadas e mais como um holograma. Estamos vendo apenas os arranjos bidimensionais e provavelmente deveríamos vê-la em três dimensões, pelo menos, mas não sabemos como fazê-lo.

E ninguém sabe explicar como o código foi criado.

Todo cientista, matemático e físico que compreende o código concorda que nem mesmo os mais potentes supercomputadores que temos hoje — nem todos os Crays da sala de guerra do Pentágono, ou todos os *main-frames* da IBM, ou todos os computadores hoje existentes no mundo trabalhando em conjunto — poderiam ter codificado a Bíblia do modo como foi feito há três mil anos.

— Não consigo sequer imaginar como teria sido feito, como alguém poderia tê-lo feito — diz Rips. — É uma mente além da nossa imaginação.

O programa de computador que revela o código da Bíblia não é, quase com certeza, a forma última que a Bíblia irá assumir. É provável que sua próxima encarnação já exista, esperando que inventemos a máquina que a revelará.

— Mas mesmo aquilo que sabemos como encontrar, é provável que nunca terminemos de decodificar — diz Rips. — Mesmo neste nível, é provável que as informações sejam infinitas.

Ninguém sabe ainda se cada um de nós, e todo o nosso passado e todo o nosso futuro, está em algum código da Bíblia de nível mais elevado, ainda desconhecido; se ela é, de fato, uma espécie de Livro da Vida. Mas parece que toda figura importante, todo grande acontecimento na história do mundo podem ser encontrados com o nível de codificação que já conhecemos.

Todos os líderes da Segunda Guerra Mundial — "Roosevelt", "Churchill", "Stalin", "Hitler" — estão lá. "América" e "Revolução" e "5536" (1776 d.C.) aparecem juntos. "Napoleão" está codificado junto com "França", mas também com "Waterloo" e "Elba". A revolução que mudou a face do século XX, a "Revolução" comunista na "Rússia", está codificada junto com o ano em que triunfou, "5678" (1917 d.C.).

Grandes artistas e escritores, inventores e cientistas dos tempos antigos à época moderna, estão também codificados na Bíblia. "Homero" é identificado como o "Poeta grego". "Shakespeare" é profetizado numa única seqüência do código, que soletra não só seu nome mas também seus feitos: "Shakespeare", "Representado no palco", "Hamlet" e "Macbeth".

○ SHAKESPEARE △ REPRESENTADO NO PALCO ◇ MACBETH □ HAMLET

"Beethoven" e "Johann Bach" estão ambos codificados como "Compositores alemães", enquanto "Mozart" é identificado como um "Compositor" de "Música". "Rembrandt" está codificado junto com "Holandês" e "Pintor". "Picasso" é chamado "O artista".

Todos os principais avanços da tecnologia moderna parecem ter sido registrados. Os "Irmãos Wright" estão codificados junto com "Avião"; "Edison", com "Eletricidade" e "Lâmpada elétrica"; "Marconi", com "Rádio".

Os dois cientistas que definiram o Universo para o mundo moderno, "Newton" e "Einstein", estão codificados na Bíblia, cada qual com sua principal descoberta.

"Newton", que explicou a mecânica do nosso sistema solar, como os planetas são mantidos em seu lugar pela força da gravidade, aparece junto com "Gravidade". Até mesmo a própria busca de Newton por um código na Bíblia que revelasse o futuro está codificada na Bíblia: "Código da Bíblia" também aparece junto com "Newton".

O CÓDIGO DA BÍBLIA 47

○ IRMÃOS WRIGHT   □ AVIÃO

○ EDISON   ◇ ELETRICIDADE   □ LÂMPADA ELÉTRICA

O Código da Bíblia

○ NEWTON   □ GRAVIDADE

○ EINSTEIN   ⬠ ELES PROFETIZARAM UMA PESSOA INTELIGENTE
◇ CIÊNCIA   □ UM NOVO E EXCELENTE ENTENDIMENTO
△ ELE REVOLUCIONOU A REALIDADE PRESENTE

"Einstein" está codificado uma única vez. "Eles profetizaram uma pessoa inteligente" aparece no mesmo local. A palavra "Ciência", encoberta pela expressão "Um novo e excelente entendimento", cruza seu nome. E logo acima de "Einstein", o texto oculto afirma que "Ele revolucionou a realidade presente".

A "Teoria da Relatividade" de Einstein também está codificada. Na verdade, o pleno entendimento do Universo que escapou a Einstein, a Teoria do Campo Unificado, talvez também tenha sido codificada na Bíblia há três mil anos. Com seu nome, na única vez em que aparece, e novamente com a "Teoria da Relatividade", o código oferece a mesma pista: "Acrescente uma quinta parte."

Parece que a resposta que Einstein procurava não seria encontrada nem nas nossas três dimensões do espaço, nem na quarta dimensão do tempo, mas na quinta dimensão que todos os físicos quânticos hoje admitem existir.

— Os mais antigos textos religiosos — observou Rips — também afirmam que existe uma quinta dimensão. Eles a chamam de "profundezas do bem e profundezas do mal".

Céu e Inferno? Este é o tipo de pergunta que um dia preocupou o mundo, mas que poucos cientistas, e raros repórteres, hoje levam a sério. Mas o código da Bíblia força-nos a fazer as maiores perguntas.

O código da Bíblia prova que existe um Deus?

Para Eli Rips, a resposta é afirmativa.

— O código da Bíblia é uma sólida prova científica — afirma o matemático. Mas Rips acreditava em Deus antes de ter encontrado a prova.

Muitos outros dirão também que hoje temos a primeira prova secular de Sua existência. Acredito apenas que nenhum ser humano poderia ter codificado a Bíblia desta maneira.

Temos realmente a primeira prova científica de que existe uma inteligência fora da nossa própria inteligência, ou pelo menos existia na época em que a Bíblia foi escrita.

Não sei se essa inteligência é Deus. Sei apenas que nenhum ser humano poderia ter codificado a Bíblia há três mil anos e profetizado o futuro com exatidão.

Se o assassinato de Rabin, a Guerra do Golfo e a colisão do cometa com Júpiter estão ali codificados, e claramente estão, quem o fez foi alguma inteligência muito diferente da nossa.

O código da Bíblia exige que aceitemos aquilo que a própria Bíblia só nos pode pedir para aceitar — que não estamos sozinhos.

Mas o código não existe simplesmente para anunciar a existência do codificador. A Bíblia foi codificada para soar um sinal de alerta.

CAPÍTULO 2

O HOLOCAUSTO ATÔMICO

As palavras abertas do Antigo e do Novo Testamento predizem que a "Batalha Final" começará em Israel, com um ataque à Cidade Santa, Jerusalém, e finalmente engolfará o mundo todo.

No Livro do Apocalipse, é dito deste modo: "Satã será solto da prisão. Sairá para seduzir as nações dos quatro cantos da terra, Gog e Magog, e reuni-las para o combate. Serão numerosas como areia do mar. Espalharam-se pela superfície da terra, e cercaram o acampamento dos santos e a cidade bem-amada. Mas desceu o fogo dos céus e as devorou."

No código da Bíblia, somente uma capital do mundo combina com "Guerra Mundial" ou "Holocausto atômico" — "Jerusalém".

No dia em que Rabin foi morto, encontrei as palavras "Todo o seu povo para a guerra" codificadas na Bíblia. O alerta da guerra total estava oculto na mesma matriz do código que predizia o assassinato.

"Todo o seu povo para a guerra" aparecia logo acima de "assassino que assassinará", no mesmo local que "Yitzhak Rabin".

Imediatamente voei de volta para Israel.

O assassinato de Rabin mudou tudo. Foi o primeiro momento em que o código da Bíblia me pareceu inteiramente real, o momento em que aquilo que estava codificado tornou-se um fator de vida ou morte. E agora o código alertava que todo o país estava em perigo.

Enquanto Israel pranteava Rabin, trabalhei com Eli Rips em sua casa nos arredores de Jerusalém. Tentamos decodificar os detalhes da nova profecia — "Todo o seu povo para a guerra".

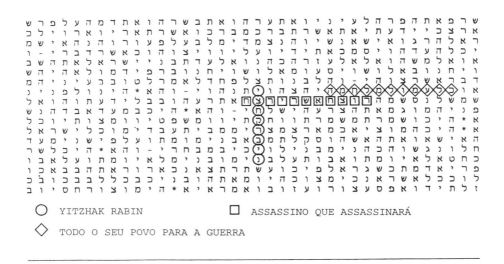

○ YITZHAK RABIN □ ASSASSINO QUE ASSASSINARÁ
◇ TODO O SEU POVO PARA A GUERRA

Rips e eu pesquisamos o código da Bíblia em busca dos sinais de um conflito catastrófico. Ainda não sabíamos que o código alertava sobre um ataque atômico a Jerusalém. Ainda não tínhamos encontrado "Guerra Mundial".

Mas, na primeira corrida do computador, encontramos as palavras "Holocausto de Israel". O "Holocausto" estava codificado uma única vez, começando num versículo do Gênesis em que o patriarca Jacó diz a seus filhos o que sucederá a Israel no "Fim dos Dias".

— A primeira pergunta é "quando" — disse Rips, e imediatamen-

○ HOLOCAUSTO DE ISRAEL   □ 5756 (1995/96 d.C.)

te verificou os cinco anos seguintes, cada ano do resto do século. De repente ficou pálido e mostrou-me os resultados.

O ano judaico então em curso, 5756 — o final de 1995 e a maior parte de 1996 no nosso calendário moderno — aparecia no mesmo local do novo "Holocausto" profetizado.

Era um quadro terrivelmente assustador. O ano, na verdade, ligava-se a "Holocausto de Israel". Era uma combinação perfeita. "5756" surgia no versículo da Bíblia em que o "Holocausto" estava codificado.

O ano 2000 (5760 no calendário judaico) foi também uma combinação muito boa. Mas o último ano do século parecia distante naquele momento. Na segunda semana de novembro de 1995, nos dias que se seguiram ao assassinato de Rabin, o fato esmagador era a clara codificação do "Holocausto" com o ano então em curso.

— Quais são as probabilidades? — perguntei a Rips.

— Mil para um — foi sua resposta.

— O que poderia causar um holocausto na Israel moderna? — perguntei. A única coisa que eu podia imaginar era um ataque nuclear. E agora encontrávamos, codificada na Bíblia, uma afirmação alarmante de perigo moderno no antigo texto: "Holocausto atômico".

○ HOLOCAUSTO ATÔMICO   ☐ EM 5756 (1995/96 d.C.)

"Holocausto atômico" aparecia uma única vez. Três anos dos cinco anos seguintes estavam codificados no mesmo local: 1996, 1997 e o ano 2000. Mas novamente o que nos atraiu a atenção foi o ano em curso, 5756. "Em 5756" estava codificado logo abaixo de "Holocausto atômico".

— Quais são as probabilidades de que isso aconteça duas vezes por acaso? — perguntei.

— Mil vezes mil — respondeu Rips.

Havia indicações de perigo ao longo de todo o resto do século, e além. Se o código da Bíblia estava certo, Israel correria um perigo sem precedentes durante pelo menos cinco anos.

Mas, além de 1996, somente um outro ano estava tão claramente codificado junto com "Holocausto atômico": 1945, o ano de Hiroshima.

Examinamos novamente a frase "Todo o seu povo para a guerra", a afirmação que aparecia junto com o assassinato de Rabin. As mesmas palavras — "Todo o seu povo para a guerra" — também estavam codificadas junto com "Holocausto atômico". Na verdade, aquelas palavras apareciam três vezes no texto aberto da Bíblia, e codificadas duas vezes junto com "Holocausto atômico".

Rips calculou novamente as probabilidades. Mais uma vez, era de pelo menos 1.000 para 1.

Diante de número tão alto, perguntei a Rips qual a probabilidade de que cada elemento do perigo profetizado — a guerra, o holocausto, o ataque atômico — estivesse codificado. E ele respondeu:

— Não há meios de calcular isso. Mas está na faixa de muitos milhões para um.

O código da Bíblia parecia estar profetizando um novo holocausto, a destruição de todo um país. Se uma guerra nuclear irrompesse no Oriente Médio, ela iria quase com certeza detonar um conflito global, talvez outra Guerra Mundial.

E os acontecimentos previstos estavam realmente acontecendo conforme a profecia. Um primeiro-ministro já estava morto. E eu não podia simplesmente esperar para ver se a próxima previsão também se tornava realidade.

Tivéramos informações que poderiam ter salvo a vida de Rabin, mas não conseguimos impedir seu assassinato. Agora tínhamos informações que poderiam impedir uma guerra. Era, para mim, uma situação realmente bizarra. Por acaso eu deparara com um código na Bíblia que revelava claramente acontecimentos futuros. Mas eu não era um homem religioso, eu não acreditava em Deus, e nada daquilo fazia sentido para mim.

Eu tinha trabalhado como repórter no *Washington Post* e no *Wall Street Journal*, escrevera um livro baseado em 10.000 documentos, estava acostumado a fatos concretos nas nossas três dimensões. Não era um estudioso da Bíblia. Nem sequer falava hebraico, a língua da Bíblia e do código. Tive que aprender hebraico a partir do zero.

Mas eu encontrara o assassinato de Rabin codificado na Bíblia. Praticamente ninguém mais sequer sabia da existência do código. Só Rips sabia que o código também parecia prever um ataque atômico, outro holocausto, talvez outra Guerra Mundial. E Rips era um matemático, não um repórter. Ele não tinha experiência em tratar com líderes de governos. Não se mostrara disposto a alertar Rabin. Não estava pronto a falar do assunto com o novo primeiro-ministro, Shimon Peres.

Todos os meus instintos de repórter diziam que esse novo perigo não podia ser real. Todos os líderes árabes tinham acabado de comparecer aos funerais de Rabin. A paz parecia mais segura do que nunca, no final de 1995.

"Todo o seu povo para a guerra" parecia uma ameaça muito remota. Não havia uma guerra real desde que Israel derrotara o Egito e a Síria em 1973. Não havia tumultos internos desde o fim da Intifada, com o aperto de mãos entre Rabin e Arafat, em 1993. Não houve nenhum grande ataque terrorista nesses três anos. Israel gozava de mais paz do que nunca, desde que o Estado moderno fora estabelecido após a Segunda Guerra Mundial.

Um "holocausto atômico" parecia mais do que improvável. Uma "guerra mundial" parecia inacreditável. Mas eu nunca acreditara de fato que Rabin seria morto. Sabia apenas que seu assassinato estava codificado. E agora Rabin estava morto. Ele foi morto, exatamente conforme predito, em 5756, o ano judaico que começou em setembro de 1995.

Mais uma vez olhei as novas listagens de computador. "A próxima guerra" estava codificada uma única vez na Bíblia. "Será após a morte do primeiro-ministro", dizia o texto oculto. Os nomes "Yitzhak" e "Rabin" estavam codificados no mesmo versículo.

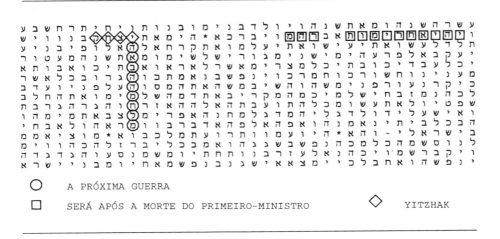

○ A PRÓXIMA GUERRA

□ SERÁ APÓS A MORTE DO PRIMEIRO-MINISTRO ◇ YITZHAK

Eu agora tinha certeza de que o código da Bíblia revelava o futuro. Mas ainda não sabia se toda profecia se tornava realidade. E ainda não sei se o futuro pode ser mudado.

Fiquei acordado, pensando como me aproximar de Shimon Peres e o que lhe dizer; e, de repente, ocorreu-me a resposta para a grande pergunta.

Em hebraico, cada letra do alfabeto é também um número. Datas e anos podem ser escritos com letras, e é sempre assim que surgem no código da Bíblia. As mesmas letras que soletravam o ano em curso, 5756, formavam também uma pergunta.

As letras que compunham o número 5756, ano do holocausto profetizado, claramente soletravam um desafio para todos nós — "Vocês o mudarão?"

O Holocausto Atômico

ו נ ט ת ה   = 5756 = VOCÊS O MUDARÃO?

Menos de uma semana após a morte de Rabin, mandei uma carta ao novo primeiro-ministro, Shimon Peres, alertando-o sobre o novo perigo codificado na Bíblia.

Minha carta a Peres afirmava:

"Há na Bíblia um código oculto que revelou o assassinato de Rabin um ano antes que ocorresse.

"Estou lhe escrevendo agora porque o código da Bíblia indica um novo perigo para Israel — um 'holocausto atômico'.

"As informações sobre o 'holocausto atômico' que ameaça Israel são detalhadas. A fonte do perigo é indicada, e ele está previsto para este ano judaico, 5756.

"Acredito que o perigo pode ser evitado, se for compreendido. Isto não é religião. A solução é inteiramente secular."

A primeira reação do primeiro-ministro foi de descrença. "Astrólogos e adivinhos me procuram o tempo todo com os mais diversos alertas", disse Peres a Elhanan Yishai, seu amigo de longa data e proeminente membro do Partido Trabalhista, passando-lhe minha carta em 9 de novembro.

Menos de uma semana havia se passado desde a morte de Rabin. Peres não tinha tempo para as predições de um código bíblico.

A secretária de imprensa do primeiro-ministro, Eliza Goren, também se mostrava cética. Ela estava perto de Rabin quando este foi baleado, tinha lido a carta que eu lhe enviara um ano antes alertando sobre o assassinato, mas, ainda assim, Eliza Goren não acreditava que o código fosse real.

— Somos todos pessoas racionais aqui, Michael — disse-me ela. — Estamos no século XX.

Sou um repórter, não um adivinho. Eu não queria fazer predições. Eu não queria ser o homem que voava pelo mundo afora bradando: "Acautelai-vos nos idos de março."

E eu não fazia a mínima idéia se o perigo de um "holocausto atômico" existia fora do código da Bíblia. Mas os especialistas norte-americanos em terrorismo nuclear disseram-me que tal perigo era mais do que plausível. Na verdade, disseram-me que era quase um milagre aquilo ainda não ter acontecido. A ex-União Soviética era um mercado aberto de material nuclear, os países árabes radicais eram os mais prováveis compradores e Israel era o alvo óbvio.

"Nunca antes um império se desintegrou enquanto possuía 30.000 armas nucleares, 40.000 toneladas de armas químicas, toneladas de materiais físseis e dezenas de milhares de cientistas e técnicos que sabem construir tais armas, mas não sabem ganhar a vida", afirmava um relatório do Senado norte-americano sobre o mercado negro soviético.

Um oficial russo que investigava o roubo de urânio enriquecido de uma base de submarinos nucleares em Murmansk expressou-o de modo mais simples: "Até as batatas são mais bem guardadas."

Eu não precisava falar com os especialistas para saber que o perigo era real. Estive em Moscou em setembro de 1991, poucas semanas após o fracassado golpe contra Gorbachev, quando a União Soviética pareceu cair da noite para o dia. Tudo estava à venda.

Lembro-me de um encontro com um grupo de cientistas militares russos, incluindo alguns de seus maiores especialistas em armas nucleares. Nenhum deles tinha condições de comprar sequer uma camisa decente. Os punhos e colarinhos estavam rasgados e puídos. O cientista sênior ali presente, que planejara o mais importante sistema de mísseis soviéticos, puxou-me de lado e se ofereceu para vendê-lo a mim. É claro que terroristas árabes não teriam qualquer problema em comprar uma bomba atômica.

O perigo indicado no código da Bíblia podia ser real. Mas eu não tinha como confirmá-lo, nem como impedi-lo.

Alguns dias após meu retorno aos Estados Unidos, finalmente consegui acesso ao chefe do Serviço de Informações de Israel, General Jacob Amidror. Eu esperava que ele, tal como Peres, descartasse o código da Bíblia. Os altos escalões do governo de Israel eram, naquele momento, desafiadoramente seculares; e os oficiais militares e de informações, os mais seculares de todos.

O HOLOCAUSTO ATÔMICO

De imediato assegurei ao General Amidror que aquilo era informação, não religião. Disse-lhe:

— Eu não sou religioso. Sou um repórter investigador. Para mim, o código da Bíblia é informação e não religião.

— Como é que você pode dizer tal coisa? — replicou Amidror. — Como pode dizer que isto não é Deus? Isto foi codificado na Bíblia três mil anos atrás.

Amidror, como vi, era um homem religioso. Não só aceitou o código como real, mas aceitou-o como a palavra de Deus. Nos altos escalões do Serviço de Informações israelense, quase totalmente seculares, eu tinha chegado ao único homem que não precisava de nenhuma prova para aceitar o código da Bíblia.

Mas Amidror disse que não via provas, no mundo real, do perigo previsto:

— Se há perigo, é do outro reino. Nesse caso, tudo o que podemos fazer é rezar.

LOGO depois do Ano Novo em 1996, o conselheiro militar de Peres, General Danny Yatom, chamou-me em Nova York e disse:

— O primeiro-ministro leu sua carta, e também sua carta a Rabin. Ele gostaria de encontrar-se com você.

Voei de volta a Israel e, para preparar minha reunião com Peres, retomei o trabalho com Eli Rips.

Verificamos novamente toda a matemática. Rips digitou em seu computador "Holocausto de Israel" e o ano judaico em curso, "5756". Combinavam. As probabilidades eram de 1.000 para 1. Ele digitou "Holocausto atômico" e o ano. Mais uma vez combinavam. As probabilidades eram maiores que 1.000 para 1: 8 em 9.800.

Quem desfecharia um ataque atômico contra Israel? Quem era o inimigo? Cruzando "Holocausto atômico", estavam as palavras "Da Líbia". E "Líbia" aparecia mais duas vezes na mesma tabela.

O nome do líder líbio, "Kaddafi", estava codificado no último livro da Bíblia, num versículo que afirmava: "O Senhor lançará contra ti uma nação distante, que investirá como um abutre."

E as palavras "Artilharia líbia" também estavam codificadas, junto com o ano em curso, "5756". As probabilidades de que a arma estivesse codificada junto com o ano eram de pelo menos 1.000 para 1.

○ ARTILHARIA LÍBIA □ 5756 (1996 d.C.)

A expressão "Artilheiro atômico" também estava codificada na Bíblia, que parecia afirmar a localização exata. Era "A Pisgah" [ou Fasga], cadeia montanhosa da Jordânia, as mesmas montanhas em que Moisés subiu para contemplar a Terra Prometida.

Quando verifiquei o texto aberto da Bíblia, o primeiro versículo que mencionava a Pisgah também afirmava quase com clareza: "Arma aqui, neste lugar, camuflada."

Parecia inacreditável que as próprias palavras do Antigo Testamento, escritas três mil anos antes, revelassem a localização da arma atômica prestes a ser lançada contra Israel. Contudo, se o perigo era real, se estava iminente o "holocausto de Israel", um "holocausto atômico", isso era perfeitamente lógico.

Se havia realmente um código na Bíblia, se ele realmente revelava o futuro, então é claro que o momento exato em que a terra da Bíblia seria obliterada, em que o povo da Bíblia seria varrido, era o alerta codificado com maior clareza e suficientemente importante para ser afirmado também no texto aberto.

— É muito coerente — disse Rips. — É claramente intencional.

Rips confirmou que o ataque atômico estava claramente codificado, contra todas as probabilidades que, em termos matemáticos, estavam além do acaso. Mas ele se sentia nervoso quanto ao meu encontro com Peres. Disse:

— O Todo-poderoso talvez tenha ocultado o futuro dos olhos daqueles que não se destinavam a vê-lo.

No dia 26 de janeiro de 1996, encontrei-me com o primeiro-ministro Shimon Peres em seu gabinete em Jerusalém, e alertei-o sobre o ataque atômico codificado.

Nesse encontro, o primeiro-ministro fez apenas uma pergunta:

— Se o ataque foi profetizado, o que podemos fazer?

— É um alerta, não uma predição — respondi. Disse-lhe que eu acreditava que a Bíblia codifica probabilidades, que nada estava predeterminado. — Aquilo que fazemos é que determina os resultados.

Dei a Peres duas listagens de computador do código da Bíblia. Uma mostrava as palavras "Holocausto de Israel" codificadas junto com o ano judaico em curso, "5756". Na outra listagem, as palavras "Holocausto atômico" também apareciam com o mesmo ano. Disse a Peres que as probabilidades de isso acontecer por acaso eram de pelo menos 1.000 para 1.

Peres interrompeu:

— Mil para um de que acontecerá?

Ninguém poderia afirmar as probabilidades de o holocausto acontecer realmente, expliquei. Ninguém ainda compreendia suficientemente bem o código para fazê-lo. Mas as probabilidades contra "5756" combinar duas vezes com o perigo, no código, eram de pelo menos 1.000 para 1. Matematicamente, se isso acontecesse não seria por acaso.

— Se a Bíblia está certa, Israel correrá perigo durante o resto deste século, nos próximos cinco anos — afirmei ao primeiro-ministro. — Mas este ano, 1996, talvez seja crítico.

○ HOLOCAUSTO ATÔMICO   □ LÍBIA   ◇ EM 5756 (1996 d.C.)

A fonte do perigo parecia ser a Líbia. Mostrei a Peres que, no código, "Líbia" cruzava "Holocausto atômico".

— Eu não sei se isso quer dizer que um ataque será lançado a partir da Líbia ou de algum outro lugar, por terroristas apoiados pela Líbia — expliquei. — Minha opinião é que Kaddafi comprará um mecanismo atômico de alguma das ex-repúblicas soviéticas e que os terroristas o usarão contra Israel.

Peres aceitou tudo com serenidade.

Estava claro que ele tinha lido atentamente a carta que lhe enviei, e que não esquecera minha carta a Rabin um ano antes de seu assassinato.

Ele não fez profundas perguntas filosóficas sobre o código da Bíblia. Não mencionou Deus. Não perguntou se seu próprio nome estava codificado, o que seria natural após Rabin ter sido morto. Ele tinha uma única coisa em mente, o perigo anunciado para Israel.

O HOLOCAUSTO ATÔMICO 63

Não pareceu surpreso com a ameaça de um ataque atômico. Peres tinha sido o responsável pela criação das próprias armas nucleares de Israel, numa base militar secreta em Dimona. Ele sabia como é fácil converter um mecanismo atômico para uso terrorista.

— Eu não sei se o Estado de Israel está realmente correndo perigo — afirmei ao primeiro-ministro antes de partir. — Sei apenas que esse perigo está codificado na Bíblia.

No dia seguinte, 27 de janeiro de 1996, o líder líbio Muammar Kaddafi fez uma extraordinária afirmação pública. Pediu a todos os países árabes que comprassem armas nucleares.

"Os árabes, que estão ameaçados por Israel, têm o direito de comprar armas nucleares de todas as maneiras possíveis", disse Kaddafi.

Quando Kaddafi fez essa proclamação, eu estava na Jordânia, no topo do Monte Nebo, o pico das montanhas Pisgah onde Moisés subiu para contemplar a Terra Prometida, a cadeia montanhosa

○ ARTILHEIRO ATÔMICO   ◇ A PISGAH
□ A FIM DE PROLONGARES (TEUS DIAS) = ENDEREÇO, DATA

sobre o Mar Morto que o código da Bíblia identificava como o local de lançamento do ataque atômico.

O código da Bíblia parecia afirmar, quase abertamente, que a arma estava ali. "Sob as encostas da Pisgah" cruzava "Artilheiro atômico".

E a linha logo acima era como o X num mapa do tesouro.

O versículo original da Bíblia dizia: "A fim de prolongares teus dias na terra." Passagem curiosa para estar cruzando "Artilheiro atômico" e num versículo que também cruzava "Holocausto atômico".

Parecia estar oferecendo esperança de que o ataque poderia ser evitado. Como evitá-lo foi dito por uma mensagem oculta naquele versículo da Bíblia.

Em hebraico, as mesmas letras que compõem "A fim de prolongares" também formam as palavras "endereço" e "data". O endereço era claro: a cadeia montanhosa da Jordânia, "A Pisgah", localização da arma atômica, que aparecia logo abaixo de "endereço".

Mas não conseguíamos descobrir a data. Sabíamos onde procurar, mas não quando. De todo modo, fui até a Pisgah e ali estava quando Kaddafi fez sua ameaça, no dia seguinte ao meu encontro com Peres.

Havia cinco quilômetros de colinas áridas e vales desérticos "sob as encostas da Pisgah", e qualquer ponto poderia ocultar uma peça de artilharia ou um lança-mísseis. Nos Estados Unidos, os especialistas em terrorismo nuclear disseram-me que um projétil atômico pode ser carregado numa mochila por um homem forte, ou facilmente por dois homens. E havia milhares de projéteis atômicos espalhados por toda a ex-União Soviética, cada um deles capaz de destruir uma cidade inteira.

Era estranho estar ali, onde Moisés pusera os pés, lançando os olhos através do Mar Morto até Israel, que eu avistava do outro lado das águas, sabendo que em algum lugar daquelas colinas e vales à minha volta os terroristas líbios podiam estar se preparando para lançar uma bomba nuclear contra Tel-Aviv ou Jerusalém.

VOLTEI a Jerusalém no dia seguinte para falar com Danny Yatom, o general que arranjara meu encontro com Peres, e que estava agora para ser nomeado chefe do Mossad, o famoso serviço de informações de Israel.

Yatom acabava de voltar de Washington, onde participara das fracassadas conversações de paz com a Síria, mas já tinha conversado com Peres sobre nosso encontro.

— Ele levou a sério? — perguntei a Yatom.

— Tanto que recebeu você — disse o general.

Discutimos mais detalhadamente o perigo de um "holocausto atômico" codificado na Bíblia. Yatom queria saber quando e onde. Eu lhe disse que isso estava indicado, mas acrescentei:

— O lugar e a data talvez sejam apenas probabilidades. Podemos estar errados quanto aos detalhes, mas certos quanto ao perigo em geral.

Yatom fez a mesma pergunta que Peres me fizera:

— Se está codificado, o que podemos fazer?

— Não podemos impedir um cometa de colidir com Júpiter — respondi. — Mas certamente podemos impedir a Líbia de atacar Israel.

Três dias mais tarde, num discurso em Jerusalém, Peres anunciou em público, pela primeira vez, que o maior perigo com que se defrontava o mundo era o fato de armas nucleares "caírem nas mãos de países irresponsáveis, e serem carregadas nos ombros dos fanáticos".

Era uma clara reafirmação do alerta no código da Bíblia — que Kaddafi compraria um mecanismo atômico e que terroristas apoiados pela Líbia o usariam contra Israel.

Mas, se o código da Bíblia estava certo, Peres estava errado. Aquele não era o maior perigo com que se defrontava o mundo.

— Se isso tudo é real — afirmei ao General Yatom —, é o começo do perigo, não o fim.

CAPÍTULO 3

"TODO O SEU POVO PARA A GUERRA"

NA manhã daquele domingo, 25 de fevereiro de 1996, Israel foi atingido pelo pior ataque terrorista dos últimos três anos. Com uma bomba presa ao corpo, um palestino explodiu um ônibus em Jerusalém na hora de maior movimento, matando 23 pessoas.

Nos nove dias seguintes, duas outras bombas terroristas elevaram o número de mortos para 61, romperam a paz no Oriente Médio e voltaram a mergulhar Israel num estado de guerra.

Eu sabia o dia em que a onda de terror ia começar desde o dia em que Rabin morrera. Logo acima de "Assassino que assassinará" havia uma segunda predição — "Todo o seu povo para a guerra".

Estas mesmas palavras apareciam duas outras vezes na Bíblia, ambas com a data: "A partir do quinto dia de Adar, todo o seu povo para a guerra." O quinto dia de Adar, no antigo calendário judaico, coincidia com 25 de fevereiro de 1996.

O sinistro aviso do código da Bíblia — "Todo o seu povo para a guerra" — tornara-se realidade no dia exato predito pelo código.

Fiquei chocado, tal como ocorrera quando da morte de Rabin. Na verdade, as bombas me chocaram menos do que essa nova prova de que o código da Bíblia era real.

Quatro meses antes, quando Israel estava em paz, quando a paz parecia tão certa que os líderes do mundo árabe vieram ao funeral de Rabin, o código da Bíblia predissera que no final de fevereiro Israel estaria em guerra.

Um mês antes, quando tive o encontro com o primeiro-ministro Peres, aquela predição ainda me parecia tão improvável que nada lhe falei a respeito, temendo prejudicar meu alerta sobre o "Holocausto atômico".

E agora, no dia exato predito pela Bíblia três mil anos antes, a guerra tinha começado e o próprio Peres declarara que Israel estava em guerra, "uma guerra na plena acepção da palavra".

Era uma deprimente confirmação da exatidão do código da Bíblia, e todos os detalhes daqueles três ataques suicidas também estavam codificados.

"Ônibus", "Jerusalém" e "Explosão" apareciam juntos. Até mesmo a rua onde os terroristas palestinos por duas vezes explodiram ônibus, em dois domingos consecutivos, era citada na Bíblia — "Rua Jaffa". O mês e o ano, "Adar 5756", a data judaica equivalente a fevereiro e março de 1996, estavam codificados junto com o local exato dos ataques e a palavra "Terror".

Na verdade, no texto oculto da Bíblia onde "Ônibus" estava codificado havia uma descrição completa daqueles ataques no início da manhã: "fogo, grande barulho, eles acordaram cedo, e eles viajarão, e haverá terror".

○ ÔNIBUS   □ EXPLOSÃO   ◇ JERUSALÉM   ☐ ISRAEL

"Todo o Seu Povo Para a Guerra"

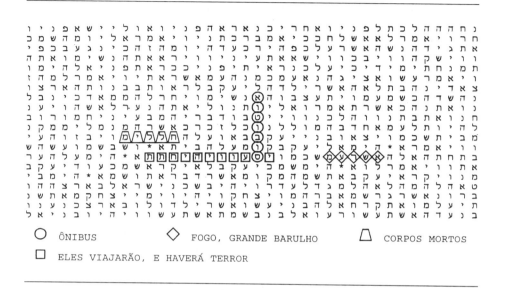

○ ÔNIBUS ◇ FOGO, GRANDE BARULHO △ CORPOS MORTOS

□ ELES VIAJARÃO, E HAVERÁ TERROR

O último ataque terrorista, a bomba suicida no centro de Tel-Aviv que elevou o número de mortos para 61, em 4 de março de 1996, também estava detalhado no código da Bíblia.

O nome do *shopping center*, "Dizengoff", aparece junto com "Tel-Aviv" e "terrorista". "Explosão terrorista" e "Tel-Aviv" também estavam codificados juntos.

O nome do grupo terrorista responsável pelos ataques estava codificado na Bíblia junto com a arma utilizada — "bomba do Hamas" — e, cruzando-o, estava o ano, "5756".

O massacre em Jerusalém e Tel-Aviv, a horrível imagem, dia após dia, dos corpos despedaçados, dividiu Israel, dividiu árabes e judeus, e trouxe um fim súbito e sangrento a uma paz que parecia tão certa. Metal retorcido e carne dilacerada substituíram a imagem do famoso aperto de mãos entre Rabin, o primeiro-ministro de Israel, agora morto, e o líder palestino Arafat.

Quando Rabin foi morto, houve apenas o choque de sua morte, e o choque da realidade do código da Bíblia. Quando as bombas começaram a explodir na data exata predita pelo código, o choque foi maior.

Porque eu agora sabia que o código também predizia um "Holocausto atômico", um "Holocausto de Israel", uma "Guerra Mundial".

E o aviso sinistro — "Todo o seu povo para a guerra" — que estava codificado junto com o assassinato de Rabin, o aviso que predizia com tanta exatidão a data em que começaria a nova onda de terrorismo, também predizia um perigo muito maior.

Duas vezes aquelas mesmas palavras — "Todo o seu povo para a guerra" — apareciam no código da Bíblia junto com "Holocausto atômico".

No último dia de abril de 1996, depois que o primeiro-ministro Peres encontrou-se com o presidente Clinton, tive outra reunião com o General Danny Yatom na Embaixada de Israel em Washington.

Yatom acabara de ser nomeado chefe do Mossad, o Serviço Secreto de Israel. Ele deixou uma recepção diplomática para vir falar comigo.

Ficamos sozinhos do lado de fora do portão da Embaixada, afastados da multidão de dignitários que se espalhava pelos jardins. Legiões de policiais, agentes do Serviço Secreto equipados com lentes de visão noturna, e homens da Segurança Israelense com cães de guarda patrulhavam todo o perímetro.

Entreguei a Yatom um mapa do antigo Israel, destacando a montanha da Jordânia onde Moisés subiu para contemplar a Terra Prometida, e lhe disse:

— Se há uma área muito provável para palco de um ataque atômico a Israel, é esta.

Ele abriu o envelope:

— Se o perigo é mesmo real, pode ser imediato. Aqui está indicado seis de maio, à noite.

Na verdade, ainda não tínhamos sido capazes de encontrar qualquer data claramente codificada. O dia "6 de maio" estava indicado, mas a combinação de letras que o soletram em hebraico ocorre com tanta freqüência na Bíblia que aquela data não tinha sentido claro. Matematicamente, era insignificativa.

Contudo, era a única data evidente. E dali a apenas uma semana.

— Não sei se essa data tem algum sentido real — disse a Yatom. — Mas o código da Bíblia realmente predisse a data exata das primeiras bombas nos ônibus. Você talvez tenha apenas uma semana para verificá-la.

O dia 6 de maio chegou e se foi sem incidentes. Yatom não descobriu arma alguma. Israel não foi atacado.

Mas, exatamente quando eu estava pronto para duvidar do código da Bíblia, a predição mais uma vez tornou-se realidade.

UMA semana antes da histórica eleição de 29 de maio de 1996 em Israel — uma eleição que decidiria se o país buscaria a paz selada pelo aperto de mãos entre Rabin e Arafat — encontrei seu resultado predito no código da Bíblia.

"Primeiro-ministro Netanyahu" estava codificado no Antigo Testamento, e a palavra "Eleito" cruzava seu nome. Na mesma linha, no mesmo versículo da Bíblia, estava seu apelido, "Bibi".

○ PRIMEIRO-MINISTRO NETANYAHU   □ ELEITO   ◇ BIBI

Eu não acreditava em sua vitória. Benjamin Netanyahu era um oponente declarado do plano de paz. Shimon Peres era o arquiteto desse plano, e herdeiro legítimo de Yitzhak Rabin. Eu tinha certeza de que Israel não voltaria atrás, mesmo depois da onda de explosões terroristas.

Eu estava certo de que Peres seria reeleito. Todas as pesquisas o confirmavam. Ninguém esperava que Netanyahu vencesse.

Na véspera do dia da eleição, telefonei para Eli Rips e lhe disse que encontrara "Primeiro-ministro Netanyahu" codificado na Bíblia. Foi Rips quem descobriu que "Eleito" cruzava seu nome. Estatisticamente, estava além do acaso. As probabilidades eram superiores a 200 para 1.

Se Netanyahu vencesse, o código da Bíblia parecia predizer que ele morreria logo. "Certamente ele será morto" cruzava diretamente "Primeiro-ministro Netanyahu".

Na linha seguinte, também cruzando seu nome, estava a ameaça bíblica da morte prematura: "Sua vida será ceifada." Esta expressão é usada especificamente para descrever a morte de uma pessoa antes dos 50 anos. Netanyahu tinha 46.

Sua morte não estava predita com tanta clareza quanto a de Rabin. As probabilidades de que ela estivesse codificada junto com seu nome eram de 100 para 1. No assassinato de Rabin, eram de 3.000 para 1.

Mas havia morte por toda a listagem que predizia a eleição de Netanyahu. "Assassinado" aparecia duas vezes. O código também parecia afirmar que ele poderia morrer numa guerra. No todo, o texto oculto que predizia sua morte afirmava: "Sua vida será ceifada no campo de batalha."

Fiz uma anotação para mim mesmo na véspera das eleições: "Se eu seguisse apenas o código da Bíblia, teria de dizer que Netanyahu, caso eleito, não viverá até o fim de seu mandato."

Mas eu não estava preocupado. Não acreditava que o código da Bíblia estivesse certo desta vez. Não acreditava que Netanyahu fosse morrer. Eu estava certo de que ele não ganharia as eleições.

Em 29 de maio de 1996, conforme predissera o código da Bíblia, Benjamin Netanyahu foi eleito primeiro-ministro de Israel.

A diferença foi tão apertada — 50,4% a 49,6% — que o resultado ainda não era certo dois dias após a votação. Uma árdua batalha disputada voto a voto e finalmente decidida pelo número de abstenções.

E, contudo, codificada na Bíblia há três mil anos.

A Casa Branca, a OLP, os institutos de pesquisa de opinião pública e toda a imprensa do Estado de Israel foram pegos de surpresa. Ninguém esperava pela vitória de Netanyahu. Como todo mundo, fui dormir acreditando na vitória de Peres e acordei com a notícia de que Netanyahu era o novo primeiro-ministro.

Mais uma vez fiquei chocado. Repetiu-se a sensação de horror que senti quando Rabin foi assassinado e quando a onda de terror começou na data predita. A grande surpresa não era Netanyahu ter derrotado Peres, mas o fato de que sua vitória tinha sido prevista três mil anos antes.

Uma vez mais, o código da Bíblia estava certo e eu estava errado. O código não era uma simples confirmação dos meus próprios instintos nem uma predição do óbvio. Era, pelo contrário, uma revelação consistente e antecipada de coisas que ninguém esperava acontecessem.

De súbito, o perigo de um "holocausto atômico" voltava a parecer muito real.

Não se tratava apenas do fato de que o código da Bíblia voltava a parecer real, mas também do fato de "Netanyahu" estar codificado junto com toda a avalanche de acontecimentos que levavam ao horror, começando com o assassinato de Rabin e terminando com um ataque atômico.

Era como as peças de um quebra-cabeça se unindo, vagarosamente, inexoravelmente, para montarem um quadro terrível.

"NETANYAHU" encaixava-se exatamente entre "Yitzhak Rabin" e seu assassino "Amir", logo acima das palavras que encontrei no dia em que Rabin foi baleado, "Todo o seu povo para a guerra".

E agora eu via que o nome "Amir" era cruzado pelas palavras "Ele mudou a nação, ele lhes fará mal". Era como se o atirador enlouquecido tivesse substituído o pacificador Rabin pelo homem que agora levaria "todo o seu povo para a guerra": Netanyahu.

E, com "Netanyahu", apareciam palavras de terror bíblico — "Para o grande horror, Netanyahu". Estas mesmas palavras, sugerindo um acontecimento tão terrível que não tem equivalente fora da escala cósmica da Bíblia, aparecem novamente junto com a predição de sua eleição, na única vez em que o termo "Primeiro-ministro Netanyahu" está codificado.

E as mesmas palavras — "Para o grande horror, Netanyahu" — apareciam uma terceira vez. Estavam codificadas junto com "Holocausto atômico".

○ YITZHAK RABIN	◇ AMIR / NOME DO ASSASSINO	⌂ NETANYAHU
☐ ASSASSINO QUE ASSASSINARÁ	△ TODO O SEU POVO PARA A GUERRA	

Um dia após o novo primeiro-ministro ter feito seu discurso da vitória, telefonei para seu pai em Jerusalém.

Ben-Zion Netanyahu é um dos mais próximos conselheiros do filho, o primogênito de antiga família sionista, cujo próprio pai, após vir para Israel, mudou o nome da família para uma palavra que em hebraico significa "concedido por Deus". O Prof. Netanyahu é um estudioso da Inquisição, as remotas origens da agressão aos judeus que levou ao Holocausto de Hitler.

Bibi encontra-se com o pai todo sábado. Mas Ben-Zion Netanyahu não esperou, quando recebeu minha carta na sexta-feira de manhã. Entregou-a imediatamente ao primeiro-ministro. Minha carta afirmava:

"Pedi a seu pai para lhe entregar esta carta, porque tenho informações que sugerem uma ameaça a Israel, com a qual você irá confrontar-se pessoalmente.

"A ameaça foi revelada por um código oculto na Bíblia, que já previu com exatidão acontecimentos ocorridos milhares de anos após a Bíblia ter sido escrita.

"Predisse o assassinato de Rabin, predisse a data exata em que começariam as explosões terroristas deste ano, e também predisse sua eleição.

"Agora o código alerta para um 'holocausto atômico'.

"Não sei se Israel realmente corre perigo. Sei apenas que o perigo está codificado na Bíblia.

"Eu levo o código a sério, porque ele predisse que Rabin morreria em 5756, que os terroristas atacariam em 25 de fevereiro e que você seria eleito primeiro-ministro.

"Se a ameaça de um 'holocausto atômico' também for real, talvez seja curto o tempo para impedi-lo. Descobrimos novas informações que talvez revelem a data."

HAVÍAMOS finalmente descoberto o dia em que Israel poderia ser atacado — o último dia do ano judaico de 5756, 13 de setembro de 1996.

"Holocausto de Israel" estava codificado junto com "29 Elul" (a data, no antigo calendário judaico, equivalente a 13 de setembro). "Arma atômica" também estava codificada junto com "29 Elul".

Haviam se passado exatamente três anos desde o dia do famoso aperto de mãos entre Yitzhak Rabin e Yasser Arafat no gramado da Casa Branca. Se 13 de setembro de 1993 foi o início da paz após quatro mil anos de guerra entre árabes e judeus, então 13 de setembro de 1996 poderia ser o terrível golpe final naquela batalha perpétua.

Seis semanas antes da data predita para o "holocausto atômico", voei de volta a Israel. Nenhum encontro com o novo primeiro-ministro tinha sido arranjado.

Em Israel, fui primeiro ver Eli Rips. O pai do primeiro-ministro já tinha lhe telefonado e, enquanto eu estava lá, Rips ligou para Ben-Zion Netanyahu.

O matemático disse-lhe que o código da Bíblia parecia afirmar que Israel enfrentava um ataque atômico, e que tal ataque estava claramente codificado, contra probabilidades imensas. Mas disse também que ninguém sabia se o perigo era real.

— Há um código na Bíblia — acrescentou Rips. — Mas não sabemos se suas predições sempre se cumprem. As palavras "holocausto atômico" e "holocausto de Israel" aparecem com o ano em curso. Mas ninguém sabe se isso quer dizer que o perigo é imediato, ou inevitável, ou sequer se existe mesmo. O que está claro é que as palavras afirmando o perigo estão intencionalmente codificadas.

Rips desligou o telefone e me disse:

— Ele vai receber você. Ficou muito espantado, mas disse que vai se encontrar com você.

— SE isto for real, então eu acreditarei em Deus. E não só em Deus, mas no Deus de Israel. E me tornarei um homem de fé — disse Ben-Zion Netanyahu quando entrei na sala de sua casa.

Era uma afirmação marcante para aquele sionista desafiadoramente secular, um dos judeus que confiavam nas armas e não em Deus, daqueles que criaram uma nova nação depois da Segunda Guerra Mundial. Disse-lhe que eu próprio não acreditava em Deus, nem era religioso.

— Como pode dizer tal coisa?! — reclamou Netanyahu. — Este código tem de ser sobrenatural. Nenhum homem o fez. Se existe um código na Bíblia, tem dois ou três mil anos. E revela o que acontece hoje. Se o código é real, existe um Deus.

E perguntou, sem fazer uma pausa:

— Se você não acredita, por que veio me ver?

— Porque o código da Bíblia afirma que Israel corre um perigo sem precedentes e o primeiro-ministro precisa saber disso.

— O primeiro-ministro já sabe. Eu já sei. Não precisamos de um código da Bíblia para saber que corremos perigo.

— Mas o código afirma que Israel se defronta com um "holocausto atômico", possivelmente este ano.

Mostrei-lhe as listagens do código da Bíblia. A predição do assassinato de Rabin. A predição da eleição de seu filho. As duas predições do "holocausto de Israel" e "holocausto atômico".

— Se isso está realmente codificado, então foi codificado por um ser sobrenatural tão mais avançado do que nós, que perto dele somos formigas. Como poderíamos evitar as predições? — perguntou Netanyahu.

Netanyahu e Rips, na verdade todas as pessoas com quem me encontrei, pareciam assumir que, se o código era real, deveria vir de Deus. Eu não pensava assim.

Eu podia facilmente acreditar que o código vinha de um ser bom, que queria nos salvar, mas não era nosso Criador. Estava claro que não vinha de um ser onipotente, pois este teria simplesmente impedido o perigo em vez de codificar um alerta.

Tudo o que eu disse ao pai do primeiro-ministro, porém, foi que nada estava predeterminado, que nossas ações decidiam o resultado.

— Vou falar com meu filho — disse Netanyahu. — Tentarei arranjar um encontro.

ENQUANTO esperava notícias do primeiro-ministro, procurei provas no código da Bíblia de que Israel estava em perigo.

A única codificação de "a próxima guerra" voltou a prender minha atenção. Quando a encontrei pela primeira vez, parecera-me uma clara confirmação de um elo entre o assassinato de Rabin e a ameaça do holocausto atômico.

Logo acima de "a próxima guerra", o texto oculto da Bíblia afirmava: "Será após a morte do primeiro-ministro." No mesmo versículo, os nomes "Yitzhak" e "Rabin" também estavam codificados.

Mas agora, olhando de novo, vi que o mesmo texto oculto fazia uma segunda predição — "Um outro morrerá".

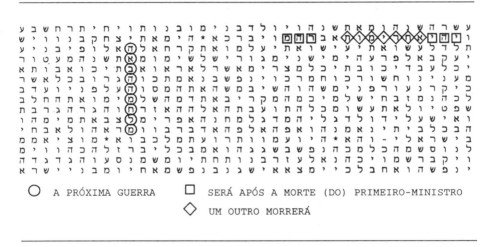

○ A PRÓXIMA GUERRA   □ SERÁ APÓS A MORTE (DO) PRIMEIRO-MINISTRO
◇ UM OUTRO MORRERÁ

Era uma surpreendente confirmação de que Netanyahu talvez também corresse perigo, e ligava sua morte à "próxima guerra".

Voltei a procurar seu pai, para dizer-lhe a única coisa que lhe tinha escondido no nosso primeiro encontro: o mesmo código que predizia a eleição de seu filho parecia também profetizar que este morreria enquanto ocupava o cargo.

Ben-Zion Netanyahu já tinha perdido um filho. O irmão do primeiro-ministro, Jonathan, foi morto liderando a famosa operação de comando em Entebbe que libertou centenas de reféns, em 4 de julho de 1976. Em Israel, Jonathan era um herói nacional.

Eu não queria dizer àquele homem idoso que seu outro filho estava agora em perigo. Mas, se alguém podia abrir caminho até o primeiro-ministro, era aquele senhor a quem eu agora mostrava o novo conjunto de listagens do código da Bíblia.

"Primeiro-ministro Netanyahu" estava codificado uma única vez na Bíblia. A palavra "eleito" cruzava seu nome.

— Encontramos estas palavras uma semana antes de seu filho ser eleito.

Mostrei-lhe uma segunda listagem. A palavra "Cairo" aparecia junto com "Primeiro-ministro Netanyahu"; foi a primeira capital árabe que ele visitou. A terceira listagem mostrava as palavras "Para Amã", também no mesmo local que "Primeiro-ministro Netanyahu"; sua viagem para a capital da Jordânia estava marcada para a semana seguinte.

○ PRIMEIRO-MINISTRO NETANYAHU △ ELE CERTAMENTE SERÁ MORTO
□ SUA VIDA FOI CEIFADA ◇ ASSASSINADO

— As três primeiras predições já se realizaram — disse eu. — Acho que devemos também levar a sério a quarta predição.

Passei às mãos do pai do primeiro-ministro a quarta listagem. As palavras "Ele certamente será morto" cruzavam "Primeiro-ministro Netanyahu".

O código fazia aquela morte parecer inevitável. Assegurei-lhe que era apenas uma probabilidade, não um fato determinado.

Ele pediu para ver de novo a predição do assassinato de Rabin, e ficou olhando a listagem durante algum tempo, em silêncio.

E então repetiu que falaria com seu filho.

— FALEI com meu filho esta tarde — disse-me Ben-Zion Netanyahu na véspera do dia em que eu tinha passagem marcada para deixar Israel. — Ele não quer se encontrar com você.

— Bibi não é um místico. Ele é muito prático, muito teimoso, e simplesmente não acredita nisso — explicou-me seu pai.

Eram palavras assustadoramente semelhantes às usadas pelo amigo de Rabin, quando tentei alertá-lo sobre a predição de seu assassinato: "Ele não vai acreditar em você. Ele não é de modo algum um místico. E é um fatalista."

E agora Rabin estava morto.

Voei de volta a Nova York e mandei uma última carta ao primeiro-ministro Netanyahu. Ele a recebeu logo antes do Ano Novo judaico. Minha carta dizia:

"De acordo com o código, Israel estará em perigo durante os próximos quatro anos, mas este ano pode ser crítico e talvez as vésperas do Rosh Hashanah sejam o momento."

A contagem regressiva começava. O código da Bíblia provara ser real, predizendo acuradamente uma eleição israelense que era negada por todas as pesquisas de opinião, assim como acuradamente predissera o dia em que uma onda de terror começaria, assim como acuradamente predissera o ano em que Rabin seria morto.

Mas enquanto se aproximava 13 de setembro de 1996, o dia previsto para o holocausto, o novo primeiro-ministro se recusava a dar atenção ao sinal de alerta.

Três anos se passaram desde o dia do aperto de mãos entre Rabin e Arafat. Rabin agora estava morto, como o código da Bíblia predissera. A paz agora estava morta, como o código da Bíblia predissera. Peres, o arquiteto da paz, fora substituído por Netanyahu, o oponente da paz, como o código da Bíblia predissera.

Tudo o que fora predito para 5756, o ano do "holocausto atômico", tinha se tornado realidade. Enquanto o ano chegava ao fim, eu não conseguia esquecer a pergunta soletrada pelas letras hebraicas que também soletravam o ano, o desafio que agora parecia ser dirigido a nós — "Vocês o mudarão?"

E então descobri que 5756 também estava codificado junto com "O Fim dos Dias".

CAPÍTULO 4

O LIVRO SELADO

Os dois grandes livros apocalípticos bíblicos, o Livro de Daniel no Antigo Testamento e o Apocalipse de João (ou Livro da Revelação) no Novo Testamento, contêm predições de horrores sem precedentes, que serão plenamente revelados quando um livro secreto for aberto no "Fim dos Dias".

No Apocalipse, trata-se do livro selado por "sete selos" que só pode ser aberto pelo Messias: "Vi na mão direita do que estava sentado sobre o trono um livro escrito por dentro e por fora, selado com sete selos. Mas ninguém, nem no céu, nem na terra, nem debaixo da terra, podia abrir o livro ou olhar para ele."

Em Daniel, que é a versão original dessa mesma história, um anjo revela o futuro último ao profeta hebreu e então lhe diz: "Quanto a ti, Daniel, guarda estas palavras em segredo, e conserva selado este livro até o fim dos tempos."

Foram estes dois versículos que levaram Isaac Newton a procurar um código na Bíblia.

O Fim é profetizado quatro vezes nos cinco livros originais. Verifiquei o primeiro deles, no trecho em que o patriarca Jacó reúne seus doze filhos e lhes anuncia "o que vos há de acontecer no Fim dos Dias".

No código da Bíblia, "5756" aparece naquele mesmo trecho.

"Em 5756" cruzava "No Fim dos Dias". Este é o ano, no antigo calendário judaico, que começou em setembro de 1995 e terminou em setembro de 1996. Nenhum outro ano, dentre os dez seguintes, combinava. As probabilidades de que o ano em curso estivesse codificado junto com o "Fim dos Dias" por mero acaso eram de 100 para 1.

○ EM 5756 (1995/96 d.C.) □ NO FIM DOS DIAS

Eu não conseguia acreditar que o apocalipse fosse começar agora. Verifiquei no código a segunda menção ao Tempo Final. Ali, Moisés anuncia ao povo de Israel "o que aquele povo fará ao teu povo no fim dos tempos". Este trecho estava codificado junto com o assassinato de Rabin.

Verifiquei a terceira menção. Pouco antes de sua morte, Moisés faz um último discurso aos antigos israelitas e novamente os alerta: "Quando todos esses males tiverem caído sobre ti, no fim dos tempos..." Também este trecho estava codificado junto com o assassinato de Rabin.

Verifiquei a quarta menção, no trecho em que o misterioso profeta Balaam diz a um antigo inimigo de Israel "o mal que este povo fará a teu povo no fim dos tempos".

Sua visão apocalíptica tinha uma assustadora aura de realidade. Previa uma grande batalha no Oriente Médio, uma futura guerra entre israelitas e árabes, um terrível conflito que traria "ruína perpétua" a muitas nações.

O Livro Selado

"Eu o vejo, mas não agora", disse Balaam há três mil anos. "Eu o contemplo, mas ele não está próximo."

No código da Bíblia, esta predição do "Fim dos Dias" combinava com "Holocausto atômico" e "Guerra Mundial".

○ GUERRA MUNDIAL   □ NO FIM DOS DIAS

HAVIA uma outra maneira pela qual a Bíblia profetizava o "Fim dos Dias". Estava nas últimas palavras originais do Livro de Daniel, logo depois que o anjo se recusa a contar ao profeta os detalhes de um apocalipse que, diz ele, durará três anos e meio.

"Segue teu caminho, Daniel, pois as palavras foram fechadas e seladas até o tempo final", diz o anjo. "Tu te levantarás para (receber) tua herança, no fim dos tempos."

Verifiquei no código da Bíblia esta última expressão bíblica do Tempo Final. Também combinava com o ano então em curso, 1996. As probabilidades de "Em 5756" e "Fim dos Dias" reaparecerem juntos por acaso eram superiores a 200 para 1.

Fiz uma corrida de computador cobrindo mais de cem anos. Ne-

○ HOLOCAUSTO ATÔMICO   □ NO FIM DOS DIAS

nhum outro ano no próximo século combinava com as profecias bíblicas do "Fim dos Dias".

O código da Bíblia afirmava claramente que o Fim começava agora — que o ano então em curso (o ano que, no nosso calendário moderno, começou no final de 1995 e terminou no final de 1996) era o início do apocalipse há muito profetizado.

Mas o código não dizia quando o "Fim dos Dias" terminaria.

Voltei a olhar o último capítulo de Daniel, onde o livro secreto é fechado e selado. Afirmava-se ali que o "livro selado" irá revelar os

O LIVRO SELADO

○ FIM DOS DIAS   ◇ EM 5756 (1995-96 d.C.)

detalhes de um horror tal como o mundo nunca havia visto: "E haverá uma época de tal desolação, como jamais houve igual desde que existem as nações."

O código da Bíblia parecia ser um alerta sobre a catástrofe última. Não estava claro quando aconteceria, mas o código parecia afirmar que haveria uma terceira "Guerra Mundial", um "Holocausto atômico", o verdadeiro Armagedon.

Eu investigava o código da Bíblia havia mais de quatro anos e sabia, desde o começo, que as duas principais predições do Tempo Final diziam que ele seria plenamente revelado quando um livro secreto fosse aberto.

Mas até aquele momento eu não tinha percebido que o código da Bíblia poderia ser o livro secreto.

Contudo, se o código da Bíblia era real, ele só poderia ter um único propósito — alertar o mundo sobre um perigo sem precedentes.

Nada, a não a ser isso, poderia explicar a existência de um código dentro do livro mais importante do mundo. E o perigo deveria estar iminente, caso contrário não estaríamos descobrindo *agora* o código da Bíblia.

Alguma inteligência capaz de ver o futuro codificara a Bíblia. Ela sabia quando o perigo iria se apresentar. E projetou o código de modo a ser encontrado por uma tecnologia que não existisse antes daquele momento.

Poderia a Bíblia ser o "livro selado"? O livro selado com uma espécie de mecanismo de controle de tempo, que não poderia ser aberto até que o computador tivesse sido inventado?

Teríamos realmente aberto o "livro selado"? Estaríamos realmente no "Fim dos Dias"?

LEMBREI-ME de Eli Rips prevenindo que o código da Bíblia era como um gigantesco quebra-cabeça com milhares de peças e que tínhamos apenas um punhado delas. Um quadro emergia claramente, mas era demasiado grande, demasiado terrível para podermos acreditar nele.

Voei de volta a Israel e tive outra reunião com Rips em sua casa em Jerusalém.

Nós dois olhamos o trecho da Bíblia no qual estão codificadas junto as duas menções bíblicas ao "Fim dos Dias" e o trecho em que ambas surgem junto com o ano em curso.

— Você acredita que é real? — perguntei a Rips.

— Sim — respondeu-me com tranqüilidade.

— Acha que o código da Bíblia poderia ser o "livro selado"? — perguntei.

Tampouco o matemático que descobriu o código da Bíblia tinha percebido que o código poderia ser o profetizado "livro selado", o texto secreto que, segundo a própria Bíblia, será aberto como revelação final no "Fim dos Dias".

— É claro que se o perigo que está codificado é real, se houver um "holocausto atômico", isso cumpriria a profecia encontrada em Daniel — disse Rips.

Ele abriu a Bíblia e leu em voz alta as palavras famosas: "E haverá uma época de tal desolação, como jamais houve igual desde que existem as nações."

Rips concordava que o livro secreto tinha sido projetado para ser aberto agora. E disse:

— Foi por isso que Isaac Newton não conseguiu encontrar um código na Bíblia. Ela estava "selada até o fim dos tempos". Teria de ser aberta com um computador.

Eu comentei que não acreditava realmente que haveria um "Fim dos Dias", e muito menos que ele começasse agora. Rips respondeu:

— Estou convencido de que o antigo comentário é verdadeiro. Ele afirma que haverá uma época terrível antes da vinda do Messias.

Afirmei que não conseguia acreditar numa salvação sobrenatural. Eu tinha certeza de que a única ajuda que iríamos ter era o código da Bíblia em si. E mesmo nisso eu mal conseguia acreditar.

Olhei novamente o trecho em que "Fim dos Dias" estava codificado junto com "Em 5756". Duas outras palavras se destacaram naquela matriz. O nome do assassino de Rabin, "Amir". E a palavra "Guerra".

"Amir" estava soletrado na mesma seqüência de saltos que "Fim dos Dias", exatamente onde "Fim dos Dias" cruzava o ano da morte de Rabin. E logo abaixo do ano estava a palavra "Guerra".

○ FIM DOS DIAS ◇ EM 5756 (1995/96 d.C.) □ AMIR ⬠ GUERRA

Não estava claro quando a "Guerra" predita começaria, mas estava claro que o código fora projetado para este momento do tempo.

O "Fim dos Dias" deixara de ser algum acontecimento mítico a ocorrer no futuro distante. Segundo o código da Bíblia, ele já tinha começado. Este era o início do apocalipse há muito profetizado.

Mas tanto o perigo como sua prevenção pareciam estar codificados. "Pragas" estava ali, mas também "Paz", bem como uma palavra que poderia ser lida como súplica ou como ordem — "Salvem!"

Rips voltou a abrir a Bíblia em Daniel e apontou para as palavras que vinham imediatamente após a profecia de uma "época de desolação" — "E então, entre os filhos de teu povo, serão salvos todos aqueles que se acharem inscritos no livro."

Teria o "livro selado" sido aberto, talvez bem em tempo, para nos alertar sobre o perigo último, a antiqüíssima ameaça do "Fim dos Dias"?

○ FIM DOS DIAS   □ NO FIM DOS DIAS   △ PRAGAS   ◇ SALVEM!

Eu não conseguia acreditar.

Nunca acreditei que haveria um apocalipse. Sempre assumi que era uma ameaça vazia, uma arma usada por todas as religiões para manter as pessoas no bom caminho.

Ao longo de toda a História, os profetas do apocalipse pensaram ver na Bíblia predições de que o mundo acabaria na própria época em que eles viviam. Leram as palavras de Daniel e o Apocalipse de João, e estavam certos de que eram a imagem daquele momento exato.

Os guardiões dos Pergaminhos do Mar Morto (os zelotes que esconderam cópias de quase todos os livros da Bíblia em cavernas às margens do Mar Morto há mais de dois mil anos) acreditavam que a Batalha Final estava iminente.

Os cristãos primitivos acreditavam que o Novo Testamento afirmava claramente que o Fim viria durante a própria época em que viviam. Ora, o próprio Cristo alertara que "Esta geração não passará até que todas estas coisas tenham acontecido".

Em todas as épocas subseqüentes, sempre se levantou alguém para dizer que "o Fim é agora". No primeiro milênio, no ano 1000 d.C. Em todo momento de guerra e crise. E sempre citando a Bíblia, sempre com a certeza de ter levantado o véu, de ter enxergado através da linguagem simbólica, e de saber exatamente quando o Fim se aproximava.

E todos eles sempre erraram.

Mas, até agora, nenhum cientista sério tinha descoberto um código computadorizado na Bíblia, um fato matematicamente provado que foi confirmado por todos os outros cientistas que o examinaram.

E até agora ninguém tinha encontrado um código que predizia acuradamente acontecimentos reais no mundo real. Ninguém antes encontrara nomes e datas com antecipação. Ninguém antes encontrara o nome de um cometa e o dia em que este atingiria Júpiter. Ninguém antes encontrara o nome de um primeiro-ministro e o nome de seu assassino e o ano em que ele seria morto. Ninguém antes encontrara o dia exato em que uma guerra começou.

O código da Bíblia era diferente.

SE o código da Bíblia era um alerta para este mundo, de onde ele tinha vindo? Quem poderia ver três mil anos no futuro, e codificar o futuro na Bíblia?

A própria Bíblia, é claro, diz que Deus é seu autor, que Deus ditou os cinco livros originais a Moisés no Monte Sinai: "E o Senhor disse a Moisés: Sobe o monte e vem até mim. Enquanto ali estiveres, dar-te-ei as pedras gravadas, a Lei e os Mandamentos."

Foi, segundo a Bíblia, um embate assustador.

No meio do deserto, naquela quietude que precede a madrugada, houve de súbito um terrível trovejar e a imponente montanha negra foi iluminada pela explosão dos relâmpagos. Grandes chamas ergueram-se do topo da montanha, como se o próprio pico se incendiasse, e, à luz do dia que raiava, todas as vastas amplidões do deserto começaram a estremecer.

Arrancados do sono pelo trovão e pelos relâmpagos, com a terra tremendo sob seus pés, os 600.000 homens, mulheres e crianças saíram correndo de suas tendas e, aterrorizados, contemplaram a montanha que agora estremecia com violência e fumegava como um braseiro. Uma trompa de chifre de carneiro soou acima do trovão e um homem deu um passo na direção da montanha.

De súbito, vinda de lugar nenhum, uma voz bradou-lhe: "Moisés, sobe ao topo da montanha."

Foi em 1200 a.C. Segundo a Bíblia, no topo do Monte Sinai Moisés ouviu a voz a que chamamos "Deus". E aquela voz deu-lhe as dez leis que definiram a civilização ocidental, os Dez Mandamentos, e ditou-lhe o livro a que chamamos Bíblia.

Mas quando Deus diz: "Vê, eu faço uma aliança: ante todo teu povo eu farei milagres", o código diz "computador".

A palavra "computador" aparece seis vezes no texto aberto da Bíblia, oculta dentro da palavra hebraica que designa "pensamento". Quatro dessas seis aparições extemporâneas do "computador" estão nos versículos do Êxodo que descrevem a construção da Arca da Aliança, a famosa "Arca Perdida" que continha os Dez Mandamentos.

O código sugere que mesmo a escrita das leis nas duas tábuas de pedra pode ter sido gerada por computador. "E as tábuas eram obra de Deus, e a escrita nelas gravada era a escrita de Deus", afirma o Êxodo 32:16. Mas, codificada nesse mesmo versículo, está uma mensagem oculta: "Foi feito por computador."

O código deve estar descrevendo um equipamento muito além de qualquer coisa que já tenhamos desenvolvido. O *New York Times* recentemente informou que a humanidade talvez já esteja pronta para dar o grande salto, para utilizar os mundos que existem no interior do

O LIVRO SELADO

○ FOI FEITO POR COMPUTADOR
□ A ESCRITA DE DEUS GRAVADA NAS TÁBUAS

átomo e criar "um método de processamento de informações tão poderoso que seria, para a computação comum, aquilo que a energia nuclear é para o fogo". Esse "computador quântico", afirmava o *Times*, poderia realizar em poucos minutos cálculos que nossos mais rápidos supercomputadores de hoje levariam milhões de anos para completar.

O astrônomo Carl Sagan certa vez observou que, se existia outra vida inteligente no Universo, ela certamente teria evoluído muito antes do que nós e teve milhares, ou centenas de milhares, ou milhões, ou centenas de milhões de anos para desenvolver a tecnologia avançada que hoje estamos começando a desenvolver.

"Após bilhões de anos de evolução biológica — em seu próprio planeta e no nosso —, uma civilização alienígena não poderia estar no mesmo passo tecnológico que nós", escreveu Sagan.

"O ser humano existe há mais de vinte mil séculos, mas só tivemos o rádio por pouco mais de um século", diz Sagan. "Se as civilizações alienígenas estão mais atrasadas do que nós, o mais provável é ainda estarem longe de ter o rádio. Se estão à nossa frente, o mais provável é o terem há muito tempo. Pensemos nos avanços tecnológicos do nosso mundo durante os últimos séculos. Aquilo que nos é difícil ou impossível em termos tecnológicos, aquilo que talvez nos pareça magia, poderia ser trivialmente fácil para as civilizações alienígenas."

Arthur C. Clarke, autor de *2001, Uma Odisséia no Espaço* — que imaginou um misterioso monolito negro que reaparecia nos sucessivos estágios da evolução humana, cada vez que estávamos prontos para ser levados a um nível mais alto —, fez uma observação similar: "Qualquer tecnologia suficientemente avançada é indistinguível da magia."

O que o código da Bíblia sugere é que, por trás dos "milagres" do Antigo Testamento, havia uma tecnologia avançada.

O código a chama de "computador". Mas talvez esteja apenas usando a linguagem que somos capazes de entender. "A História sugere que cada época recorre à sua tecnologia mais impressionante como metáfora do cosmos, ou mesmo de Deus", afirma o físico australiano Paul Davies em seu livro *The Mind of God*.

Uma vez que, em hebraico, a raiz da palavra que designa "computador" também significa "pensamento", quando o código da Bíblia revela um "computador" por trás dos "milagres" talvez esteja revelando uma "mente".

Mas não uma mente como a nossa, não um computador como os nossos.

A única crença básica compartilhada por todas as grandes religiões é a existência de uma inteligência exterior, não-humana, Deus.

Se o código da Bíblia prova alguma coisa, é o fato de que realmente existe uma inteligência não-humana, ou pelo menos existia na época em que a Bíblia foi escrita. Nenhum ser humano poderia ter visto tantos milhares de anos no futuro e codificado naquele antigo livro os detalhes do mundo de hoje.

Esquecemos que a Bíblia é nossa mais conhecida história de um *encontro imediato*. O ansiado contato com outra inteligência ocorreu, na realidade, há muito tempo.

Segundo a Bíblia, tal contato aconteceu quando uma voz saída do nada falou com Abraão e também quando ela, da Sarça Ardente, dirigiu-se a Moisés.

O código da Bíblia é, na verdade, uma forma alternativa de contato sugerida pelos cientistas que buscam vida inteligente além deste planeta: "A descoberta de um artefato ou mensagem alienígena sobre a Terra ou perto dela."

O físico Davies aventou a teoria de que o "artefato alienígena" poderia ser "programado de modo a manifestar-se quando a civilização terrena cruzasse um certo portal de avanço". Isso descreve à perfeição o código da Bíblia. Tinha uma fechadura de controle de tempo. Só poderia ser aberto depois que o computador tivesse sido inventado.

O resto da visão de Davies é também uma descrição precisa do código da Bíblia: "O artefato poderia então ser interrogado diretamente, tal como um moderno terminal interativo de computador, estabelecendo-se uma espécie de diálogo imediato. Tal mecanismo — na verdade, uma cápsula de tempo extraterrestre — poderia armazenar imensas quantidades de informações importantes para nós."

Davies, ganhador do Prêmio Templeton de ciência e religião, imagina "encontrar o artefato na Lua ou em Marte" ou "descobri-lo de repente na face da Terra, no momento propício".

Na verdade, sempre o tivemos. É o livro mais conhecido do mundo. Nós apenas nunca percebemos o que ele realmente era.

AQUILO que Moisés recebeu no Monte Sinai era realmente um banco de dados interativo, ao qual até agora não tínhamos pleno acesso.

A Bíblia que "Deus" ditou a Moisés era, na realidade, um programa de computador. Primeiro foi gravada na pedra, depois escrita em rolos de pergaminho. Depois impressa na forma de livro. Mas, no código, ela é chamada de "o antigo programa de computador".

Agora esse programa de computador pode ser operado, revelando a verdade oculta sobre nosso passado e nosso futuro.

```
כ ש י א מ ו י ה ה פ מ י ש ע נ ח נ א ר ש א כ ב ל כ נ י ש ע ת א ל כ י ה * א ה
נ י ר ד י ה ת א מ ת ב ר ב ע כ ו ב נ ת י כ ב נ ה * א ה ה ל ה ח ל נ ה ה ל א י
כ ק ל י ה ה ו ה ט מ מ ה י ש ו ב א ל כ מ מ ס י כ ב א ל כ מ ל ח י נ ה ו
י מ פ ת ח ב ז מ ו י ת ל ו ע מ ה ת א מ נ כ ב י ר ש א ל כ ת א ו א י ב ת ה
י נ ב ו מ א כ מ י ה * א ה ⬛ ⬛ ⬛ ⬛ ⬛ ⬛ ⬛ ⬛ מ מ ש י ה ו - י י ל ו ת ד ת ר ש
ה ל ע ת נ פ כ ב ל ש ו כ מ מ ת ה ל ח ⓗ ו ל ק ל נ י א י כ מ י ר ר ע ש ו ל
ש ט ה ו א מ ט ק י ר ע ל ש ב כ ב ל ל נ ⓝ ר ש א כ י ה * א ה ו י ה ת כ ר כ ר
כ נ ג ר ש ע מ כ ע ש ו ב ל א ל ל ל ⓟ י מ ע ל כ נ י ב ת פ כ ב י ש ש ת צ ר א כ
* מ ש ו כ י ר ע ש ר א י ה ל ו י כ ב ד ב ע ל כ ו כ ב נ ו ה ת ה א ת
ה * א ה ו - ב י ת ר י י כ ב ת מ ד א ל א ע י מ י כ ל ו י ה ת א ב ז ת נ
```

○ CÓDIGO DA BÍBLIA □ SELADO DIANTE DE DEUS

O próprio "Código da Bíblia" está codificado na Bíblia, e essas mesmas palavras significam "Ele ocultou, escondeu a Bíblia". A sugestão é que existe uma outra Bíblia codificada dentro da história que é contada abertamente no Antigo Testamento.

O código computadorizado confirma claramente que ele é o "selo", a fechadura de tempo que até agora protegia os segredos ocultos. "Selado diante de Deus" realmente cruza "Código da Bíblia".

E "Computador" está codificado no último capítulo original de Daniel, começando no próprio versículo que ordena ao profeta: "guarda estas palavras em segredo, e conserva selado este livro até o Fim dos tempos."

O código da Bíblia é o "livro selado" secreto.

○ COMPUTADOR □ GUARDA ESTAS PALAVRAS EM SEGREDO E CONSERVA SELADO ESTE LIVRO ATÉ O FIM DOS TEMPOS

As profecias, é claro, não são atributo exclusivo do código. Elas ocorrem ao longo de toda a Bíblia. O patriarca Jacó diz a seus doze filhos o que acontecerá no futuro distante. Moisés revela dois futuros possíveis para os antigos israelitas.

Jack Miles, em sua biografia de Deus que ganhou o Prêmio Pulitzer, afirma: "O que traz cada indivíduo à adoração do verdadeiro Deus é o milagre da predição — adivinhação de âmbito internacional — e não qualquer milagre de campo de batalha."

Mas o código da Bíblia nos oferece, pela primeira vez, uma linha direta com o futuro. Em vez de depender de profetas que tinham visões e interpretavam sonhos, agora o computador nos dá acesso a um antigo código oculto na Bíblia.

Na verdade, a existência do código foi revelada em duas conhecidas histórias de antigas profecias.

O mais conhecido adivinho da Bíblia é José. Vendido como escravo por seus irmãos invejosos, José contou o futuro ao faraó e acabou se tornando o virtual dirigente do Egito.

Somente José sabia que o sonho do faraó com as sete vacas gordas e as sete vacas magras prediziam uma época de grande fome. Sua predição salvou todos os egípcios da morte.

"Poderíamos encontrar um homem que tenha, tanto como este, o espírito de Deus?", pergunta o faraó à sua corte. E diz em seguida a José: "Pois que Deus revelou-te isto tudo, não haverá ninguém tão prudente e tão sábio como tu. Todo o meu povo obedecerá à tua palavra."

O faraó nomeia José superintendente de toda a terra do Egito e dá-lhe um novo nome, "Tzafenat-Paneah".

Tzafenat-Paneah é sempre escrito de modo igual ou semelhante em todas as traduções da Bíblia e, mesmo no hebraico original, sempre tratado como um nome próprio. Ao longo dos milênios, tem havido muitas especulações eruditas sobre seu significado. Alguns dizem que é a tradução hebraica de um nome egípcio originalmente escrito em hieroglifos. Estudiosos têm especulado que significa "o revelador de segredos". Outros dizem que significa "o deus fala, e vive".

Mas o fato é que esse suposto nome próprio tem um significado muito claro em hebraico: "o decodificador do código". Talvez ninguém o tenha percebido antes, porque ninguém sabia que havia um código na Bíblia.

Desse modo, a Bíblia chama José de "o decodificador do código". Uma tradução alternativa sugere que ele criou o código para que nós agora o encontrássemos: "José codificou, vocês decodificarão."

Mas José não pode ser o codificador. A Bíblia ainda nem sequer existia até que "Deus" a ditasse a Moisés no Monte Sinai, centenas de anos após a morte de José.

Em hebraico, o nome José significa "será acrescentado". Todo o texto oculto no Gênesis 41:45 realmente diz: "O código será acrescentado, vocês o decodificarão."

E também no Livro de Daniel, aquilo que parece ser uma história de antiga profecia é, na verdade, uma revelação do código da Bíblia.

Ali também Deus infunde reverente temor ao maior governante da Terra, o rei da Babilônia, revelando o futuro. Prediz a ascensão e a queda de antigos reinos.

"Em verdade teu Deus há de ser o Deus dos deuses e o Senhor dos reis, e o revelador dos segredos, para ter-te permitido revelar este segredo", diz o rei a Daniel.

Mas as mesmas palavras que em hebraico significam "revelador dos segredos" também significam "pergaminho secreto". E todo o texto oculto afirma: "Ele revelou os segredos o bastante para que vocês fossem capazes de revelar este pergaminho secreto."

O código da Bíblia é o "pergaminho secreto".

TERIA sido o mesmo "Deus" que revelou o futuro a José e Daniel quem agora, através do código da Bíblia, estaria revelando a nós o futuro?

Mais uma vez parecia ser, como disse Miles, "adivinhação de âmbito internacional".

O assassinato de Rabin, bem como o ano em que aconteceria, foram revelados com antecipação. A Guerra do Golfo, bem como a data em que começaria, foram preditas com exatidão. Mas eu ainda não sabia se as predições de uma terceira "Guerra Mundial", de um "holocausto atômico", do "Fim dos Dias" também eram acuradas.

E eu me perguntava por que "Deus" revelaria o perigo em vez de simplesmente impedi-lo.

"O Deus que ajudava José", observa Miles, "era grande o suficiente para saber o que estava acontecendo, mas não grande o suficiente para determinar o que aconteceria."

O mesmo pode ser verdadeiro quanto a quem quer que tenha codificado a Bíblia. Esse "alguém" podia ver o futuro, mas era incapaz de mudá-lo. Tudo o que poderia fazer era codificar um alerta na Bíblia.

O Livro de Daniel, sugere Miles, apresenta a história humana como "um imenso rolo de filme cujo conteúdo pode ser conhecido antes de ser projetado". Deus pode "oferecer uma pré-estréia".

A questão era saber se, assistindo ao filme, poderíamos mudá-lo; se, abrindo o "livro selado", poderíamos somente conhecer o horror do "Fim dos Dias" ou também impedi-lo.

"MESMO num mundo criado por um Deus todo-poderoso e benevolente, pode haver a luta entre o bem e o mal, cujo resultado é incerto", diz Eli Rips.

O código da Bíblia talvez seja um conjunto de probabilidades. O livro selado poderia conter todos os nossos futuros possíveis. Cada acontecimento predito parece estar codificado junto com pelo menos dois possíveis resultados.

Rips concorda que o código da Bíblia poderia ter uma corrente positiva e uma negativa, duas afirmações da realidade opostas e entrelaçadas: "Como num tribunal, o advogado de defesa e o promotor."

— É possível que haja sempre duas afirmações opostas codificadas, para preservar nosso livre-arbítrio, e talvez o código da Bíblia esteja escrito como um debate — diz Rips. — Segundo o Midrash, o mundo foi criado duas vezes: primeiro foi concebido do ponto de vista do julgamento absoluto, o certo e o errado. E então Deus viu que o mundo não poderia existir daquele modo, que não havia espaço para a imperfeição humana. E ele acrescentou a misericórdia.

— Mas não é o mesmo que misturar água quente e água fria para obter água morna — continuou ele. — É como misturar fogo e neve, e cada um preservar sua existência separada da do outro. Estas talvez sejam as duas correntes existentes no código da Bíblia.

Rips, porém, não acredita na existência de dois codificadores e insiste:

— A Bíblia deve ter sido codificada uma única vez, por uma única mente. Mas talvez contenha, codificados, dois pontos de vista diferentes.

Ele abriu a Bíblia em Isaías 45:7 e leu-me: "Eu sou o Senhor, sem rival, não existe outro Deus além de mim. Eu formo a luz e crio as trevas; faço a paz e crio o mal; eu, o Senhor, faço todas essas coisas."

Para Rips, como matemático e como judeu devoto, não havia necessidade de perguntar: Quem é o codificador?

A resposta é óbvia. O codificador, o advogado de defesa e o promotor são um só. Deus.

PARA mim, não era tão simples. Eu tinha provas de que havia um código, mas nenhuma prova da existência de Deus. Se o código da Bíblia vinha de um Deus todo-poderoso, "Ele" não teria necessidade alguma de nos contar o futuro. Poderia mudá-lo "Ele" próprio.

O código parecia vir de alguém bom, mas não todo-poderoso, que queria nos avisar sobre um perigo terrível para que nós mesmos pudéssemos impedi-lo.

O Apocalipse de João afirma que a Batalha Final chegará de surpresa, como um ladrão na noite. Na verdade, as palavras que surgem logo antes do Armagedon são: "Vede, eu venho como um ladrão."

A Bíblia é um alerta sobre a tragédia súbita e inevitável.

Mas a mensagem real do código da Bíblia é exatamente o oposto. Um alerta está codificado na Bíblia para que possamos impedir o Apocalipse profetizado.

A verdade está oculta no último capítulo original de Daniel, os versículos que descrevem o "livro selado".

O Livro Selado

Aqueles versículos revelam que o livro secreto destinava-se a ser encontrado agora. Este ano de 1997 (5757, no antigo calendário judaico) está codificado junto com as palavras "Ele selou o livro até o tempo do Fim". Logo acima, o texto oculto afirma "Para vocês, os segredos ocultos". E cruzando "5757" mais uma vez surgem essas mesmas palavras, que também significam "Para vocês, foi codificado".

Mas, quem foi o codificador?

As últimas palavras ditas em Daniel — "Segue teu caminho... até o tempo final. Pois tu repousarás e te levantarás para (receber) tua herança, no fim dos tempos" — têm um segundo sentido.

Elas também contam a história de alguém que lutou o tempo todo para impedir uma tragédia profetizada, e a história tem um final feliz: "Tu perseverarás pelo destino de todos até o Fim dos Dias."

Alguém ocultou um sinal de alerta na Bíblia — a informação que precisamos para impedir a destruição deste mundo.

○ 5757 (1997 d.C.) □ PARA VOCÊS, O CODIFICADO / OS SEGREDOS OCULTOS
◇ ELE SELOU O LIVRO ATÉ O FIM DOS TEMPOS

CAPÍTULO 5

O PASSADO RECENTE

"Para ver o futuro, devemos olhar para trás", ensina o Livro de Isaías.

Portanto, quando descobri que o código da Bíblia afirmava que o apocalipse era agora — que o "Fim dos Dias" já tinha começado, que o verdadeiro Armagedon talvez se iniciasse com um ataque atômico a Israel — e como eu não tinha meios de investigar o futuro, decidi-me a investigar o passado.

O mais perto que este mundo chegou de um apocalipse, pelo menos desde o Dilúvio, foi a Segunda Guerra Mundial.

"Guerra Mundial", "Hitler" e "Holocausto" estão codificados juntos na Bíblia, no último livro do Antigo Testamento. "Este mundo devastado, guerra mundial" soletra-se numa única seqüência do código, na única vez em que aparece "Guerra Mundial".

Os nomes de todos os líderes da Segunda Guerra Mundial — "Roosevelt", "Churchill" e "Stalin", além de "Hitler" — estão no código da Bíblia. Todos os principais países combatentes, "Alemanha", "Inglaterra", "França", "Rússia", "Japão" e "Estados Unidos", também estão codificados junto com "Guerra Mundial".

O ano em que a guerra começou, 1939, aparece codificado junto com "Guerra Mundial" e junto com "A. Hitler", e a palavra "Nazista" surge no mesmo trecho. "O Holocausto" está codificado junto com 1942, ano em que foi ordenada a "solução final", o extermínio em massa de todos os judeus da Europa.

A súbita entrada dos Estados Unidos na guerra, quando os japoneses atacaram Pearl Harbor, é vividamente contada no código da Bíblia.

Codificado junto com "Roosevelt" está seu título, "Presidente", e sua declaração de guerra ao Japão em 7 de dezembro de 1941: "Ele deu a ordem de atacar no dia da grande derrota."

○ GUERRA MUNDIAL ☐ ELE OS ATACARÁ, PARA DESTRUIR, ANIQUILAR

"Pearl Harbor" está codificado e as palavras "Destruição da fortaleza" o cruzam. A base naval é identificada como a localização de "A frota". Aparece também junto com "Guerra Mundial" e "7 de dezembro"... e "Hiroshima".

○ ROOSEVELT ◇ PRESIDENTE
☐ ELE DEU A ORDEM DE ATACAR NO DIA DA GRANDE DERROTA

"Hiroshima" está soletrada numa seqüência de saltos de 1.945 letras, igual ao ano em que a bomba foi lançada. O impacto daquela primeira bomba atômica também é descrito — "Hiroshima termina tiroteios no mundo inteiro" —, no trecho do Gênesis onde o texto aberto afirma: "O Senhor arrependeu-se de ter criado o homem sobre a terra, e sentiu o coração ferido por intensa dor."

"Holocausto atômico" está codificado junto com "5705", o ano judaico equivalente a 1945. O ano realmente cruza "Holocausto atômico" na única vez em que aquelas palavras aparecem na Bíblia.

○ HOLOCAUSTO ATÔMICO   □ 5705 (1945 d.C.)   ◇ JAPÃO

O perigo iminente nunca antes pareceu tão real. Se a última guerra mundial estava codificada com tanta precisão, era impossível ignorar o alerta do código da Bíblia sobre a próxima guerra.

"A próxima guerra" estava codificada na Bíblia junto com um texto oculto que afirmava: "Será após a morte do primeiro-ministro."

O CÓDIGO DA BÍBLIA

○ PRESIDENTE KENNEDY   □ MORRER   ◇ DALLAS

Todos os assassinatos que mudaram o curso da história humana — a morte de Abraham Lincoln, Mahatma Gandhi, Anuar Sadat,

○ OSWALD   ◇ ATIRADOR   □ NOME DO ASSASSINO QUE ASSASSINARÁ

Yitzhak Rabin, e dos irmãos John e Robert Kennedy — foram previstos no código da Bíblia.

Na única vez em que aparece "Presidente Kennedy", a palavra seguinte na mesma seqüência do código é "morrer". O nome da cidade onde ele seria baleado, "Dallas", estava codificado no mesmo trecho.

"Oswald" está codificado junto com "Nome do assassino que assassinará". As mesmas palavras, do mesmo versículo da Bíblia, estavam codificadas junto com "Yitzhak Rabin" e com o nome de seu assassino, "Amir".

"Atirador" e "Franco-atirador" também estavam codificados junto com "Oswald", e havia mesmo uma descrição precisa do modo como ele mataria John Kennedy — "Ele vai atirar na cabeça, morte".

A morte do próprio Lee Harvey Oswald também foi predita no código. O nome do homem que o baleou, Jack "Ruby", aparece junto com "Oswald" e o texto oculto diz que "Ele matará o assassino".

O nome do irmão do presidente morto, "R. F. Kennedy", também aparece na Bíblia. E o assassinato deste segundo Kennedy também foi

○ OSWALD ◇ RUBY □ ELE MATARÁ O ASSASSINO

predito. Na verdade, as duas mortes estavam codificadas junto no mesmo trecho.

Numa única listagem aparecem as palavras "Presidente Kennedy irá morrer", "Dallas", "R. F. Kennedy" e "Segundo dirigente será morto".

Cruzando o nome "R. F. Kennedy" está o nome de seu assassino, "S. Sirhan". E é no ponto exato em que "Sirhan" e "Kennedy" se cruzam que o texto oculto afirma que o "Segundo dirigente será morto".

No mundo moderno, os assassinatos seguem um padrão espantoso. São mortos aqueles líderes que trazem consigo alguma esperança. E cada um dos assassinos está codificado na Bíblia.

○ R. F. KENNEDY   ◇ S. SIRHAN   □ SEGUNDO DIRIGENTE SERÁ MORTO

"A. Lincoln" está codificado duas vezes, no Gênesis e no Deuteronômio. O nome de seu assassino, "Booth", aparece três vezes num versículo da Bíblia que cruza "Lincoln". E "Assassinado" cruza "A. Lincoln" na outra única vez em que aparece codificado o nome do presidente que aboliu a escravidão nos Estados Unidos.

O homem que liderou a luta para libertar a Índia do colonialismo, Mahatma Gandhi, está codificado no Livro do Êxodo. E seu nome, "M. Gandhi", é imediatamente seguido no código da Bíblia pelas palavras "Ele será morto".

O assassinato do outro líder do Oriente Médio que, como Rabin, é mais lembrado por suas tentativas de alcançar a paz, o presidente egípcio Anuar Sadat, também está codificado. Seu nome, o nome de seu assassino (Chaled Islambuli) e a data do crime (6 de outubro de 1981) aparecem juntos.

"Chaled baleará Sadat" está em uma listagem e "Ele assassinará" cruza "Sadat" em outra listagem, na qual também aparece a data judaica "8 Tishri". Mesmo o local do atentado, um "desfile militar", está codificado no Antigo Testamento.

Há três mil anos, todos os principais assassinatos cometidos nos dois últimos séculos foram previstos e acuradamente detalhados no código da Bíblia.

Foi isto que eu tentei explicar ao primeiro-ministro Rabin, um ano antes de ser morto ele também:

"Na única vez em que seu nome completo — Yitzhak Rabin — está codificado na Bíblia, as palavras 'assassino que assassinará' o cruzam. Este fato não deve ser ignorado, pois os assassinatos de Anuar Sadat e de John e Robert Kennedy também estão codificados na Bíblia."

O código dizia que Rabin seria morto "Em 5756", o ano judaico que começou em setembro de 1995. O ano estava codificado junto com "Assassinato de Rabin" e "Tel-Aviv".

E agora Rabin também estava morto, conforme predito, onde predito, quando predito.

Se o código da Bíblia estava certo, a "Próxima guerra" viria depois de um assassinato, mas seria detonada por um ato de terrorismo.

O Oriente Médio era o centro do terrorismo mundial, e cada uma das explosões, dos assassinatos, dos massacres, se encontrava no código da Bíblia.

O primeiro ataque que encontrei foi surpreendente, porque o

trimilenário código da Bíblia antecipou-se aos noticiários. Eu voava para Tel-Aviv, em dezembro de 1992, quando a aeromoça emprestou-me o *Jerusalem Post*.

Na primeira página destacava-se a manchete: "Seqüestrado Policial da Fronteira". Imediatamente peguei meu *lap-top* e corri seu nome, "Toledano", no programa de busca. Aparecia uma única vez, codificado no Livro do Gênesis.

"Cativeiro de Toledano" afirmava a seqüência completa do código. Compartilhando o "d" de "Toledano" estava o nome da cidade onde ele fora seqüestrado, "Lod". E o código também dizia: "Ele morrerá".

O jornal informava que o destino de Toledano ainda era desconhecido. No dia seguinte, seu corpo foi encontrado.

Mais tarde, quando foram publicados trechos das confissões dos terroristas capturados, li que um dos palestinos contara os momentos seguintes ao seqüestro. Ele dizia que houve uma discussão entre os três terroristas quanto a matar ou não o policial e alegava ter dito aos

☐ CATIVEIRO DE   ◯ TOLEDANO

⬠ NÃO DERRAMEM SANGUE   ◇ ELE MORRERÁ   ▭ LOD

O Passado Recente

111

○ GOLDSTEIN ◇ HEBRON
□ HOMEM DA CASA DE ISRAEL QUE MASSACRARÁ

outros, "Não derramem sangue". Exatamente as mesmas palavras que apareceram junto com "Toledano" no código da Bíblia.

O código da Bíblia também previu o pior ato de terrorismo reverso no moderno Estado de Israel: o massacre, em fevereiro de 1994, de trinta árabes que rezavam numa mesquita.

O nome do assassino (um médico israelense, "Goldstein"), o nome da cidade onde as mortes ocorreram ("Hebron") e as palavras "Homem da casa de Israel que massacrará" apareciam juntos na Bíblia.

O local do massacre revela algo sobre as antigas raízes do atual perigo no Oriente Médio, e quão inextricavelmente ligado está à Bíblia.

A mesquita foi construída sobre as ruínas de um templo, o qual fora construído sobre um túmulo. Acredita-se que este é o túmulo onde estão enterrados Abraão, Isaac e Jacó, os patriarcas da Bíblia.

A cidade de Hebron tem sido há muito tempo um ponto nevrálgico no conflito árabes-Israel. Em 1929, houve ali um outro massacre. Os palestinos se revoltaram e mataram 67 judeus, obrigando os sobreviventes a fugir. Também esse massacre tinha sido predito no código da Bíblia. "Hebron" aparece junto com o ano da revolta ("5689") e o texto oculto completo afirma que "Hebron, aquilo os expulsou".

Hoje em dia, 500 judeus fortemente armados vivem num enclave em volta da Tumba dos Patriarcas, e várias centenas mais numa colônia chamada Kiryat-Arba, cercados por 160 mil árabes. Os colonos israelenses se recusam a deixar o local. Citam a Bíblia como garantia de seu direito. O Capítulo 23 do Gênesis afirma-o claramente: "A terra, juntamente com a caverna que nela se encontra, foram dadas a Abraão como cemitério."

Abraão comprou a terra para enterrar sua esposa, Sara, e sua família, há quatro mil anos. Os árabes não contestam este antigo fato. Observam apenas que Abraão, segundo a Bíblia, também foi o pai deles.

As palavras originais do Gênesis dizem, "Sara morreu em Kiryat-Arba, hoje Hebron". O texto oculto do mesmo versículo afirma: "Vocês lutarão na cidade da tocaia, isto é, Hebron."

MAS, à medida que o século XX se aproxima do final, os assassinatos aleatórios e mesmo massacres na escala do de Hebron não são o verdadeiro perigo. Terroristas empunhando armas de destruição em massa são a nova ameaça.

Esta ameaça emergiu de súbito em dois locais totalmente inesperados, em Tóquio e na cidade de Oklahoma. No entanto, ambos os ataques estavam codificados na Bíblia.

Na manhã de 20 de março de 1995, houve um ataque com gás venenoso no metrô de Tóquio, levado a efeito pelo lunático grupo religioso Aum Shinrikyo (Verdade Suprema).

Doze pessoas morreram e mais de cinco mil ficaram feridas quando o *Sarin*, gás que ataca o sistema nervoso, desenvolvido pelos cientistas nazistas alemães, foi liberado nos trens do metrô durante a hora de maior movimento.

"Esse grupo religioso", observou um relatório do Senado dos Estados Unidos, "ganhou assim a dúbia distinção de tornar-se o primeiro grupo, exceto países em tempo de guerra, a usar armas químicas em grande escala." O vice-presidente do Comitê, senador Sam Nunn, afirmou: "Acredito que este ataque é o sinal de que o mundo entrou numa nova era."

"Aum Shinrikyo" estava codificado na Bíblia junto com "Metrô" e "Pragas". A palavra "Gás" estava codificada duas vezes no mesmo trecho.

Quando a polícia japonesa deu uma batida no quartel-general do grupo, foi encontrado gás suficiente para matar 10 milhões de pessoas; todos os homens, mulheres e crianças de Tóquio.

Aquele culto da destruição total tinha conexões no mundo todo, pelo menos 1 bilhão de dólares em ativos e, além do gás *Sarin*, estocara amplas quantidades de agentes da guerra biológica, incluindo o bacilo causador do antraz. Chegara mesmo a enviar uma equipe ao Zaire para coletar o mortífero vírus Ébola, e também tentara adquirir armas nucleares.

O que poderia ter acontecido — se os líderes do Aum Shinrikyo não tivessem sido presos, seus planos descobertos e suas armas apreendidas — também estava codificado na Bíblia.

"Tóquio será evacuada" dizia a profecia que não se cumpriu, a probabilidade que foi impedida.

Codificada junto com "Tóquio, Japão" estava a palavra bíblica para "Pragas", usada na Bíblia para designar as Dez Pragas do Egito, e logo a seguir vinha "Arma voadora".

"Esquadrão aéreo" também estava codificado junto com "Pragas", e o gás venenoso "Cyanide" (ácido cianídrico) e o incurável vírus "Ébola" apareciam no mesmo trecho.

Mais tarde, a polícia japonesa informou que os documentos apreendidos no quartel-general do grupo Aum mostravam que o grupo planejava um ataque em massa a Tóquio, usando helicópteros (pilotados por homens ou robôs) especialmente equipados para borrifar agentes biológicos e químicos.

O líder do grupo, Shoko Asahara, profetizava que o mundo estava chegando ao fim. Antes de ser preso, Asahara estabelecera uma nova data para o Armagedon: 1996.

O ano codificado junto com "Tóquio será evacuada" era "5756", data que, no antigo calendário judaico, é equivalente a 1996.

Uma praga de proporções bíblicas quase se desencadeara sobre Tóquio, e o que poderia ter acontecido estava codificado na Bíblia.

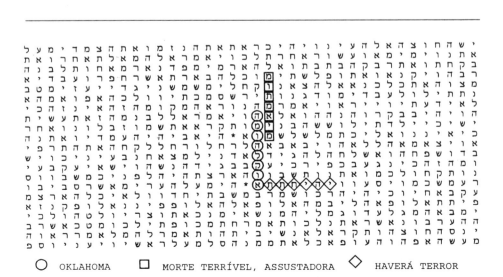

O PASSADO RECENTE

Um mês mais tarde, às 9 horas da manhã do dia 19 de abril de 1995, um caminhão-bomba explodiu o Murrah Federal Building na cidade de Oklahoma, matando 168 pessoas, inclusive 20 crianças. Em poucas horas a polícia prendeu Timothy McVeigh, ex-sargento do Exército com ligações com a direita militante.

A explosão de Oklahoma foi o pior ataque terrorista na história dos Estados Unidos. Estava codificado na Bíblia com praticamente os mesmos detalhes com que foi reportado pelos boletins de notícias da televisão. "Oklahoma" aparecia junto com as palavras "Morte terrível, assustadora" e "Terror".

O alvo tinha nome: "Murrah Building". E, com ele, havia uma descrição do horror: "Morte", "Desolados", "Massacrados", "Mortos, despedaçados".

O principal suspeito era identificado: "Seu nome é Timothy McVeigh". Na verdade, distribuídas como um problema de palavras

○ MURRAH BUILDING　　　　□ DESOLADOS, MASSACRADOS
◇ MORTOS, DESPEDAÇADOS　　⬠ MORTE

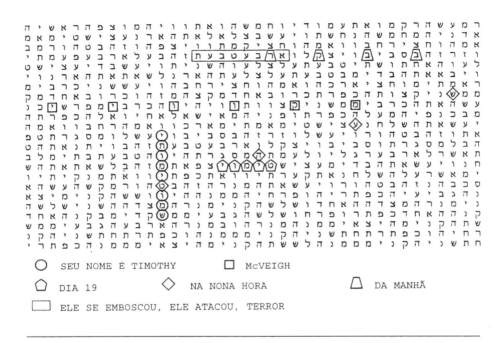

cruzadas no Livro do Êxodo estavam as acusações feitas contra McVeigh pelo massacre de 19 de abril de 1995: "Seu nome é Timothy McVeigh — dia 19 — na nona hora — da manhã — ele se emboscou, ele atacou, terror — dois anos após a morte de Koresh."

Os investigadores policiais sustentaram que McVeigh queria vingar o culto Koresh, um grupo religioso apocalíptico ("Ramo Davidiano") cujos membros, em sua maioria, morreram no incêndio que encerrou a troca de tiros com os agentes federais exatamente dois anos antes, em 19 de abril de 1993.

E havia um eco perturbador da insanidade daquele grupo religioso no versículo da Bíblia onde a tragédia de Oklahoma fora codificada: "O terror de Deus estava sobre as cidades que os cercavam."

O passado recente estava codificado com extraordinário nível de detalhes.

Mas as duas perguntas que eu fazia a mim mesmo desde o começo — Poderíamos descobrir os detalhes dos acontecimentos antes que eles ocorressem? Poderíamos mudar o futuro? — continuavam sem resposta.

Timothy McVeigh permanecera oculto na Bíblia durante três mil anos e só foi encontrado no código depois de ter sido acusado de matar 168 pessoas em Oklahoma. Yigal Amir não poderia ter sido encontrado com antecedência, mesmo tendo sido predito o assassinato de Rabin. O complô do grupo Aum Shinrikyo contra Tóquio era desconhecido até seus líderes serem presos.

Assim, a grande pergunta permanecia — se este era realmente o começo do "Fim dos Dias", o que poderíamos fazer a respeito? O assunto deixara de ser uma especulação filosófica.

Se o código da Bíblia estava certo, e seus registros sobre o passado recente sugerem que sim, então este mundo estaria perto de enfrentar desastres humanos e naturais numa escala nunca antes vista, acontecimentos tão terríveis que nada nos preparara para eles, exceto as antigas e conhecidas profecias da Bíblia.

CAPÍTULO 6

O ARMAGEDON

HÁ mais de dois mil anos, um culto messiânico escondeu-se nas colinas às margens do Mar Morto, esperando a companhia dos anjos para a batalha final contra o mal, preparando-se para a "Guerra dos Filhos da Luz contra os Filhos das Trevas".

Receando que os romanos destruíssem as últimas cópias remanescentes da Bíblia, aquele pequeno grupo de antigos israelitas ocultou centenas de rolos de pergaminho nas cavernas dos penhascos desérticos.

Em 1947, um jovem pastor beduíno jogou uma pedra dentro de uma das cavernas e ouviu o som de cerâmica quebrando. Dentro da urna quebrada, o menino encontrou a mais antiga cópia conhecida de todos os livros da Bíblia.

Escalei aqueles penhascos poucos dias após ter descoberto que a Bíblia — cuja idade os Pergaminhos do Mar Morto provavam ser de pelo menos dois mil anos — ocultava um código computadorizado que predizia acontecimentos ocorridos milhares de anos após ela ter sido escrita.

Fiquei várias horas sentado no topo daquela árida montanha, contemplando a paisagem desértica que não tinha mudado nos milênios que se passaram desde que o culto ali acampara esperando pelo Fim.

No dia seguinte, fui ao Santuário do Livro, em Jerusalém, e vi em exibição a mais antiga profecia do apocalipse, o pergaminho de Isaías, com 2.500 anos de idade.

Todo o texto original de Isaías, encontrado intacto naquelas cavernas às margens do Mar Morto, estava agora enrolado, com as pontas se encontrando, em volta de um imenso cilindro colocado sobre um pedestal, acima de um grande espaço vazio bem no centro do museu de teto abobadado.

Por quê, perguntei a mim mesmo, estaria o pergaminho sendo exibido de modo tão singular? Telefonei para Armand Bartos, o arquiteto que projetou o museu que hoje abriga os Pergaminhos do Mar Morto. Ele me explicou:

— A idéia original deste projeto era permitir que o cilindro fosse recolhido automaticamente, descendo para o nível abaixo e sendo coberto por lâminas de aço.

— Por quê? — perguntei.

— Isso foi feito para proteger a primeira cópia da Bíblia que o mundo conhece.

— Proteger de quê? — perguntei.

— Da guerra nuclear.

Até então ninguém sabia que naquele antigo pergaminho, enrolado em volta do imenso cilindro instalado num equipamento projetado para resistir a uma bomba atômica, havia um alerta oculto de que Jerusalém poderia realmente ser destruída num ataque nuclear, num "Holocausto atômico" que detonaria uma "Guerra Mundial", o verdadeiro Armagedon.

O segredo estava em um "livro selado".

Isaías descreve um terrível apocalipse ainda por vir, uma visão realmente assustadora de uma guerra futura, e depois afirma: "Para vós, toda esta visão nada mais é que palavras seladas em um livro."

Esta é a primeira referência, na Bíblia, ao secreto "livro selado". É uma visão do nosso futuro que estava oculta, primeiro numa caverna, e depois num código que ninguém poderia decifrar até que o computador fosse inventado.

De início, afirma Isaías, ninguém seria capaz de abrir o "livro selado": "E quando o oferecerdes a um letrado, pedindo-lhe que o leia, ele responderá, 'Não posso, o livro está selado.'"

Mas finalmente, prediz Isaías, o "livro selado" será aberto: "Naquele dia, os surdos ouvirão as palavras do livro e, das trevas e obscuridade, os olhos dos cegos o verão."

E, no texto oculto, esses mesmos versículos de Isaías revelam que o "livro selado" é o código da Bíblia: "Ele reconheceu as palavras, elas serão computadorizadas, seu relato será ouvido neste dia, os segredos, as palavras mágicas do livro."

O alerta de 2.500 anos de idade sobre uma guerra nuclear só poderia ser encontrado com um computador. E agora o código da Bíblia revelava quando e onde o verdadeiro apocalipse poderia começar.

VERIFIQUEI cada ano dentre os próximos cem anos. Somente dois deles, o ano 2000 e 2006, estavam claramente codificados junto com "Guerra Mundial".

Esses mesmos dois anos também estavam codificados junto com "Holocausto atômico". Eram os dois únicos anos, dentre os próximos cem, que surgiam junto com "Holocausto atômico" e "Guerra Mundial".

Não há meios de saber se o código está predizendo uma guerra no ano 2000 ou no ano 2006. O ano 2000 está codificado duas vezes, mas 2006 mostra a melhor combinação matemática. E não há, é claro, meios de saber se o perigo é real.

Mas, se o código da Bíblia está certo, uma Terceira Guerra Mundial por volta do final do século é pelo menos possível, e uma Guerra Mundial dentro dos próximos dez anos é uma probabilidade que não podemos ignorar.

"Holocausto atômico" e "Guerra Mundial" estão codificados juntos. A próxima guerra, segundo o código, será combatida com armas de destruição em massa que o mundo jamais viu serem usadas em batalha. A Segunda Guerra Mundial terminou com Hiroshima, mas hoje existem pelo menos 50.000 armas nucleares, de artilharia atômica a mísseis balísticos com ogivas de carga múltipla. Cada uma dessas armas é capaz de destruir uma cidade inteira. O mundo todo poderia ser aniquilado em poucas horas.

A Terceira Guerra Mundial seria, literalmente, o Armagedon.

```
מרהאתונלאבלעמההלואנאיכנאיכרבתחבלעיממרהעיו
זהלעממבכאבהרהחדהיתהימימושאיולושלעמרנאמבלעמב
חתעמלשותלעחתהפמחשהתהמיהללבלרבכמהפחתלבכרלתחנ
לילילללחתרבימכנמהשתמלבעחלרואהלוקלוחכהלישחסכימ
יעצרתחמלכמהתרבלהמכאלענילעלוישבכלליתהרההחולכיל
ושמכבזלכלנפששבעונמילויהפאמהתופמהצאמהמהלכקלמ
שבונואתאלעיאלעתלאקתתריאתימוהמפהבהתאחתנהיקמיוננ
לתבנושרייבתהצאחיקמעטהלחמוממטנבלהרמנלועברהרלילי
הדברילעלאוארוכלתהתלערשרעתחאמוכהלעילולוהנעברלת
פלאהמכעולישוכלקחהדיעמצכלבמאלהלהמהלפ
ואעבדתלחהליהליוטעשמהמעפילותושמנאלעיישלהחמה
וירתנוהילבלאהשמואההמהכשלעלאהעחמשמטעומלעמיהב
אלכתאמצלכמהרלצבעונשעטהאסמואהמבצשמילעכמאוזי
שרהתקצפכיוילההסמלחהאנפעלצהחבלאמהנההמנעוישרה
יהאללבכיאראחועלעליללמלעמהטהשודלעויהחיבללאמ
צוהיתויהגדלכוישהכעטהרדתילחמלהחכאעמיאילאמהחנ
כהתהאהי־והתאלעמהילאישעמעאדיכותעכלוהי־וסריומ
מיוהסרייואמאבובשוהפמהליאעמילאלואתריוהממואלי
לכאלחימשכללבבכי־ואה*כיברכינכמליאשתכלאחילמשלו
```

○ GUERRA MUNDIAL   ◇ 5760 (2000 d.C.)

```
יעזרויגבההואתנמרהיאתהרנערתהבית...
בויצומשהאתבנייישראלאלאמרזאתהאר...
יינהלוישמולאתהסבנחלהליביניישרא...
זדורותעלוההרחיצאתהאמריחושבבהר...
לארנבוחצירהגלעדוערייונתילרובב...
מדרנוהפיצי־והאתכמבעמיםונשארתמ...
יאמר־והאלישמעתיאתקל־והא*כיה*...
טויהאשרהתוצאכי־והא*כיה*יככיעש...
שהואשהיתהמלכתומלעמהמפניירגת...
ו־והומלקושובעתהתריבואתדגנכות...
ואה*כיהכוהבשלשמראתוהשמעתאתד...
שנההחהואותנחתבשערייכובאתלויב...
מויילכריהמפאחריהימחלהצבאהשמי...
רצאשרבראלתלתלאבתאלהכיתשמראת...
ןתאנולומשפטהבברהכיייחלאשבנס...
י־והא*כיהלאמרימהמלאתהיככסף...
נכי־והלראשוולאלזבנבוהי־יתרקל...
```

○ GUERRA MUNDIAL   ◇ EM 5760 (2000 d.C.) / EM 5766 (2006 d.C.)

O alerta de quando, onde e como nosso mundo poderia enfrentar o verdadeiro Armagedon, uma Guerra Mundial nuclear, estava oculto havia três mil anos nos mais sagrados versículos da Bíblia.

Quando abrimos o "livro selado" em busca da Terceira Guerra Mundial, descobrimos que o ano em que ela poderia começar estava predito num pergaminho com 22 linhas que é a essência da Bíblia.

```
יומלחדשהזהחגשבעתימימממצותימאכלבייומהראשונמקראקדשכלמלאכתעבדהלאתעשווהקרבתמאשהעלהלה
ומנ(ח)סלתבלולהבשמנשלשהעשרניממלפרשניעשרניעמלאילחאחדעשרונעשרונלכבשהאחדלשבעתהכבשי
חטאתאחדמלבדעלתהתמידמנחתהונסכיהובי ו מהשביעיפרימשבעהאילמשנימכבשימבניש נהארבעתעשר
מחרי פראתמאישחבינ י משמעווכלמעצאשפתיהלנדריהולאסרונפשהלאשרקדמאישחתפרמוי-וחי סלחלהכלכ
רמעל(ג)והלעדברפערורותהיחמגפהבהבעדתי-וחתעותאחרגוכלזכרבטפונשיכלא שהייד עתאישלמשכבזכרהרגו
הבקרשהתישלשואלפאלפומכסמלי-וחנשניומשבעיומרימשלשימאלפוחמשמאותוחמשימכסמלו-והאחדששיימ
צהאתלעבדיכלאהזהאלתעברנואתהירדניאמרמשהלבנירודולביישראלכחמשיכמכיבאולמלחמהוהואתמת
למשהל(ע)כדיכיעשואכאאשרדנראימאנצותטפנוונשיונימקננוכלבלהמתנויחי ושמערעבדיכהגלעדריגלגדכת
ממקברימאתהארשהכחת-והבהמכלבכורדוהזאלהחמשעשהי-ושפטימויסעובניישראלמערמעסיסויחנובסכת
מתובהתרההרווישמעהכנעניעיבמלעקראישאלישבבננגבבבארצכנעובבבאבנייישראלועראמהחההרויחנובצלמ
יהלכמג(ב)וימוזהיההלכמכגבולצפונמהימהגדלולתארוהלדמנחרההמרהלוכמחתאולהאחתהייהתוצאתמ
ללויממקירהעיריחצירליהלהיצאהלפאשמהםכסבייבומהמתמכחצלעירימאתאתכלפיממעאמתאתחאפמתכגבאלפי מבאאמ
משפטימהאלההיחצילוהעדהאתההכהמדמגאלהדמוחיבואתואחרעדהאלעירמקלטושאשרנסשמהוישבבהעדמות
יישראלמ(ל)אלמטהכייאישבנינחלתממטהנחלכמטמטותבנייישראלדבקוכיאישבנינחלתאבתיוידבקו בנייי שראלכ לכאהאתד
כמיומיבני לעדעי לעדי למלשבטידעידעואשרימראשילכמוראשיכמודאותמרטובהדבראשריציציחברתלעשותואקראתכאשר
שרעשהאתחכבעזהרציתשמילעיניכמובמדבראשרראיתאשרנש אכ-והא*חיכבכאשר ישאאישאתבנובכלהדרהכאשר
נשמרתמממאדלנפשתיכמכיל אראיתמכלתמונהביוהבדבריהובאל כימכרבמתוכהאשעדהשמיהוהחשכהענ נ וערפלדמא
וסעוועברואהנראלחרימאלכנעניובלבנוהעדרהנהרהגדלנהרפרתראהנתתלפניכמאתהאמרצוכלמלכ
ומאתמששימעירכלח בלארגבממלכתעוגבבשנכל אלהעריבצרתחומהגבההדלתימובריחלבדמערי הפזרזיהרבהמאד
לשעיחמלנו(ל)להכיעלמהי-וחלדהבמשכהשמלאתמאשראתיאומכייוסאלוחיכאישאשריסראישאתבנוייסרכהמ
אלהעפיממודברמשהאלעברהירדבמרברבערבהמולסופביןפארנובבניהןחבתאלולבןוהצרבותוהאתידיהב
עשיתמפסלתמונתכללעיניכואבכמהאתאמר-והאלהיכלהכעיסוהעידתיבכמהיוממכלתהשמימואתהארצכיאב
אדמהאשרי-וח(א)לפחיכנתבלכלהככהכעימימעלפניהארצירמיפימעברתכמהשמצלזמעבראתהירדובשמהלרשתהאשרי-ולהומי שביעתלאת
אומדראתיוהואת בתהקדשוהטויכאשרצוכי-והאלפהלכעדונלמעוירבומיפתליבכעלהאדמהאשרי-והאהיכנתלבעירבאששכוי-ולמקרבישבכייוי-ו
תפהעמדהעמדיואדברההאלכלאאתכלהמצותוהחקימוהמשפטימאשרתלמדמוקערושביארצ אשראנכינותנלהלרשתה
ועשיתיחישוחלק(ז)בעיני-וחי-וחלמענייטבלכובאתוירשתאתהארצהטבהאשרנשבעי-וחלאבתי-וחלהרחתכלאיבילמפניפככאשרדברי-ול
אחרימ עבדתמוכבד(ת)להמוחעיתי כלל ו א לפא כ מצתמ ד מבכ מ ז י ה כ ו א שריציואתלעיצוצכעבדוקחזקיכעברזיהו
צוהאשראנכימצוכהיומלטבלפלעלכולבניכאחריכולמעואמיכלעלהאדמהאשרי-והאלהיכוחנלכלהימימ
אלהיפסליכבבא שתישרפומבהלאתתחמדכספוזה ב עליהמולקחתלכפנתוקשבוכיתועבתי-וחאלהיכהואחרמאנכי
האלפסלחיכ ש ל וחאתא בני אהבתמיבננואהליאלהמואליי-ורכריאמהגיחמימעריצמבלעבעלאהבתוואחרחתאכתלמואלהרימיבק
בגרלחתלוחלמוחאמ לח מו מ( א)ח( א)תבתמאתהמלחתכהגרלכירי-וחח-חחא*חיברצעברעלמהארנבוי-והאישלימ נ ב א ח-וחהתב
נלבאלרשתאתהארצ א שר-והא*חיכאשרנתנלככאשרדברי-והאלהיאבתיכלכאלתיראואלתיחתהואמרי-והאלי
כלאותנפשתכבחואכלתבשרכברכתי-והאלהיכאשרנתנלכבכלשעריכהטמאוהטהוריאכלנוכצביוכאילב
רבכהחקחאתי-וחאלחיכיעיריתהמלחהואקארשנמתהאתחאכבדמאתכלהלעפימאשרעלפ ניהאדמה-וחבאתקבאלת
לנכרי כי-ועמקדושאתהלי-וחאלהיכוחא*חיכלאתאכל ושלכאתגד יבחלבאמועשרתעשרכלתבואתזרעכהיצאהשדהשנה שנ ה
```

○ HOLOCAUSTO ATÔMICO ◇ EM 5760 (2000 d.C.) / EM 5766 (2006 d.C.)

Tal pergaminho é chamado o "Mezuzah". Contém as 170 palavras que, dentre todas as 304.805 letras dos cinco livros originais da Bíblia, Deus ordenou fossem mantidas num rolo de pergaminho em separado e colocadas na entrada de cada residência.

"Em 5760" e "Em 5766", os anos 2000 e 2006, estão codificados naquelas 170 palavras.

"Guerra Mundial" — na única vez em que está codificada em toda a Bíblia — aparece no mesmo trecho, e cruza um dos versículos sagrados.

"Holocausto atômico" — na única vez em que está codificado na Bíblia — também aparece junto com os dois mesmos anos nos mesmos dois versículos do pergaminho.

O Mezuzah contém quinze versículos, e começa com o mais importante mandamento: "Ouve, ó Israel, o Senhor nosso Deus é o único Senhor." Duas vezes, nesses poucos versículos, Deus diz exatamente como as palavras devem ser preservadas:

"Gravai, pois, profundamente em vosso coração e em vossa alma estas minhas palavras; ensinai-as aos vossos filhos, falando delas quando estiverdes em vossa casa, ou em viagem, quando vos deitardes ou levantardes. Escrevei-as nos umbrais de vossa casa, e em vossas portas."

Os anos em que a Terceira Guerra Mundial poderia começar foram revelados nas palavras mais cuidadosamente preservadas do Antigo Testamento.

E no local em que os anos 2000 e 2006 estão codificados, o texto oculto do pergaminho sagrado alerta-nos sobre a guerra: "Bombardearão seu país, terror, devastação, está sendo lançada."

Não poderia ser por mero acaso que o alerta da data em que o mundo poderia enfrentar uma guerra nuclear estivesse codificado em dois dos quinze versículos da Bíblia que Deus ordenou, duas vezes, fossem memorizados, ensinados às crianças e recitados toda manhã e toda noite.

Não poderia ser por mero acaso que os anos mais claramente codificados junto com "Guerra Mundial" estivessem, ambos, ocultos nas 170 palavras que foram preservadas num rolo de pergaminho em separado durante três mil anos, e ainda hoje são presos ao umbral da porta de quase todos os lares de Israel.

Se uma simples letra estiver faltando, um Mezuzah não pode ser utilizado. "Alguém" queria ter absoluta certeza de que, não importa o que pudesse acontecer ao restante da Bíblia, essas 170 palavras, esse rolo de pergaminho seria preservado, tal como originalmente escrito, com seu código oculto intacto.

E aquele antigo código, que agora predizia que a Terceira Guerra Mundial poderia começar dentro de uma década, também predissera que a Segunda Guerra Mundial começaria "em 5700" — no nosso calendário moderno, 1939/1940.

"Em 5700, veio o cremador", afirma o texto oculto completo, predizendo não só a guerra mas também os fornos do Holocausto.

Armagedon nos anos 2000-2006 era o alerta codificado nos mesmos versículos sagrados da Bíblia, o código cuidadosamente preservado no Mezuzah que tão acuradamente predisse a última Guerra Mundial.

EM vez de uma guerra nuclear entre as superpotências, o mundo talvez esteja agora enfrentando uma nova ameaça — terroristas equipados com armas nucleares.

○ GUERRA MUNDIAL   ◇ TERRORISMO   □ GUERRA SEM QUARTEL

"Terrorismo" está codificado junto com "Guerra Mundial" e, logo abaixo de "Terceira", aparecem as palavras "Guerra sem quartel". A expressão sugere uma guerra de aniquilação total. E está claramente codificada junto com "Holocausto atômico".

O súbito colapso da União Soviética mudou o mundo. Eliminou o principal adversário dos Estados Unidos, mas colocou à disposição dos terroristas o maior estoque de armas nucleares do planeta.

No ano passado, um comitê do Senado norte-americano confirmou o perigo: "Nunca antes um império se desintegrou enquanto possuía 30.000 armas nucleares", disse seu vice-presidente, senador Sam Nunn.

◇ A QUEDA DO   ○ COMUNISMO   □ RUSSO   △ NA CHINA A SEGUIR

Chamando a ex-União Soviética de "um vasto supermercado potencial de armas nucleares, químicas e biológicas", o senador Richard Lugar alertou para o fato de que "aumentou a probabilidade de uma, duas ou dúzias de armas de destruição em massa detonarem na Rússia, na Europa, no Oriente Médio ou mesmo nos Estados Unidos".

"A queda do comunismo" foi predita no código da Bíblia. Na única vez em que aparece a palavra "comunismo", junto com ela estão codificados "a queda do" e "russo".

"China" está codificada logo abaixo. Entrelaçada com "na China", há uma predição — "a seguir".

No Ocidente, muitas pessoas viram o colapso da União Soviética como uma vitória. O fim do comunismo na China seria visto como o triunfo final. Mas o caos em outra potência nuclear também aumentaria o risco de serem vendidas aos terroristas, ou roubadas por eles, armas capazes de destruir cidades inteiras.

Se o código da Bíblia está certo, o terrorismo nuclear pode detonar a Terceira Guerra Mundial. Esta poderia começar, como sugeriu o primeiro-ministro Peres poucos dias depois de meu encontro com ele, quando uma arma nuclear "cair nas mãos de países irresponsáveis, e for carregada nos ombros dos fanáticos".

A Segunda Guerra Mundial terminou com uma bomba atômica. Talvez a Terceira comece do mesmo modo.

JERUSALÉM, a cidade pela qual mais se lutou ao longo da História — desde a época em que o Rei Davi a conquistou, os babilônios a queimaram, os romanos a destruíram e os Cruzados a sitiaram, foram três mil anos de conflitos sangrentos que não terminaram quando os israelenses a tomaram de volta na guerra de 1967 —, está claramente codificada na Bíblia como o alvo do ataque nuclear predito.

Uma única capital do mundo está codificada em qualquer parte da Bíblia junto com "Holocausto atômico" ou com "Guerra Mundial" — "Jerusalém".

O nome da cidade está oculto num único versículo da Bíblia. "Jerusalém" está codificada no trecho em que Deus ameaça punir Israel ao longo dos tempos — "Eu, o Senhor teu Deus, sou um Deus zeloso, que castigo os filhos pelos pecados dos pais, até à terceira e à quarta geração daqueles que me detestam."

"Sua cidade será destruída por um ato de terrorismo" cruza "holocausto atômico".

E o alvo é confirmado na mais antiga profecia do apocalipse, aquela encontrada intacta entre os Pergaminhos do Mar Morto: o Livro de Isaías, com 2.500 anos de idade.

"Ai de ti, Ariel! Ai de ti, Ariel!, a cidade em que Davi acampou", adverte Isaías, usando um antigo nome bíblico de Jerusalém. O cerco que reduziu a Cidade Sagrada a "pó" é descrito em palavras que são vividamente apocalípticas:

"Pois de repente serás visitada pelo Senhor dos Exércitos, com fortes trovões, tremores de terra e estrondos, tempestades, furacões e as chamas de um fogo devorador."

É a visão extraordinariamente acurada de um "holocausto atômico", tal como previsto há milhares de anos e expresso nas únicas palavras que um antigo vidente poderia usar para descrevê-lo.

Comparemos a visão de Isaías com uma moderna descrição da explosão da bomba atômica em Hiroshima:

"Toda a cidade foi destruída instantaneamente. O centro de Hiroshima foi arrasado. Meia hora depois, as chamas criadas pela energia térmica começaram a fundir-se numa tempestade de fogo que durou seis horas. Durante as quatro horas do meio do dia, um violento tufão, nascido das estranhas condições meteorológicas produzidas pela explosão, continuou a devastar a cidade."

As palavras que parecem ecoar Isaías foram tiradas do clássico relato de Jonathan Schell sobre a bomba de 1945, em *The Fate of the Earth*.

Em Hiroshima, ninguém ouviu a explosão. O impacto criou um vácuo. Mas, a quilômetros de distância, ouviu-se um estrondo imenso, um terrível "trovão" que não se parecia a nada jamais ouvido antes.

A bomba de Hiroshima explodiu no ar, a quase 600 metros acima da cidade. Se uma bomba nuclear explodisse no solo, como seria mais provável em qualquer ataque terrorista, o horror seria ainda maior.

Toda a população de uma cidade seria instantaneamente reduzida a pó. Citando Schell mais uma vez: "Qualquer ser humano na área seria reduzido a fumaça e cinzas; simplesmente desapareceria. A população incinerada, agora transformada em poeira radioativa, subiria na nuvem em forma de cogumelo e depois tornaria a cair sobre o solo."

Ouçamos novamente Isaías: "Rebaixado, falarás junto ao chão, tua voz sufocada subirá da poeira, tua voz sairá da terra como a de um espectro, da poeira murmurarás. E teus muitos inimigos serão como pó miúdo, as hordas implacáveis tornar-se-ão como palha ao vento. E isto acontecerá de súbito, num instante."

É uma estranha descrição do antigo cerco de Jerusalém, mas uma visão perfeita das conseqüências de um ataque e contra-ataque nucleares.

E temos então a curiosa passagem críptica: "Para vós, toda esta visão nada mais é que palavras seladas em um livro."

Elas permaneceram seladas até serem, agora, reveladas por um código que talvez exista para nos alertar no momento crítico de um ataque atômico iminente.

○ ARMA ATÔMICA   □ JERUSALÉM   ◇ PERGAMINHO / ELE O ABRIU

"Arma atômica" está codificada em Isaías. O "m" de "atômica" é também o "m" de "Jerusalém". No ponto em que "Jerusalém" cruza "arma atômica", o mesmo ocorre com a palavra "pergaminho". E, sobrepondo-se a "pergaminho", estão as palavras "ele o abriu".

E o antigo nome de Jerusalém, "Ariel", o nome usado na advertência de Isaías sobre o apocalipse, está codificado junto com "Guerra Mundial".

A conhecidíssima profecia bíblica do Armagedon parecia estar confirmada pelo código da Bíblia. Jerusalém, centro das três principais religiões do mundo ocidental, a fabulosa cidade onde Davi governou, onde Jesus morreu, onde Maomé subiu aos céus, poderia ser aniquilada numa batalha final provocada pelo ódio religioso.

O Armagedon real poderia ser uma Guerra Mundial nuclear.

[grade de letras hebraicas]

○ GUERRA MUNDIAL   □ ARIEL / JERUSALÉM

Eu nunca acreditara nas profecias apocalípticas da Bíblia. Nunca acreditara que Deus ou o Diabo iriam destruir o mundo, ou que as forças do bem e do mal se enfrentariam numa Batalha Final.

Mas esta afirmação do código da Bíblia — que a batalha final, o Armagedon, poderia começar no Oriente Médio com um ato de terrorismo nuclear — parecia demasiado real.

A palavra "Armagedon" provém do último livro do Novo Testamento, num versículo que parece extravagante: "São os espíritos de demônios que realizam prodígios, e vão ter com os reis de toda a terra, a fim de reuni-los para a batalha do Grande Dia do Deus Onipotente. E ele os reuniu num lugar que, em hebraico, se chama Har-Mageddon."

Mas Armagedon é um lugar real. É o nome grego de uma antiga cidade de Israel, Megiddo. Em hebraico, "Monte Megiddo" é

"Harmegiddo". "Armagedon" é simplesmente a transliteração grega daquele nome.

Fui até lá, certa noite. Eu dirigia de volta a Jerusalém quando vi uma placa rodoviária, verde e branca, com um nome que até então eu só vira na Bíblia: Megiddo. Passava da meia-noite, mas parei para ver as ruínas da cidade fortificada. Parecia inconcebível que aquele local remoto pudesse realmente ter sido o campo de uma grande batalha.

Mas, perto de Megiddo, oculta aos turistas, está uma das mais importantes bases da Força Aérea de Israel: Ramat David. A Base fica

○ "ARMAGEDON" / HAR-MEGIDDO / MONTE MEGIDO
□ HOLOCAUSTO DE ASAD   ◇ TIROS DO POSTO MILITAR

no norte do país, de face para a Síria, o mais implacável inimigo de Israel. Estaria nas linhas de frente de qualquer guerra real no moderno Oriente Médio.

"Armagedon" está codificado na Bíblia junto com o nome do líder sírio, Hafez Asad. Na verdade, o nome do lugar onde ocorreria a Batalha Final há muito profetizada aparece com o nome de Asad numa única seqüência de saltos: "Armagedon, holocausto de Asad".

"Síria" está codificada junto com "Guerra Mundial". É o país que se destaca, porque não era esperado. "Rússia", "China" e "Estados Unidos" também aparecem junto com "Guerra Mundial". Mas trata-se das três superpotências que mais provavelmente se envolveriam numa guerra. A "Síria" é uma surpresa.

Mas, se o Armagedon é real, talvez comece do modo como foi profetizado no texto aberto da Bíblia.

O último livro do Novo Testamento prediz uma guerra final de fúria sem precedentes: "Satã será solto da prisão. Sairá para seduzir as nações dos quatro cantos da terra, Gog e Magog, e reuni-las para o combate."

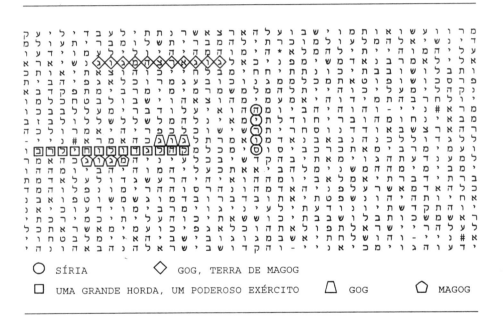

Ninguém sabe onde se localizavam os antigos "Gog e Magog". Mas a profecia original da Batalha Final, narrada em Ezequiel, diz que Israel será invadido pelo Norte: "Virás de teu país nos confins do norte, seguido por muitas nações, uma grande horda, um poderoso exército."

No mundo moderno, o único inimigo ao norte de Israel é a Síria.

"Síria" está codificada em Ezequiel, começando no versículo que prediz a invasão. Os aliados da Síria são designados: "Pérsia" e "Phut", países que hoje se chamam Irã e Líbia.

O texto aberto de Ezequiel prediz uma terrível batalha entre Israel e as nações árabes à sua volta, "um grande massacre nas montanhas de Israel".

De acordo com o código da Bíblia, é assim que a Terceira Guerra Mundial poderia começar — com um ataque atômico a Jerusalém, seguido da invasão do Estado de Israel.

No mesmo museu de Jerusalém onde estão em exibição os Pergaminhos do Mar Morto, onde a visão original do apocalipse foi montada sobre um equipamento projetado para suportar um ataque atômico, pode-se contemplar uma outra obra.

Vemos ali, escritos pelo próprio punho de Albert Einstein, o manuscrito original da Teoria da Relatividade e a equação que mudou o mundo, que deu início à Era Atômica: $E = mc^2$.

Mas o que realmente prendia minha atenção era algo que Einstein tinha dito certa vez: "Não sei quais armas serão usadas na Terceira Guerra Mundial, mas a Quarta Guerra Mundial será lutada com paus e pedras."

Neste final do século XX, somos ameaçados por uma espécie de caos que o mundo nunca viu antes. Construímos armas que podem destruir a civilização humana num só dia, e essas armas talvez agora estejam à solta.

As predições do código da Bíblia parecem cumprir a profecia aberta da Bíblia, e o horror agora ganha uma face, um tempo, um lugar — uma Guerra Mundial nuclear, talvez no ano 2000 ou 2006, o verdadeiro Armagedon, talvez dentro de uma década.

E este ainda não é o fim do perigo profetizado.

CAPÍTULO 7

O APOCALIPSE

EM todas as visões do apocalipse, o golpe final é um terremoto maciço.

No Apocalipse de João, o último livro do Novo Testamento, o terremoto é a sétima praga do sétimo anjo: "E houve um grande terremoto, tal como nunca houvera desde que os homens habitavam a terra, um terremoto gigantesco e terrível. Todas as ilhas desapareceram e montanha alguma foi encontrada."

Ezequiel prediz que a guerra final contra "Gog e Magog" assim terminará: "E naquele dia haverá terrível abalo na Terra de Israel. Todos os povos que habitam a face da terra tremerão diante de minha presença. As montanhas desmoronar-se-ão, os rochedos serão tombados e todas as muralhas cairão por terra."

A destruição deste mundo por um imenso terremoto é uma ameaça constante que está predita no texto aberto da Bíblia.

"Eu farei os céus tremerem, e a terra toda será abalada", adverte Deus em Isaías. "Os homens refugiar-se-ão em cavernas nas rochas e em buracos no chão, aterrorizados ante o Senhor que se ergue para sacudir a terra."

E oculto no último versículo da Bíblia original, nas palavras que fecham a história que, diz a Bíblia, Deus ditou a Moisés no Monte Sinai, está o mesmo alerta:

"Para aniquilar, para destruir totalmente, ele lançou uma força violenta que trouxe a todos um grande terror: fogo, terremoto."

Não há de ser por acaso que o último segredo revelado no código da Bíblia seja o golpe final que aparece em todas as profecias abertas que nos ameaçam com o apocalipse.

O código parece estar nos avisando que dentro dos próximos cem anos haverá uma série de "grandes terremotos" no mundo todo. Três anos estão claramente codificados junto com "o grande terror": 2000, 2014 e 2113. Este último, o mais distante, apresenta a melhor combinação.

○ EM 5873 (2113 d.C.)   ◇ DESOLADA, VAZIA, DESPOVOADA
□ PARA TODOS, O GRANDE TERROR: FOGO, TERREMOTO

○ GRANDE TERREMOTO   ◇ EM 5760 (2000 d.C.)

Não está claro se o código afirma uma série de desastres ou uma série de obstáculos. Os primeiros terremotos, contudo, podem começar na próxima década do novo século, talvez mesmo no final deste século.

O APOCALIPSE

```
יראהו׳יאמרלאכי׳צחקתו׳׳קמו׳משמחאנשימו׳׳שקפו׳עלפנ׳׳סדמו׳אברהמהלכעממלשלחמו׳-׳והאמרהמכסהא
עקבו׳קהאתתאחי׳ועמו׳י׳רדפאחרי׳׳דרכשבעתימימו׳׳דבקאתו׳בהרהגלעדו׳׳בא*ה׳ימאללבנהארמ׳בחלמ
ספו׳נלראותפנ׳׳׳יהיכ׳׳עלי׳נואלעבדכאב׳׳נגדלואתדבריאדנ׳רו׳׳אמראב׳׳נושבברולו׳׳מעטוכלו׳נ
עמי׳׳עבדנ׳כי׳אממאנאתהלשלחאתעמ׳חנג׳׳מב׳׳אמחראר׳ב׳הבנבלכו׳כסהאתע׳׳נהארצו׳לאי׳וכללראתאתה
מארכה׳רי׳׳עהההאתתשמנהוע׳שרי׳מבאמהו׳רהחבאר׳בעבאמחהיר׳׳עהההאתתמדהאתחתלבלה׳רי׳עתחממשה׳רי׳עתתה
תהו׳עש׳ושתי׳טבעתזהבי׳תנמעלשתי׳כתפתהאפדמלמטהממו׳לפנ׳י׳ולעמתמחברתו׳ממעללחשבהאפדו׳׳סו
הנו׳תרבצמנאשרעלכפה׳כהנ׳תנעלראשהמטחר׳כפרעלי׳ותהכהנלפני׳-׳וחו׳עשהתהכהנאתהחטאתו׳כפ
הו׳חשבת׳כהנאתממפה׳אתתהערכככעש׳תה׳בלו׳אתתהערכ׳אתתכה׳ומההואקדשלי׳-׳והשנתה׳ובלי׳שוב
י-׳והאלמשהואב׳יה׳רקי׳רקבפנ׳יה׳ללאתכלמכלבמשבעתימתסגרשבעתימ׳ממהנחלמנצלמחנחו׳אחרתאספותת
שפחמתוה׳פקד׳יה׳המחמשהוא׳ב׳עי׳מאלפו׳שש׳מאו׳תאלהבנ׳י׳דלמשפחתמלשו׳דלמשפתחתתחתמי׳חמ׳אלמשחמ
ננלכפמלאתספו׳עלהדבראשראנכ׳׳מצוהאתכמכ׳לאתצו׳האתהאהגרעו׳ממנו׳ולשמראתמצצותי׳-׳והא*ח׳כמאשרצנכ׳מא
מהקהללאמרלאספשמעאתקול׳-׳והא*ח׳׳אתהאשהגדלהזהאתלאארהאהעו׳דלאאמות׳יאמר׳-׳והא׳אתתהא
רב׳נכתפ׳׳ושכנ׳לי׳ספאמרמברכת׳-׳והארצו׳ממגדשמ׳ממטל׳מתהו׳מרצ׳בתחתתו׳ממגדתבו׳אתששואתממגד
```

○ GRANDE TERREMOTO   ◇ EM 5760 (2000 d.C.) / EM 5766 (2006 d.C.)

O apocalipse há tanto tempo imaginado, se verdadeiro, não começará em alguma mítica terra distante, e sim nas nossas cidades, no mundo real.

Os Estados Unidos, a China, o Japão e Israel estão codificados junto com "grande terremoto" e com os anos do futuro próximo.

O código da Bíblia parece predizer que, nos Estados Unidos, o próximo grande terremoto atingirá a Califórnia. Todos os outros grandes abalos sísmicos já ocorridos nesse Estado foram preditos.

O maior terremoto na história dos Estados Unidos — o grande abalo que sacudiu San Francisco em 1906 — tinha sido codificado há três mil anos. "S. F. Calif." e 1906 aparecem juntos. "Fogo, terremoto" também está codificado junto com o ano, e o texto oculto afirma "cidade consumida, destruída".

O maior terremoto recente que atingiu a região continental dos Estados Unidos, mais uma vez em San Francisco, também está codificado. O ano (1989), as palavras "fogo, terremoto" e "S. F. Calif." aparecem no mesmo trecho.

Mas Los Angeles, dentre todas as grandes cidades do mundo, é a que apresenta a melhor combinação matemática com "grande terremoto".

"L. A. Calif." está codificado junto com "grande terremoto", contra probabilidades altíssimas, e tanto "América" como "U. S. A." também aparecem junto com o cataclismo predito.

Os sismólogos concordam que o sul da Califórnia é a área mais provável, nos Estados Unidos, de enfrentar um grande terremoto no futuro próximo. A pesquisa geológica feita pelo governo em 1995 afirmava que há uma "probabilidade de 80 a 90% de ocorrer um terremoto de magnitude 7+ no sul da Califórnia antes do ano 2024."

Os especialistas que fizeram essa predição deixaram de prever o último grande tremor de terra na área de Los Angeles, o de janeiro de 1994, que matou 61 pessoas em Northridge. Esse tremor não ocorreu numa falha geológica conhecida, e não foi previsto por ninguém.

Exceto pelo código da Bíblia. O ano judaico de "5754" (1994, no nosso calendário gregoriano) estava codificado junto com "grande terremoto" e "L. A. Calif.".

Aquele foi um mero tremor quando comparado ao cataclismo predito, e um ano do futuro próximo aparece junto com Los Angeles,

○ GRANDE TERREMOTO ◇ L. A. CALIF. △ EM 5770 (2010 d.C.) □ 5754 (1994 d.C.)

O APOCALIPSE

exatamente no mesmo trecho onde o desastre de 1994 foi profetizado.

Cruzando "grande terremoto", logo abaixo de "L. A. Calif.", está o ano 2010. E esse mesmo ano ("5770" no calendário judaico) também está codificado junto com o nome da cidade, na verdade sobrepondo-se parcialmente a "fogo, terremoto".

○ L. A. CALIF.   □ FOGO, TERREMOTO   ◇ 5770 (2010 d.C.)

É apenas uma probabilidade. Tanto o código quanto os sismólogos podem estar errados. Mas o código da Bíblia parece predizer que o grande terremoto atingirá Los Angeles em 2010.

TRÊS outras regiões do mundo também estão codificadas junto com "grande terremoto".

Todas elas estão codificadas junto com os mesmos dois anos, 2000 e 2006. Não há como saber qual delas será realmente atingida na próxima década.

"Grande terremoto" está codificado com "China". Esse país foi o palco do pior terremoto da história mundial, o cataclismo de 1976 que matou 800.000 chineses. Aquele ano, "5736", cruza "terremoto" logo acima de "China".

○ GRANDE TERREMOTO □ CHINA △ 5736 (1976 d.C.) ◇ 5760 (2000 d.C.)

Mas a China pode vir a ser atingida novamente. Logo acima de 1976 há outra data, "em 5760" (o ano 2000). "China" aparece três vezes junto com "grande terremoto", mais uma vez junto com o ano 2000 e também com 2006.

Israel, que não sofreu nenhum grande terremoto neste século, é o local afirmado com maior destaque no texto aberto da Bíblia. Ezequiel prediz abertamente "um grande terremoto na terra de Israel".

"Israel" também aparece quatro vezes junto com "grande terremoto" no código da Bíblia, mas, como a palavra Israel aparece com tanta freqüência na Bíblia, não há meios de calcular a significância matemática.

Contudo, Israel está localizado na região que talvez seja a maior falha geológica do mundo, a Fenda do Mar Vermelho, que em tempos pré-históricos deslocou-se tão violentamente que separou a África da Ásia.

Mas o país mais provável de estar em perigo, segundo o código da Bíblia, é o Japão.

Quando o encontrei pela primeira vez, meu editor pediu-me para predizer um acontecimento mundial. Recusei-me.

— Não sei nada sobre o amanhã — expliquei-lhe. — Sei apenas o que está codificado na Bíblia.

Mas ele insistiu, e finalmente eu lhe disse que se alguma coisa parecia provável, era que o Japão sofreria uma série de grandes terremotos.

Três meses mais tarde, o Japão sofreu o pior terremoto dos últimos trinta anos. Como ocorreu numa região remota, poucas pessoas morreram, mas na Escala Richter foi um acontecimento importante.

Verifiquei-o no código da Bíblia. O epicentro exato do terremoto estava codificado, "Okushiri", uma ilha tão pequena que muitos dos próprios japoneses não sabiam de sua existência até o dia do terremoto.

A matriz completa dizia, "Okushiri julho será sacudida". O terremoto ocorreu em 12 de julho de 1993.

Encontrei-o logo antes de uma viagem programada ao Japão. Eu me sentia compelido a transmitir aos outros aquilo que sabia. Se o terremoto de Okushiri estava codificado tão acuradamente, então os outros abalos sísmicos preditos também poderiam ser reais.

Procurei a Ministra encarregada do estado de alerta em caso de terremotos, Wakako Hironaka. Seu marido é um matemático famoso, e ela ficou interessada, embora perplexa.

— O que posso fazer? — perguntou-me. — Evacuar Tóquio?

Na verdade, as palavras "Tóquio será evacuada" estavam codificadas na Bíblia. Mas não quando, nem por quê.

Um ano mais tarde, a cidade portuária de Kobe foi devastada por um maciço terremoto que matou cinco mil pessoas. Também este tinha sido previsto no Antigo Testamento. A localidade "Kobe, Japão" estava codificada. Com ela, encontravam-se as palavras "fogo, terremoto", "o grande". E o ano em que aconteceu, 1995 ("5755") cruzava "fogo, terremoto".

○ KOBE, JAPÃO   □ FOGO, TERREMOTO   △ O GRANDE   ◇ 5755 (1995 d.C.)

O "Japão" é também o país mais claramente codificado junto com um futuro "grande terremoto". Os anos 2000 e 2006 aparecem no mesmo trecho.

Mais uma vez, não há meios de saber se o perigo é real. Mas parece haver uma urgência apocalíptica no alerta sobre o Japão, tal como ocorre com Israel. Na verdade, parece haver no código da Bíblia um elo quase sobrenatural entre esses dois países.

O código afirma repetidamente que ambos correm um perigo sem precedentes.

"Japão" e "Israel" aparecem junto com as duas afirmações bíblicas do "Fim dos Dias". "Japão" está codificado junto com o "holocausto de Israel". "Israel" e "Japão" surgem juntos mais uma vez no texto oculto da Bíblia, numa só frase, e os nomes dos dois países cruzam a única codificação de "o ano da praga". E "Japão" é o único país, além de Israel, que está codificado junto com a "Batalha Final".

O APOCALIPSE

○ ANO DA PRAGA   ◇ ISRAEL E JAPÃO

Um desastre de proporções bíblicas parece estar profetizado, em todo o código da Bíblia, para esses dois países. Em Israel, o perigo imediato parece ser a guerra nuclear; no Japão, um terremoto catastrófico.

E se o mundo inteiro correria perigo por causa da guerra que o código da Bíblia prediz que começará em Israel, então o mundo todo também poderia ser abalado por um terremoto que atingisse o Japão.

"Colapso econômico" está codificado uma vez na Bíblia. O ano em que começou a última Grande Depressão (1929), está codificado no mesmo trecho. E "colapso econômico" também está codificado junto com as palavras "terremoto atinge Japão".

O Japão está hoje tão no centro da economia global que qualquer grande desastre naquele país causaria impacto sobre o mundo todo. Talvez a verdadeira convulsão global seja um "colapso econômico", em vez de um "grande terremoto".

Mas talvez o perigo último que enfrentamos seja o maior desastre natural que a humanidade já testemunhou.

HÁ 65 milhões de anos, um asteróide maior que o Monte Everest atingiu a Terra, explodindo com a força de 300 milhões de bombas de hidrogênio, e matou todos os dinossauros.

"Asteróide" e "dinossauro" estão codificados juntos na Bíblia. O

○ GRANDE TERREMOTO   □ JAPÃO   ◇ EM 5760-66 (2000-2006 d.C.)

○ COLAPSO ECONÔMICO   □ FOGO E TERREMOTO ATINGEM JAPÃO

nome bíblico das primeiras criaturas que Deus criou na Terra também está codificado no mesmo trecho.

"E Deus criou o grande *tanin*", diz o primeiro capítulo do Gênesis. Essa palavra hebraica significa "dragão" ou "monstro marinho". Descreve algum animal gigantesco que não mais existe.

E "dragão" está codificado cruzando "dinossauro", logo acima de "asteróide". Com essas palavras, está codificado o nome do dragão que, segundo a lenda, Deus aniquilou antes da Criação.

Certamente é intencional que o nome do dragão com quem, diz a Bíblia, Deus lutou — "Rahab" — apareça no código da Bíblia exatamente no trecho em que o "asteróide" atinge o "dinossauro".

Na verdade, o texto oculto completo afirma, "Ele atingirá Rahab".

Isso sugere que a extinção dos dinossauros foi a verdadeira morte do dragão, o acontecimento cósmico relembrado por Isaías: "Não foste tu que esmagaste Rahab e fendeste de alto a baixo o Dragão?"

Nos dias de hoje, os cientistas concordam que a humanidade nunca teria evoluído se os dinossauros não tivessem sido varridos pelo asteróide.

Mas eles também indagam se a humanidade não poderia enfrentar um destino similar, se também nós não seremos varridos pela colisão de uma rocha vinda do espaço exterior.

Um dos principais astrônomos norte-americanos, Brian Marsden, diretor do Observatório Smithsonian, em Cambridge, Massachusetts, foi o primeiro a soar o alarme, em 1992.

Ele calculou que um cometa chamado Swift-Tuttle, que acabara de ser observado, reapareceria 134 anos mais tarde, em 2126. E poderia então colidir com a Terra.

Esse cometa era pelo menos tão grande quanto o asteróide que matou os dinossauros. O discretíssimo alerta de Marsden — "uma mudança de 15 dias a mais poderia fazer o cometa atingir a Terra em 2126" — era um aviso do Juízo Final. Foi manchete nos jornais do mundo todo.

"A União Astronômica Internacional, maior autoridade mundial em astronomia, pela primeira vez emitiu um alerta sobre uma colisão potencial entre a Terra e um objeto veloz vindo das fímbrias do sistema solar", reportou o *New York Times*. "O tamanho do cometa está no âmbito que os cientistas admitem ser suficiente para acabar com a civilização."

"Ele desce zunindo do céu, como um míssil Scud saído do inferno, maior que uma montanha, e carregando mais energia do que todo o arsenal nuclear do mundo", afirmava a lúgubre matéria de capa da *Newsweek*, pintando a terrível cena.

O CÓDIGO DA BÍBLIA

○ DINOSSAURO ◇ ASTERÓIDE □ DRAGÃO ▭ ELE ATINGIRÁ RAHAB

Mais tarde, Marsden suspendeu o alerta. Novos cálculos mostravam que o cometa passaria incólume pela Terra no final de julho de 2126. Mas se chegasse apenas duas semanas depois, em meados de agosto, a descomunal rocha voadora se esmagaria contra o nosso planeta.

Nenhum astrônomo previra, com margem de acerto de duas semanas, a aparição do cometa Swift-Tuttle em 1992. A maioria de suas previsões errara por anos.

Mas o dia exato em que o cometa fora observado, no domingo 27 de setembro de 1992, tinha sido codificado no código da Bíblia três mil anos antes. Essa data coincidia com a véspera do Ano Novo judaico. O código da Bíblia predisse o momento: "Véspera do Ano Novo, Swift".

"5753", o ano judaico correspondente a 1992, estava codificado junto com "cometa" e seu nome completo, "Swift-Tuttle".

○ SWIFT   ◇ 5886 (2126 d.C.)   □ NO SÉTIMO MÊS ELE VEIO

E no código da Bíblia, "Swift" também está codificado junto com "5886", o ano em que o cometa deve retornar: 2126.

O nome do cometa intercepta o ano. E logo acima de 2126 estão as palavras "No sétimo mês ele veio". Isso sugere que, em julho, ele passará incólume pela Terra.

Mas um terrível alerta está codificado na Bíblia junto com a palavra "cometa".

Não foi senão quando outro cometa colidiu com Júpiter, em 1994, que nosso mundo reconheceu o verdadeiro perigo.

Aquele impacto criou bolas de fogo do tamanho da Terra e cortou a face de Júpiter, deixando imensas crateras negras. Foi a maior explosão que o homem já testemunhou em nosso sistema solar e, se tivesse acontecido aqui, teria varrido a raça humana.

O cataclismo de Júpiter também foi predito no código da Bíblia, encontrado meses antes de acontecer. O nome do cometa, "Shoemaker-Levy", estava codificado junto com o nome do planeta, "Júpiter", e a data exata do impacto, 16 de julho de 1994.

Em 1995, o Pentágono e a NASA começaram a sondar os céus em busca de asteróides e cometas que pudessem se chocar com a Terra. "Poderíamos enfrentar um encontro de surpresa", disse a Dra. Eleanor Helin, cientista que trabalha para o governo norte-americano, a cargo do *Near-Earth Asteroid Tracking* (Rastreamento de Asteróides Próximos à Terra).

Ela estimou que há pelo menos 1.700 "cruzadores da Terra", asteróides e cometas cujas órbitas interceptam a nossa e que podem ser grandes o suficiente para destruir toda a vida neste planeta. As probabilidades de uma colisão são remotas. Uma colisão acontece talvez uma vez a cada trezentos mil anos. Mas ninguém sabe quando a última ocorreu, ou quando a próxima ocorrerá.

"É um assunto sério", disse a Dra. Helin, quando o primeiro esforço organizado para localizar os "cruzadores da Terra" se iniciou. "Essas coisas vêm se escondendo lá em cima todos esses anos, mas nós nunca as vimos."

O asteróide que aniquilou os dinossauros caiu na região que é hoje o Golfo do México, espalhando por toda a América do Norte uma tempestade de fogo que parece ter destruído todas as formas de vida do continente. As nuvens de pó, cinzas e fragmentos de rocha se projetaram para a atmosfera, ocultando o Sol em todo o globo e causando extinções em escala mundial.

Estima-se que dois terços de todas as espécies que já andaram, voaram ou nadaram na Terra se extinguiram devido ao impacto de objetos provindos do espaço exterior. Somos a primeira espécie que talvez seja capaz de impedir a própria extinção.

Quando o cometa Swift-Tuttle causou o primeiro alarma e a colisão com Júpiter demonstrou o perigo que corríamos, os cientistas começaram a planejar a defesa da Terra.

O inventor da bomba de hidrogênio, Edward Teller, disse que poderíamos abater um asteróide com um poderoso foguete dotado de ogiva nuclear.

Outros cientistas sugeriram que a simples explosão de um engenho nuclear perto de um cometa derreteria o gás congelado, criaria correntes de ar quente e gases como os propulsores de um foguete e desviaria o cometa de seu curso de colisão.

Houve mesmo um plano de fazer uma nave espacial pousar sobre alguma grande rocha que estivesse se dirigindo para a Terra, anexar nela motores de foguete e então direcionar o cometa ou asteróide para longe deste planeta.

Mas esses projetos todos nunca foram testados na prática; no melhor dos casos, são vagos diagramas com umas poucas equações. Ninguém sabe de quanto tempo dispomos, qual é o prazo do "aviso prévio".

"Podem ser apenas dias ou semanas", diz Gareth Williams, colega de Marsden no Observatório Smithsonian. "Se for um cometa com órbita muito longa, ele pode nos pegar de surpresa, pode ser totalmente desconhecido."

Até o dia em que o Shoemaker-Levy colidiu com Júpiter, não havia nenhum esforço organizado nem mesmo para rastrear as rochas existentes no espaço exterior. E ainda não há nenhum plano concreto para deter uma delas que venha zunindo em nossa direção.

O código da Bíblia avisa que uma colisão com a Terra pode ser um perigo real.

E indica uma série de quase-encontros, até o momento do retorno do cometa Swift em 2126.

Mas o primeiro ano claramente codificado junto com "cometa" está apenas dez anos à nossa frente — "5766", no moderno calendário 2006.

Cruzando 2006 há uma afirmação deprimente: "Sua trajetória atingiu suas moradas". O alerta que se sobrepõe ao ano termina com as palavras "objeto estelar".

○ COMETA   ◇ EM 5766 (2006 d.C.)   □ ANO PREDITO PARA O MUNDO

O APOCALIPSE

Logo acima de 2006 há uma aparente confirmação da época: "Ano predito para o mundo."

Outras probabilidades estão codificadas. Tanto "5770" quanto "5772" — os anos de 2010 e 2012 — também aparecem junto com "cometa".

"Dias de horror" cruza 2010. "Trevas" e "tristeza" cruzam "cometa", logo abaixo.

"Terra aniquilada" é o que afirma o texto oculto logo acima do ano 2012.

○ COMETA   ◇ 5772 (2012 d.C.)   □ TERRA ANIQUILADA

Mas no local em que 2012 está codificado, há também uma afirmação de que o desastre será impedido, de que a passagem do cometa será bloqueada: "Ele será fragmentado, afastado, eu o despedaçarei, 5772".

○ COMETA   □ ELE SERÁ FRAGMENTADO, EU O DESPEDAÇAREI   ◇ 2012

Foi praticamente isso que aconteceu com o cometa que atingiu Júpiter. Antes de colidir com o planeta, o cometa se fragmentou em 20 partes. Mas então cada uma delas atingiu Júpiter dia após dia, durante uma semana.

Há uma antiga lenda, contada no Talmude, de um rei que se enfureceu com o filho e jurou que lhe atiraria uma grande pedra. Mais tarde ele se arrependeu, mas não podia quebrar seu juramento. Ordenou então que a grande pedra fosse quebrada em pedacinhos e que cada um deles fosse atirado, um a um, em seu filho.

A parábola, representada em escala cósmica com Júpiter, poderia talvez predizer o destino do homem na Terra.

EXISTE uma teoria de que, nos tempos pré-históricos, a colisão de um cometa teria inspirado as histórias apocalípticas mais tarde incorporadas à Bíblia.

"Estudos atuais indicam que deve ter havido pelo menos um impacto de dez gigatoneladas nos últimos setenta mil anos", escreveu Timothy Ferris no *New Yorker*. "Uma terrível explosão, que teria ocultado o Sol, inundado grande parte do mundo, coberto a terra firme de fogo e cheiro de enxofre e, quanto ao mais, provocado todo um apocalipse bíblico."

Mas centenas de milhões de anos podem se passar entre um e outro impacto grandes o suficiente para causarem uma extinção global; um milhão de anos, entre uma e outra explosão capazes de destruir um país; e milhares de anos, entre um e outro cometa que poderiam arrasar uma cidade.

E na época em que descobri que esse perigo cósmico encontrava-se codificado na Bíblia, o "holocausto atômico" — o "holocausto de Israel" que poderia detonar uma Guerra Mundial — estava previsto para dentro de poucas semanas.

A contagem regressiva para aquilo que poderia ser o verdadeiro Armagedon estava chegando ao fim.

CAPÍTULO 8

OS DIAS FINAIS

Quando voei de volta a Israel em fins de julho de 1996, o "holocausto atômico" que nos ameaçava poderia ocorrer dentro de apenas seis semanas.

Durante o vôo, li num artigo do *Jerusalem Post* que o primeiro-ministro Netanyahu logo viajaria para um encontro com o rei Hussein em Amã, na Jordânia.

Esse encontro também fora predito no código da Bíblia. Eu o encontrara uma semana antes de Netanyahu ser eleito, no mesmo trecho que profetizava sua vitória, ou seja, mais de dois meses antes da viagem agora anunciada.

"Julho para Amã" aparece quase abertamente no código, à direita de "Primeiro-ministro Netanyahu".

O artigo do jornal agora confirmava sua viagem para a Jordânia, que estava marcada para 25 de julho de 1996.

○ PRIMEIRO-MINISTRO NETANYAHU ☐ JULHO PARA AMÃ

— Ah, meu Deus! — pensei — é real.

Uma vez mais o código da Bíblia provava estar certo. Três mil anos antes, predissera que em julho de 1996 Netanyahu viajaria até Amã. Se o código da Bíblia estava certo sobre aquela viagem, se era acurado até os mínimos detalhes, então era provável que também estivesse certo quanto ao profetizado "holocausto atômico", o "holocausto de Israel" e a "Guerra Mundial". O perigo parecia extremamente real.

E então, no último minuto, a viagem de Netanyahu foi subitamente adiada. O rei Hussein adoeceu na noite precedente à viagem do líder israelense para Amã. O primeiro-ministro só foi à Jordânia em 5 de agosto.

Estaria errado o código da Bíblia? O "primeiro-ministro Netanyahu" foi "a Amã" tal como predito há três mil anos. Mas não foi em "julho", como afirmava o código.

Procurei Eli Rips. Perguntei-lhe se o código da Bíblia poderia funcionar como a física quântica. Se assim fosse, então não poderia dizernos o quê nem quando. O Princípio da Incerteza o afirmava claramente — quanto mais precisamente medimos o quê, tanto menos precisamente podemos medir o quando. É por isso que a mecânica quântica prediz não um, mas vários futuros possíveis.

Rips não invocou o Princípio da Incerteza. Em vez disso, apontou para a palavra que estava no código da Bíblia logo acima de "Julho para Amã". Dizia: "Adiado".

○ PRIMEIRO-MINISTRO NETANYAHU   □ JULHO PARA AMÃ   ◇ ADIADO

Poderia o código da Bíblia estar certo quanto a um acontecimento, mas errado quanto à data? Esta pergunta tinha uma urgência especial nas últimas semanas da contagem regressiva para um possível Armagedon.

ATÉ 13 de setembro de 1996 — o último dia de 5756, o ano do profetizado "holocausto atômico" — fiquei em estreito contato com os líderes israelenses.

Três dias antes da data codificada junto com o "holocausto de Israel", encontrei-me em Nova York com o assessor de segurança nacional do primeiro-ministro, Dore Gold. No dia seguinte, enviei uma mensagem final a Danny Yatom, chefe do Mossad, e ele me respondeu dizendo que os serviços de informações de Israel estavam em estado de alerta.

Mas nada aconteceu em 13 de setembro de 1996. Não houve nenhum ataque atômico. O ano judaico de 5756 chegou e se foi, e Israel e o mundo continuavam em paz.

Eu estava aliviado, mas perplexo. Estaria errado o código da Bíblia? Ou o perigo era real e apenas fora adiado? Pensei no assunto a semana toda e, na segunda-feira, mandei um fax a Yatom:

"Uma última palavra, antes que eu abandone o ramo da adivinhação.

"O ataque atômico predito para os últimos dias de 5756 foi obviamente uma probabilidade que não aconteceu — mas acho que o perigo não acabou.

"Em diversas ocasiões vimos coisas acontecerem tal como predito, mas não quando predito. Peço encarecidamente que você fique alerta quanto a esse perigo, que quase com certeza é real."

Eu não poderia ter certeza de que o perigo era real, mas agora tinha provas de que o futuro não estava gravado na pedra.

Havia, por fim, uma resposta para a pergunta levantada pelo assassinato de Rabin, debatida por Einstein e Hawking, e feita por Peres quando lhe comuniquei a ameaça de um ataque atômico: "Se está predito, o que podemos fazer?"

O futuro estava codificado na Bíblia. O assassinato de Rabin e a Guerra do Golfo o provavam. Mas o futuro não era predeterminado. Era uma série de probabilidades, e poderia ser mudado.

A pergunta soletrada pelas mesmas letras que formavam o ano de 5756 — "Vocês o mudarão?" — tinha sido respondida.

Teriam os israelenses, alertados pelo código da Bíblia sobre um ataque atômico, impedido esse ataque através de um estado de alerta na época do perigo profetizado?

Teria o primeiro-ministro Peres, quando afirmou publicamente o perigo três dias depois de meu encontro com ele, posto um fim ao ataque terrorista planejado?

Ou tudo foi mudado apenas por acaso, quando Netanyahu no último minuto adiou uma viagem diplomática à Jordânia?

Ao adiar a viagem, o primeiro-ministro talvez tenha salvo a própria vida.

"Morte, julho para Amã", afirmava o texto oculto completo que

○ PRIMEIRO-MINISTRO NETANYAHU
□ MORTE, JULHO PARA AMÃ   ◇ ADIADO
△ SUA VIDA SERÁ CEIFADA   ◇ ADIADO
⬠ ASSASSINADO   ◇ ADIADO

cruzava seu nome. A palavra "adiado" aparecia logo acima. "Adiado" surgia mais duas vezes junto com "Primeiro-ministro Netanyahu", cruzando as palavras "sua vida será ceifada" e cruzando "assassinado".

Ao salvar a vida, Netanyahu talvez tenha impedido, ou adiado, uma guerra.

"A próxima guerra" estava codificada junto com uma predição: "será após a morte do primeiro-ministro (outro morrerá)". Na verdade, o texto oculto completo afirmava que "outro morrerá, Av", indicando o mês judaico equivalente a julho.

○ A PRÓXIMA GUERRA   □ OUTRO MORRERÁ, AV, PRIMEIRO-MINISTRO

E, ao prevenir uma guerra no Oriente Médio, talvez a viagem adiada tenha evitado um conflito global.

Tanto as palavras abertas da Bíblia quanto o código predizem que uma "Batalha Final", uma "Guerra Mundial", começará em Israel. Assim, talvez o mundo inteiro tenha sido poupado, por esta vez pelo menos, devido a uma viagem subitamente adiada.

Seria realmente possível que uma pequena mudança, uma viagem que ocorreu dez dias depois do programado, pudesse fazer tamanha diferença? Se impediu um assassinato, sim.

A Primeira Guerra Mundial foi de fato detonada por um assassinato. O arquiduque austríaco Ferdinand foi morto em junho de 1914, o que deu origem a um conflito que em poucas semanas se alastrou por toda a Europa e a Rússia, e finalmente forçou a entrada dos Estados Unidos.

"Quando o cocheiro do arquiduque entrou na rua errada, o herdeiro do trono austríaco viu-se face a face com (seu assassino) Gavrilo Princip", observou um documentário da TV educativa PBS, enunciando a causa imediata da Primeira Guerra Mundial. "Num átimo, todo o continente estava em guerra."

Não é difícil imaginar que no já tenso Oriente Médio, o assassinato de outro primeiro-ministro israelense em menos de um ano, numa capital árabe, poderia deflagrar uma guerra. E uma guerra generalizada no Oriente Médio poderia rapidamente transformar-se em guerra global.

Os físicos dão a isso o nome de "Efeito Borboleta". É um dos fundamentos da Teoria do Caos.

James Gleick, em seu livro *Chaos*, cita o "Efeito Borboleta" — "A noção de que uma borboleta, hoje agitando o ar em Pequim, pode transformar os sistemas de tempestades no mês que vem em Nova York."

Teria Netanyahu, simplesmente por viajar para a Jordânia dez dias depois da data programada, detido a contagem regressiva para o Armagedon?

No código da Bíblia, logo acima de "Guerra Mundial" há uma data: "9 de Av é o dia da Terceira."

Esse era o dia exato da viagem programada de Netanyahu à Jordânia. O dia 25 de julho de 1996 corresponde ao 9 de Av de 5756, no antigo calendário judaico.

Essa é uma data amaldiçoada na história do povo judeu. É o dia em que Jerusalém foi destruída pelos babilônios, em 586 a.C. É o dia em que Jerusalém foi destruída pelos romanos, em 70 d.C.

Ao longo da história, uma série de desastres sempre sucedeu aos judeus naquela data, e ela é tão temida pelos religiosos que eles jejuam no 9º dia de Av e rezam pedindo misericórdia.

Os Dias Finais 159

○ GUERRA MUNDIAL ◇ ARIEL / JERUSALÉM ☐ 9 DE AV É O DIA DA TERCEIRA

E agora o código da Bíblia afirmava que em "9 de Av" poderia começar uma terceira Guerra Mundial, com a terceira destruição da Cidade Sagrada, um ataque nuclear a Jerusalém.

○ 9 DE AV, 5756 (25 DE JULHO DE 1996)
◇ BIBI   △ ADIADO   ☐ CINCO FUTUROS, CINCO ESTRADAS

O antigo nome de Jerusalém, "Ariel", o nome usado na advertência original do apocalipse, estava de fato codificado entre "Guerra Mundial" e "9 de Av é o dia da Terceira".

Mas Netanyahu não foi a Amã conforme programado, no dia 9 de Av. E a palavra "adiado" está novamente codificada junto com a data e com o nome do primeiro-ministro.

Na verdade, tanto "Bibi" como "adiado" estão codificados junto com "9 de Av, 5756". No mesmo versículo, há um texto oculto entrelaçado que afirma, "Cinco futuros, cinco estradas".

Era uma clara afirmação de que o futuro tinha sido mudado. Parecia também uma clara afirmação de que havia muitos futuros possíveis, e que o código da Bíblia revelava cada um deles.

POR QUE o código da Bíblia simplesmente não nos contava o resultado final, o único futuro real?

"Tudo está previsto, mas a liberdade de ação é concedida", afirma o Talmude, o antigo comentário sobre as leis bíblicas.

Durante quase dois mil anos, os sábios debateram o aparente paradoxo — como pode existir o livre-arbítrio humano se Deus tudo conhece de antemão?

O código da Bíblia torna essa questão uma realidade para o mundo moderno. Força-nos a fazer a mesma pergunta que me dirigiu o primeiro-ministro Peres — "Se está predito, o que podemos fazer?"

— É um alerta, não uma predição — foi o que eu disse ao líder israelense. — O que fazemos é que determina o resultado.

Tentei dizer essas palavras com total confiança, porque eu queria acreditar nelas, e queria que ele acreditasse em mim. Mais tarde, porém, discuti esse aparente paradoxo com Eli Rips.

— Eu não sei se o que está previsto pode ser mudado — disse Rips. — Tenho pensado muito a respeito, e certa vez imaginei que tinha a resposta. Mas agora simplesmente não sei.

Eu disse a Rips que talvez fosse possível fazer duas leituras diferentes das famosas linhas do Talmude. Primeiro: temos o livre-arbítrio, mas aquilo que escolhemos fazer é conhecido antes que o façamos. Segundo: embora todo o futuro esteja previsto, nós podemos mudá-lo.

— Não consigo aceitar que possamos mudar o que foi previsto — disse Rips — porque todas as mudanças que fazemos já eram antecipadamente conhecidas por Deus.

— Eu costumava pensar que nosso futuro estava previsto, e ponto final — continuou Rips. — Mas o código da Bíblia me fez perceber que existe uma outra alternativa... todos os nossos futuros possíveis foram previstos, e estamos escolhendo entre eles.

É por isso que tanto "Julho para Amã" quanto "adiado" estavam codificados. É por isso que 1996 estava codificado junto com "holocausto atômico", mas o perigo também estava codificado junto com vários outros anos. É por isso que as letras que soletravam o mesmo ano no calendário judaico (5756) também faziam uma pergunta, "Vocês o mudarão?"

Por que o código da Bíblia simplesmente não nos contava o único futuro real? A resposta parece ser que não há um único futuro real, mas sim que há muitos futuros possíveis.

A palavra "adiamento" está escrita na Bíblia e no código.

Foi acrescentada a "holocausto de Israel", bem como a "primeiro-ministro Netanyahu".

"Holocausto de Israel" está codificado junto com o ano 2000, bem como com 1996, e as palavras "vocês adiaram" estão codificadas no mesmo trecho. "5756" levantava uma questão: "Vocês o mudarão?" O texto oculto iniciado na mesma letra que começa a soletrar "5760" dá a resposta, "Vocês adiaram".

"Adiamento" está unido a "ano da praga". No ponto onde "Israel e Japão" cruzam aquelas palavras, a mesma seqüência do código afirma, "Eles adiaram o ano da praga".

"Adiamento" está unido a "Guerra Mundial". No ponto onde os anos 2000 e 2006 estão codificados, o texto oculto afirma, "Eu adiarei a guerra".

E está até mesmo unida a "Fim dos Dias".

O CÓDIGO DA BÍBLIA

○ HOLOCAUSTO DE ISRAEL
□ 5756 (1996 d.C.) = "VOCÊS O MUDARÃO?"
◇ 5760 (2000 d.C.)   △ VOCÊS ADIARAM

□ ELES ADIARAM   ○ ANO DA PRAGA   ◇ ISRAEL E JAPÃO

Toda vez que "Fim dos Dias" aparece no texto aberto da Bíblia, a palavra "adiado" aparece no texto oculto.

No Gênesis 49:1-2, onde Jacó diz aos seus filhos o que lhes sucederá "no Fim dos Dias", o "adiamento" está inerente no próprio nome do Patriarca. Em hebraico, o nome "Jacob" também significa "ele evitará" e "ele adiará".

O Fim foi "evitado" ou apenas "adiado"?

Quando Moisés diz aos antigos israelitas o que acontecerá no "Fim dos Dias", o texto oculto parece afirmar: "adiado".

No Deuteronômio 31:29, a advertência de Moisés de que "o mal vos acontecerá no Fim dos Dias" é precedida por um texto oculto que afirma, "Vocês sabiam que seria adiado".

E em Números 24:14, onde o profeta Balaam prediz o "Fim dos Dias" — as palavras que estão codificadas junto com "holocausto atômico" e "Guerra Mundial" — o texto oculto afirma: "amigo atrasou-se".

○ GUERRA MUNDIAL ☐ NO FIM DOS DIAS ◇ AMIGO ATRASOU-SE

"Amigo atrasou-se" sobrepõe-se a "fogo sacudiu a nação". E o texto oculto no mesmo versículo também afirma, "Eu lhes avisarei o quê" e "Eu avisarei quando".

O "amigo" não é identificado. Mas parece ser quem codificou a Bíblia.

Não está claro se o Fim chegará nem quando o tempo de adiamento irá se encerrar, mas uma coisa é clara — "adiamento" está unido a todas as profecias originais do "Fim dos Dias".

O Armagedon não foi evitado, segundo o código, apenas adiado.

E havia muitas indicações no código da Bíblia de que o "adiamento" poderia ser bem breve.

"Primeiro-ministro Netanyahu" está codificado junto com o ano em curso, "5757". E o ano judaico que começou em setembro de 1996 e termina em outubro de 1997 é também o ano mais claramente codificado junto com o nome de seu adversário, o líder palestino "Arafat".

O novo ano judaico tinha apenas duas semanas e já as tensões em Israel voltavam a explodir.

Na quarta-feira, 25 de setembro de 1996, o conflito armado irrompeu em Israel. Durante três dias a polícia palestina enfrentou os soldados israelenses, que responderam com ataques de helicópteros e enviaram tanques à Cisjordânia ocupada (a margem oeste do Jordão) pela primeira vez desde a Guerra dos Seis Dias, em 1967.

As baixas totalizaram 73, com centenas de feridos.

O mais impressionante foi a rapidez com que a batalha começou, o modo súbito como a paz aparente em Israel transformou-se em conflito armado.

Liguei para Rips em Jerusalém.

— Na minha opinião, a perspectiva de guerra é agora uma alta probabilidade — disse Rips. — Não estou mais falando como matemático nem com base no código da Bíblia, mas apenas como um israelense observando o súbito irromper de um conflito armado.

A causa imediata da violência foi a abertura de um túnel sob o Monte do Templo, em Jerusalém, local do mais sagrado santuário dos judeus, o Muro das Lamentações, ruínas do antigo Templo, bem como local do terceiro mais sagrado santuário do Islã, o Domo da Rocha.

"Túnel", descobri surpreso, aparecia no código junto com "holocausto de Israel".

E quando verifiquei "holocausto atômico", fiquei chocado ao ver, cruzando "atômico", o nome da cidade da margem oeste onde os tiro-

Os Dias Finais

[Hebrew text grid]

○ HOLOCAUSTO DE ISRAEL   ☐ TÚNEL

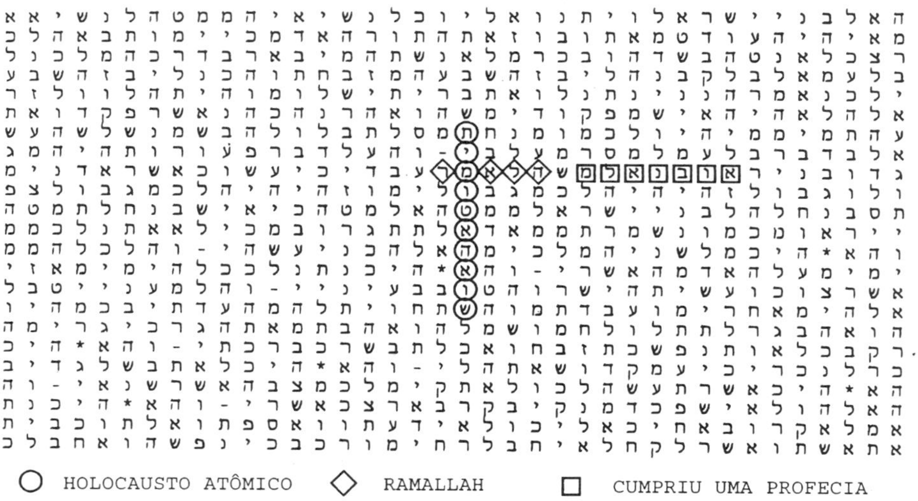

[Hebrew text grid]

○ HOLOCAUSTO ATÔMICO   ◇ RAMALLAH   ☐ CUMPRIU UMA PROFECIA

teios começaram, "Ramallah". O texto oculto completo afirmava, "Ramallah cumpriu uma profecia".

Uma vez mais o código da Bíblia parecia estar se atualizando, quase como se o codificador também estivesse seguindo a constante reviravolta dos acontecimentos no Oriente Médio. Um local aparecia codificado sobre o outro, uma crise sobre a outra, um ano sobre o outro, até que finalmente não havia meios de saber com certeza se o perigo real era em 1996, ou em 1997, ou no ano 2000, ou mais além.

Mas o perigo generalizado estava afirmado com muita clareza, e com muita clareza ligado ao momento presente. Não havia dúvidas de que o código descrevia as pessoas, os locais e os acontecimentos do atual conflito entre árabes e israelenses.

Verifiquei novamente o "holocausto de Israel". A palavra "anexados" aparecia duas vezes no mesmo trecho, contra probabilidades altíssimas. Esta era a palavra que os israelenses usavam para descrever os dois territórios que capturaram dos árabes na guerra de 1967, as Colinas de Golan, nas montanhas voltadas para a Síria, e a parte leste de Jerusalém.

○ HOLOCAUSTO DE ISRAEL   □ ANEXADOS (TERRITÓRIOS)

Aqueles dois locais eram os grandes pontos de tensão do moderno Oriente Médio.

"Arafat" também aparecia no texto oculto da Bíblia, codificado no único trecho em que as duas afirmações bíblicas do "Fim dos Dias" se uniam. Não poderia ser por acaso, e era a mais clara possível afir-

○ FIM DOS DIAS   □ NO FIM DOS DIAS   ◇ ARAFAT

mação de que o atual conflito no Oriente Médio seria capaz de extravasar no verdadeiro Armagedon.

— É o que está dito no Midrash — comentou Rips, referindo-se ao antigo comentário da Bíblia. — Talvez seja o "exílio de Ismael", logo antes do "Fim dos Dias". Alguns dos textos do Midrash dizem que numa época de dominação árabe, 80% da população de Israel será morta.

Ficamos os dois em silêncio por um momento.

— Talvez seja isso o que você está encontrando no código — disse Rips.

Eu não conhecia aquela antiga profecia. Ismael foi o primeiro filho do patriarca Abraão, o filho que ele expulsou. Segundo a Bíblia, Ismael é o pai de todos os árabes. O segundo filho de Abraão, Isaac, foi o herdeiro escolhido. É o pai de todos os judeus. Essa guerra familiar já se estendia há quatro mil anos, e a profecia afirmava que chegaria a um fim terrível.

Em janeiro de 1997, Netanyahu e Arafat apertaram-se as mãos e selaram o acordo de controle conjunto de Hebron, cidade onde se diz que Abraão foi enterrado, e estabeleceram um cronograma para um entendimento mais amplo. Mas permanecia sem solução a questão mais difícil, o *status* final de Jerusalém, cidade que tanto israelenses quanto palestinos reivindicam como sua capital. E não havia meios de saber se o tenso aperto de mãos às 3 da madrugada de 15 de janeiro levaria a uma paz real ou a uma nova explosão de violência.

Em março de 1997, a paz começou a se desfazer. Arafat rejeitou o primeiro passo da retirada planejada de Israel dos territórios ocupados. Netanyahu anunciou que construiria um bairro judeu no coração de Jerusalém Leste, vista pelos palestinos como a capital de sua futura pátria.

"A triste realidade de que estou me dando conta", escreveu o rei Hussein da Jordânia a Netanyahu quando a tensão começou a aumentar, "é que não encontro você ao meu lado no trabalho de cumprir a vontade de Deus para a reconciliação final de todos os descendentes dos filhos de Abraão."

E, em 21 de março, a violência irrompeu em Tel-Aviv, Jerusalém e

Hebron. Um palestino com uma bomba presa ao corpo matou 3 pessoas e feriu 40 num café de Tel-Aviv, o primeiro ataque terrorista desde a eleição de Netanyahu. No mesmo dia, distúrbios brotaram em Hebron e na parte árabe de Jerusalém Leste, no local do projeto habitacional judeu, Har Homa.

"Har Homa" está codificado no texto mais sagrado da Bíblia. Aparece, sem nenhum salto de letras, no Mezuzah, os quinze versículos que foram preservados num pergaminho em separado e que são colocados à porta de todos os lares de Israel.

E, codificadas junto com "Har Homa", estão as sinistras palavras, "Todo o seu povo para a guerra".

"Todo o seu povo para a guerra" — as palavras do código da Bíblia primeiro encontradas junto com o assassinato de Rabin e depois junto com a onda de bombas em Jerusalém e Tel-Aviv que fragmentou a paz que Rabin construíra com Arafat — tinha mais uma vez se tornado realidade em setembro de 1996 e em março de 1997. E essas mesmas palavras também apareciam junto com o perigo último, "holocausto atômico".

Cada faísca que pudesse deflagrar o holocausto estava prevista, mas até que cada crise chegasse ao fim não havia meios de saber se era apenas uma outra escaramuça num conflito que já tinha quatro mil anos, ou se era o início do Armagedon.

TALVEZ seja impossível saber o quê e quando.

"A física desistiu", disse Richard P. Feynman, o ganhador do Prêmio Nobel que muitos consideram o maior cientista desde Einstein. "Não sabemos como predizer o que irá acontecer numa dada circunstância. A única coisa que podemos predizer é a probabilidade de diferentes acontecimentos. Só podemos predizer as probabilidades."

E, no entanto, a física quântica é um ramo extremamente bem-sucedido da ciência. Ela funciona. Talvez porque reconheça a incerteza como parte da realidade.

Do mesmo modo, o código da Bíblia funciona. Também porque reconhece a incerteza como parte da realidade.

— Nosso mundo está claramente refletido nela — disse Rips. — É como se estivéssemos olhando num espelho. Nossos esforços para ver o futuro e fazer alguma coisa a respeito talvez desempenhem algum papel. Acho que é um acontecimento muito complicado, interativo.

Rips disse que quando estava trabalhando no computador, buscando informações no código, às vezes se sentia *on-line* com outra inteligência.

— O código da Bíblia não está realmente respondendo agora — explicou ele. — Apenas previu tudo de uma única vez, antes de ocorrer.

Segundo Rips, todo o código da Bíblia foi escrito de uma única vez, num só momento.

— Nós o experimentamos tal como experimentamos um holograma... ele parece diferente quando o olhamos a partir de um novo ângulo... mas a imagem, é claro, está pré-registrada.

É a história da raça humana, registrada há mais de três mil anos antes do nosso tempo. O código não conta a história na ordem seqüencial, mas de uma única vez. Acontecimentos modernos se sobrepõem a acontecimentos antigos, o futuro está codificado em versículos que falam do passado bíblico. Um versículo pode conter dentro de si a história daquela época, a história de agora e a história de daqui a cem anos.

— O problema é decifrar isso tudo — disse Rips. — Está muito claro que não é algo randômico, algo aleatório, e sim como se tivéssemos um relatório de informações do qual só pudéssemos ler uma dentre cada 20 palavras.

Rips, como sempre, mostrava-se cauteloso:

— Este é o produto de uma inteligência mais elevada. Talvez ela queira que nós entendamos, mas talvez não o deseje. O código talvez não nos revele o futuro, a menos que sejamos dignos de conhecê-lo.

Não concordei com ele. Se o mundo estava realmente em perigo, dificilmente importava se éramos ou não dignos de conhecer o futuro. O codificador, se era alguém bom, certamente nos alertaria.

No fim, havia uma brecha intransponível. Rips era religioso. Eu não. Para mim havia sempre uma pergunta — quem codificou a Bíblia, qual foi seu motivo, onde ele estava agora?

Para Rips, havia sempre uma resposta — Deus.

Ao final de cinco anos de investigação, encontrei a prova final de que o código da Bíblia era uma realidade. E encontrei assustadoras evidências de que em 1996 o mundo esteve mais perto do desastre do que jamais chegaremos a saber.

Nossa salvação "por um triz" em 1996 estava claramente afirmada no texto aberto de Isaías, o primeiro apocalipse, o único livro da Bíblia encontrado intacto entre os Pergaminhos do Mar Morto, aquele que parecia predizer um ataque atômico a Jerusalém.

Não estava oculto num código. Era claramente afirmado nas palavras abertas do pergaminho de 2.500 anos de idade.

O ano foi revelado num único versículo, um que contava o futuro às avessas, da frente para trás.

Quem o indicou para mim foi o preeminente tradutor de antigos textos hebraicos, Rabino Adin Steinsaltz — o homem a quem a revista *Time* descreveu como "erudito como ele, surge um em cada milênio".

Procurei Steinsaltz logo na primeira vez que ouvi falar do código da Bíblia. Aquele rabino é também um cientista, e eu queria saber o que ele pensava a respeito da existência de um código na Bíblia que predizia o futuro, profetizava acontecimentos que ocorreram milhares de anos após a Bíblia ter sido escrita, relatava em detalhes um futuro que ainda não existia.

— Na Bíblia, o tempo está às avessas — disse Steinsaltz, observando uma estranha singularidade no texto hebraico original do Antigo Testamento. — O futuro é sempre escrito no pretérito perfeito, e o passado é sempre escrito no futuro do presente.

— Por quê? — perguntei.

— Ninguém sabe — disse ele.

— Talvez estejamos nos movendo contra a corrente do tempo — continuou Steinsaltz, observando que as leis da física são "simétricas no tempo", ou seja, na linha temporal elas correm tanto para trás quanto para a frente.

Ele abriu a Bíblia, buscando uma passagem do primeiro dos profetas, Isaías:

— Aqui, em Isaías, diz que precisamos olhar para trás a fim de vermos o futuro — disse ele. — Onde Isaías diz "Revelai as coisas que acontecerão mais tarde", podemos traduzir essas mesmas palavras como "Eles revelaram o futuro de trás para a frente". Na verdade, podemos traduzi-las como "Revele as letras às avessas". É como escrita de espelho.

Olhei as letras da frente para trás, mas não encontrei nenhuma revelação surpreendente. Somente anos mais tarde, depois que descobri que Isaías parecia predizer um ataque atômico, olhei novamente para aquele mesmo versículo.

Isaías 41:23 afirma: "Revelai aquilo que acontecerá mais tarde, e ficaremos atônitos e o contemplaremos."

E agora, olhando as letras ao contrário, o futuro contado às avessas, eu via que a escrita de espelho soletrava um ano: "5756".

Não estava em um código. Simplesmente estava ali.

☐ ELES CONTARAM O FUTURO ÀS AVESSAS   ◯ 5756 (1996 d.C.) [ÀS AVESSAS]

No versículo de 2.500 anos que "contava o futuro às avessas", o ano de 1996 — o ano da ameaça do "holocausto atômico" — aparecia abertamente.

E o mesmo ocorria com o adiamento.

Sobrepondo-se a "5756", o texto às avessas afirmava abertamente: "Eles mudaram o tempo."

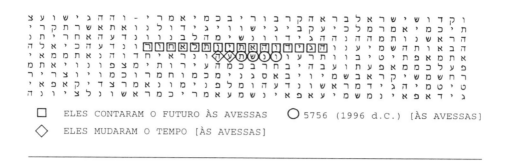

□ ELES CONTARAM O FUTURO ÀS AVESSAS   ○ 5756 (1996 d.C.) [ÀS AVESSAS]
◇ ELES MUDARAM O TEMPO [ÀS AVESSAS]

A pergunta formulada pelas mesmas letras hebraicas que formavam o ano de 5756 — "Vocês o mudarão?" — tinha sido respondida decisivamente na mais antiga visão do apocalipse.

A resposta era abertamente afirmada no versículo que nos mandavam ler de trás para a frente — "Vocês o mudarão."

Há mais de dois mil anos, no primeiro apocalipse, o primeiro profeta, Isaías, predisse o ano do Armagedon real, 1996, e também seu adiamento.

Uma pergunta permanecia sem resposta: até quando?

VI Eli Rips uma última vez na véspera do Ano Novo de 1996. Novamente verificamos as estatísticas relativas aos dois anos mais fortemente ligados a todos os acontecimentos do apocalipse.

Os anos de 2000 e 2006 — 5760 e 5766 no calendário judaico — eram os únicos, dentre os próximos cem anos, que combinavam com "holocausto atômico" e "Guerra Mundial". Todos os perigos afirmados no código ("o Fim dos Dias", o "holocausto de Israel" e mesmo o "grande terremoto") também combinavam com "em 5766". Rips calculou as probabilidades. Eram de pelo menos 1.000 para 1.

— É algo excepcional, realmente admirável — disse Rips. — Alguém intencionalmente colocou esta informação na Torah.

Até aí estava claro. Mas nenhum de nós sabia se o perigo era real. Disse a Rips que eu era incapaz de acreditar plenamente porque ainda não conseguia aceitar a profecia aberta da Bíblia, ainda não conseguia aceitar que haveria realmente um Fim dos Dias.

— Se você aceita a afirmação oculta na Torah — disse Rips — então deveria aceitar também a afirmação aberta.

Havia uma certa lógica em suas palavras. Sem dúvida, o código computadorizado parecia apoiar a conhecidíssima profecia da Bíblia e, no entanto, para mim havia uma diferença. Uma delas eu vira tornar-se realidade; a outra, não.

— Eu acreditei que o código da Bíblia era real no dia em que Rabin foi morto — expliquei, relembrando aquele momento:

"Eu estava numa estação ferroviária, encostado numa parede, conversando com um amigo pelo telefone público. De repente ele me interrompeu e disse: 'Espere um pouco, quero ouvir a notícia sobre Rabin.' Eu estivera fora o dia todo e não tinha ouvido nada, mas soube de imediato que a predição se realizara, que Rabin morrera.

"Escorreguei pela parede, até ficar sentado no chão. E disse para mim mesmo, mas em voz alta: 'Ah, meu Deus, é real.'"

Rips disse que me entendia e contou:

— Foi exatamente o que eu senti quando os mísseis Scud foram lançados sobre Israel no segundo dia da Guerra do Golfo, na data que nós tínhamos encontrado três semanas antes no código da Bíblia.

"Eu estava numa sala vedada com toda a minha família. Minha mulher, meus cinco filhos, todos nós usando máscaras contra gás. Podíamos ouvir as sirenes de ataque aéreo lá fora. Eram duas da madrugada de 3 de Shevat, 18 de janeiro de 1991. Aquele era o dia que tinha sido codificado.

"Eu sabia que os mísseis voavam para cima de nós, tínhamos ouvido que Tel-Aviv já fora atingida, e tudo o que eu conseguia pensar era: 'Funciona! O código funciona!'"

Rips já investigava o código da Bíblia havia seis anos na época em que a Guerra do Golfo começou, conforme predito, quando predito. Mas somente na noite em que os Scud atingiram Israel foi que ele acreditou plenamente em sua realidade, assim como eu só tinha acreditado quando Rabin fora assassinado conforme predito e quando predito.

— Antes eu acreditava como matemático — disse Rips. — Mas

agora eu tinha uma outra perspectiva. Foi um estranho momento de alegria, naquela sala vedada, esperando que os mísseis caíssem.

Outro cientista certa vez falou-me sobre sentimentos mistos similares: como ele se sentira ao descobrir que toda a vida na Terra poderia estar condenada. Eu escrevi a matéria de capa sobre aquele alerta apocalíptico, a descoberta de Sherry Rowland de que a camada de ozônio estava sendo destruída por produtos químicos fabricados pelo homem, quando todos o chamavam de "O Poltrão". E agora lembrava o que ele me disse quando provou estar certo e ganhou o Prêmio Nobel.

— Não houve um verdadeiro momento de "Heureca!" — disse-me Rowland. — Eu simplesmente cheguei em casa uma noite e disse para a minha mulher: "O trabalho está indo muito bem, mas parece que o mundo vai acabar."

E agora, na véspera do Ano Novo em Jerusalém, na cidade que o código da Bíblia apontava como o alvo de um ataque atômico que poderia deflagrar o verdadeiro Armagedon, contei aquela história a Eli Rips e nós dois caímos na risada.

Mas eu não conseguia esquecer que, segundo o código da Bíblia, dentro de dez anos um "holocausto atômico" em Israel poderia deflagrar uma terceira "Guerra Mundial". Eu não conseguia esquecer que já poderíamos estar vivendo o verdadeiro "Fim dos Dias".

NÃO há como ignorar o fato claro de que um código computadorizado na Bíblia, confirmado por alguns dos mais famosos matemáticos do mundo, um código que predisse acuradamente a Guerra do Golfo, a colisão de um cometa com Júpiter e o assassinato de Rabin, também parece afirmar que o apocalipse começa agora, que dentro de uma década talvez enfrentemos o verdadeiro Armagedon, uma Guerra Mundial nuclear.

Mas o código da Bíblia é mais do que um alerta. Pode ser a informação de que precisamos para evitar o desastre profetizado.

"O código salvará" aparece logo acima de "holocausto atômico" e logo abaixo de "o Fim dos Dias".

Não é uma promessa de salvação divina. Não é uma ameaça de destruição inevitável. É apenas uma informação. A mensagem do código da Bíblia é que podemos nos salvar.

No fim, aquilo que fazemos determina o resultado. Assim, continuamos onde sempre estivemos, mas com uma grande diferença — sabemos que não estamos sozinhos.

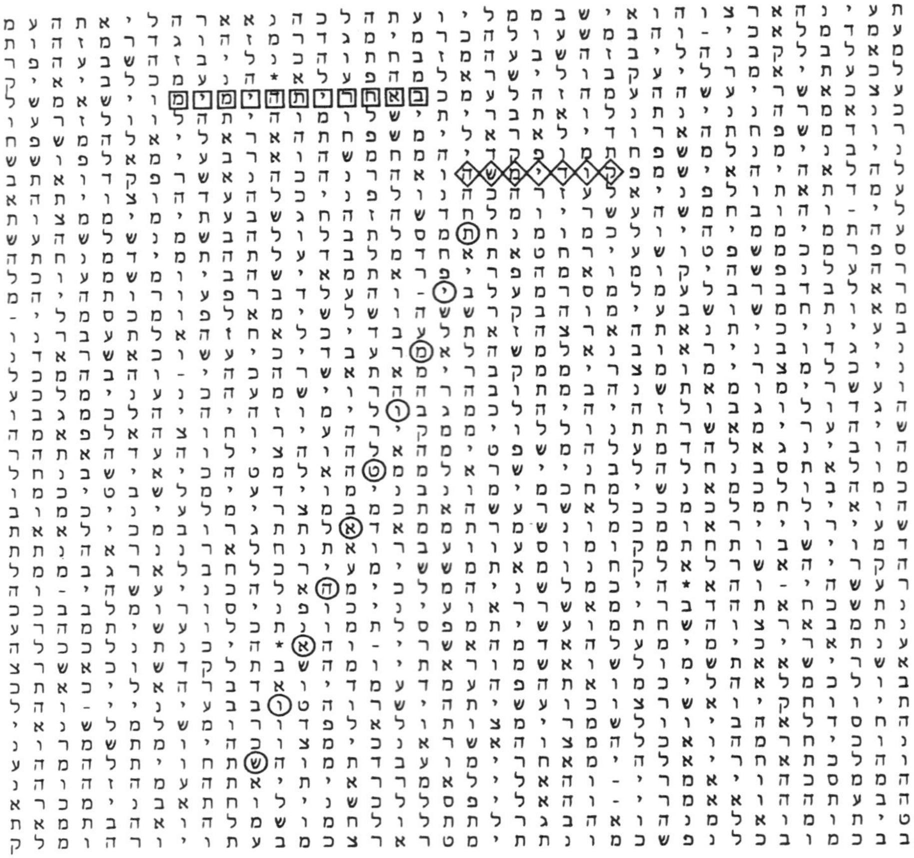

○ HOLOCAUSTO ATÔMICO □ NO FIM DOS DIAS ◇ O CÓDIGO SALVARÁ

EPÍLOGO

Os repórteres geralmente contam o que aconteceu, não o que acontecerá.

"Em geral as pessoas esperam que as coisas aconteçam, antes de tentar descrevê-las", escreveu Jonathan Schell em seu livro concludente sobre a ameaça nuclear, *The Fate of the Earth*. "Mas, já que sob circunstância alguma podemos permitir a ocorrência de um holocausto, somos forçados, neste caso, a nos transformar em historiadores do futuro."

Nos dias seguintes ao assassinato de Rabin, cheguei relutantemente à mesma conclusão.

— Eu sei por que você está envolvido nisso — comentei com Rips certa noite, poucos dias após a morte de Rabin, quando já não havia qualquer dúvida de que o código da Bíblia era real. — Você é um matemático, você é religioso e lê a Bíblia todo dia. Mas não sei por que eu estou envolvido. Não sou religioso. Nem mesmo acredito em Deus. Sou um cético total. Não existe ninguém que seria mais difícil de convencer de que o código é real do que eu.

— É por isso que você está envolvido — disse Rips. — Você pode contar ao mundo moderno sobre o código da Bíblia.

— Sou apenas o repórter que casualmente se deparou com o tema — respondi.

Mas no exato momento em que o código da Bíblia tornava-se uma realidade de vida ou morte, descobrimos que ele também predizia um "holocausto atômico" em Israel, um ataque que poderia deflagrar a primeira "Guerra Mundial" nuclear.

Senti-me na obrigação de alertar Peres e Netanyahu sobre o fato de que o código parecia predizer um ataque atômico, tal como alertara Rabin sobre o fato de que o código predizia seu assassinato.

Nunca imaginei que eu próprio acabaria pesquisando os detalhes do verdadeiro apocalipse. Nunca imaginei que o "Fim dos Dias" estaria codificado na Bíblia junto com o ano em curso. Nunca imaginei que as antigas e conhecidas profecias bíblicas do Armagedon poderiam, em algum nível, ser reais.

Fui um repórter toda a minha vida. Comecei nos plantões noturnos dos distritos policiais. Sempre tive uma visão da realidade muito pé no chão, muito prática. E estava determinado a tratar esta história da mesma maneira como tratei todas as outras.

Havia dois problemas. Eu não poderia entrevistar ao vivo o codificador. E não poderia verificar os fatos no futuro.

Será que o código da Bíblia está apenas dando um verniz científico à febre milenarista? Ou estará nos alertando, talvez quase em cima da hora, sobre um perigo muito real? Não há meios de saber.

Pode ser que o código não esteja nem "certo" nem "errado". Ele provavelmente nos conta aquilo que poderia acontecer, não aquilo que acontecerá.

Mas, já que não podemos deixar nosso mundo ser destruído, não podemos simplesmente esperar — precisamos assumir que o alerta do código da Bíblia é real.

NOTAS

NOTAS DOS CAPÍTULOS

Embora o Dr. Rips só tenha feito experiências com controle formal no Livro do Gênesis, constantemente encontrávamos detalhes exatos de acontecimentos modernos também codificados no restante da Torah, os primeiros cinco livros da Bíblia. O assassinato de Rabin, por exemplo, está codificado em Números e no Deuteronômio.

— Eu ficaria surpreso se o mesmo código que provamos existir no Gênesis não existisse no resto da Torah — afirma Rips.

E ele concorda que outras partes do Antigo Testamento, como os Livros de Daniel e Isaías, também podem estar codificadas. A colisão do cometa com Júpiter estava codificada em Isaías, onde a data do impacto também foi encontrada com antecipação.

O código da Bíblia, em si, parece confirmar que todo o Antigo Testamento está codificado. "Ele codificou a Torah, e mais", afirma o código, prova de que não só os cinco primeiros livros como também alguns, pelo menos, dos escritos posteriores contêm informações ocultas.

Na verdade, a mais clara codificação de "Código da Bíblia" utiliza a palavra hebraica "Tanakh", o nome de todo o Antigo Testamento. "Tanakh"

○ CÓDIGO DA BÍBLIA (TORAH) □ ELE CODIFICOU A TORAH, E MAIS

é um acróstico formado pelas primeiras letras hebraicas dos nomes das três partes do Antigo Testamento: a Lei, os Profetas e as Escrituras.

```
ה * ה י כ ל א ת ע א ה ת ש ו י נ כ ל ב ש ר א נ ה ו נ ע ש י מ פ ה ה מ א י ש ב
ו י א ל נ ח ל ה א ר ש י - י ו ה א * י כ י נ ת י ה ה ח ל כ ו ב ע ר ת ה א מ ר י ד ר
ו י ה נ י ח ל מ כ ל א י ב י ס מ ב י ב ו י ש ב ת מ ב ט ח י ה י ה מ ה ק
ש ר ד ת ר ה ה י ו ה ש מ ר כ ל מ צ ו ת י ו ל כ ת ב ד ר כ י ו ו א ה ב ה י
ש ע מ ב מ כ א ר ל ב כ מ י נ ל ו ח ל ק ח ר כ ה ה ת א מ ש מ ר ל כ פ נ ת ל ה
ו - י א ה ש ר י י ו כ ס ה ר ש י א ד י ה ה ל ה י כ ו ש מ ר ע ת כ ה ש י ר א ת כ ל ש
ר א כ ת ש פ ה ת ב ר ז ב כ מ ל ע י מ נ י ה ר ל ל א ב ב ב ר ע י ר ו ט ה ה ו כ ו
י כ ש ר ח א ת ה פ ר ב נ ו ב ת ב נ ו ת ב ד י ע י ב כ ל י ה נ י ת מ ך ד ר ר י י ו ה א *
א ה ת נ י ה כ ו ב נ ב ת ו כ ב נ ת ד ב ת י ה * י כ מ ב י כ ח מ ת ה ל ו י ר ש ב ר ע י כ ו ש מ
```

○ CÓDIGO DA BÍBLIA (TANAKH)   □ SELADO ANTE DEUS

Cruzando as palavras "Código da Bíblia", há um texto oculto que afirma que o mesmo foi "Selado ante Deus" — parecendo afirmar que o código da Bíblia é o "livro selado", a revelação secreta profetizada no texto aberto da Bíblia.

Em sua experiência, Rips utilizou o texto padrão do Gênesis no idioma hebraico, conhecido como *Textus Receptus*. O mesmo texto completo da Bíblia é usado no programa de computador criado para o código da Bíblia.

A edição mais conhecida desse texto, *Jerusalem Bible* (Koren Publishing Co., 1992), também contém a tradução inglesa mais amplamente aceita do Antigo Testamento, e é, aqui neste livro, a fonte primária de citações do texto aberto. Também consultei e às vezes utilizei a tradução preferida por alguns estudiosos, a do Rabino Aryeh Kaplan, *The Living Torah* (Maznaim, 1981).

As citações do Novo Testamento provêm basicamente da Versão do Rei James, embora eu tenha também consultado uma tradução moderna conhecida como Nova Versão Internacional.

As frases de Rips citadas ao longo deste livro provêm de uma série de conversas ocorridas ao longo de cinco anos, tanto em sua casa em Jerusalém como em seu gabinete na Universidade Hebraica, em seu gabinete na Universidade de Colúmbia e em centenas de entrevistas telefônicas.

CAPÍTULO 1: O CÓDIGO DA BÍBLIA

Chaim Guri ligou para o gabinete de Rabin na mesma noite em que o encontrei, 1º de setembro de 1994, e na manhã seguinte o motorista do primeiro-ministro foi buscar minha carta alertando sobre o assassinato e entregou-a a Rabin. Guri, vencedor dos dois maiores prêmios literários de Israel (Prêmio Bialik e Prêmio Israel de Literatura), conhecia Rabin desde a infância e continuava a ser um de seus mais íntimos amigos.

Yigal Amir, um judeu ortodoxo de 26 anos de idade, disparou três tiros, dois dos quais atingiram Rabin, após uma demonstração política em Tel-Aviv na noite de 4 de novembro de 1995. Disse mais tarde que Deus lhe ordenara atirar, e alegou que o assassinato era justificado pela lei religiosa, pois Rabin planejava entregar a terra que Deus dera a Israel.

"5756", o ano judaico codificado junto com "Assassinato de Rabin" e "Tel-Aviv", começou em setembro de 1995 e terminou em setembro de 1996. Os anos codificados na Bíblia são os do antigo calendário judaico, que começa nos tempos bíblicos, 3.760 anos antes do nosso moderno calendário gregoriano.

Além de Guri, duas outras pessoas sabiam que eu encontrara, um ano antes que acontecesse, o assassinato de Rabin predito no código da Bíblia, e que eu alertara o primeiro-ministro. Quando encontrei a predição codificada, em 1994, mostrei-a a Eli Rips, que então estava em Nova York como professor visitante da Universidade de Colúmbia. E na mesma viagem em que conheci Guri, encontrei-me com o cientista-chefe do Ministério da Defesa de Israel, General Isaac Ben-Israel. O memorando que lhe entreguei, datado de 31 de agosto de 1994, afirmava: "Na única vez em que o nome completo de Yitzhak Rabin está codificado na Bíblia, as palavras 'assassino que assassinará' o cruzam... Penso que Rabin corre perigo real, mas que esse perigo pode ser evitado." Mais tarde, encontrei-me novamente com o General Ben-Israel, em companhia de Rips, e este lhe explicou os detalhes técnicos do código da Bíblia.

Um mês antes do assassinato, tentei novamente fazer contato direto com Rabin. Ele tinha ido aos Estados Unidos para assinar um acordo de paz temporário com Arafat na Casa Branca. Enviei uma mensagem ao seu assistente em 30 de setembro de 1995, dizendo: "No ano passado eu estive em contato com o primeiro-ministro através de um seu amigo íntimo, Chaim Guri. Ele falou com o primeiro-ministro após encontrar-se comigo, e enviou-lhe uma carta sobre uma possível ameaça à vida do Sr. Rabin. Descobri novas informações que sugerem que o primeiro-ministro Rabin esteja correndo sério perigo." O assistente nunca me procurou e fui incapaz de chegar ao primeiro-ministro, que seria morto cinco semanas mais tarde.

Telefonei para Guri no dia seguinte à morte de Rabin e então voei até Israel e encontrei-me com ele em Jerusalém. No telefonema, e no nosso encontro, ele me contou sua reação ao ver que a predição se tornara realidade e disse-me que telefonara imediatamente ao General Barak. Ehud Barak, o mais condecorado herói militar de Israel, fora por muitos anos o chefe do Estado-Maior do Exército e Guri assim se referia a ele, embora, na época da morte de Rabin, Barak fosse um ministro do Gabinete.

A primeira vez que ouvi falar do código da Bíblia foi por acaso, em junho de 1992, após um encontro para tratar de assunto totalmente diverso com o General Uri Saguy, que era então chefe do Serviço de Informações Militares de Israel. A primeira informação proveio de um jovem oficial, mas ninguém nos altos escalões dos serviços de informações de Israel estava ciente do código da Bíblia até que convidei Rips para explicá-lo a alguns oficiais técnicos, mais tarde.

Rips é professor associado do Departamento de Matemática da Universidade Hebraica de Jerusalém. O trecho de Genius de Vilna que ele leu para mim provém de uma tradução inglesa de *The Jewish Mind*, de Abraham Rabinowitz (Hillel Press, 1978, pp. 33/34).

Witztum, colega de Rips, descobrira com antecipação a data exata do primeiro ataque com mísseis Scud a Israel, ocorrido em 3 de Shevat de 5751 (18 de janeiro de 1991). Rips confirmou que Witztum lhe dissera a data em que começaria a Guerra do Golfo, e que ele próprio a vira codificada na Bíblia, três semanas antes de seu início. Mais tarde, Rips e sua mulher contaram-me como se sentiram na noite em que o ataque dos mísseis começara, na data exata descoberta com antecedência.

H. M. D. Weissmandel, o rabino tcheco que descobriu a primeira evidência do código, nunca publicou sua descoberta. Mas seus discípulos posteriormente publicaram um livro em edição limitada, que incluía uma breve referência ao seu trabalho com o código antes da Segunda Guerra Mundial, *Torat Hemed* (Yeshiva Mt. Kisko, 1958). Um desses discípulos, o rabino Azriel Tauber, disse que Weissmandel, na era pré-computador, escrevera toda a Torah em cartões indexados, com 100 letras em cada cartão (dez fileiras com dez letras cada), e então procurara palavras soletradas com saltos eqüidistantes.

A busca de Isaac Newton pelo código da Bíblia foi revelada pelo grande economista John Maynard Keynes em *Essays and Sketches in Biography* (Meridian Books, 1956, pp. 280-290), no capítulo "Newton, the Man". Richard S. Westfall, em *The Life of Isaac Newton* (Cambridge University Press, 1993, p. 125), também cita as anotações teológicas de Newton e afirma que o físico "acreditava que a essência da Bíblia era a profecia da história humana". De Westfall, pode-se também consultar *Never at Rest: A Biography of Isaac Newton* (Cambridge University Press, 1980, p. 346 e seguintes).

A primeira vez que vi o relatório sobre a experiência de Rips e Witztum foi na forma do esboço original que eles submeteram à avaliação estatística, e o resumo citado provém daquele esboço. O ensaio acabaria sendo publicado no boletim norte-americano de matemática, *Statistical Science*, em agosto de 1994 (vol. 9, nº 3, pp. 429-438), "Seqüências Alfabéticas Eqüidistantes no Livro do Gênesis", assinado em conjunto por Doron Witztum, Eliyahu Rips e Yoav Rosenberg. Conversei com o editor do boletim, Robert Kass, antes que o artigo fosse publicado. Sua nota editorial é citada a partir das provas que ele leu para mim. Foi publicado mais tarde em *Statistical Science*, p. 306. O ensaio completo de Rips e Witztum está reproduzido no Apêndice deste livro.

Os resultados reportados por Rips e Witztum em *Statistical Science* eram de que os nomes tinham combinado com as datas, contra probabilidades de 4 em 1 milhão, embora uma série de experiências posteriores tenha revelado que as probabilidades reais eram de 1 em 10 milhões.

Os resultados originais foram derivados tomando-se o conjunto de 32 nomes e 64 datas e misturando-os em 1 milhão de combinações diferentes, de modo que um, e apenas um, seria o emparelhamento absolutamente correto. Rips e Witztum rodaram o programa no computador para verificar qual dos milhões de exemplos obteria o melhor resultado — ou seja, onde a informação vinha acoplada com mais clareza na Bíblia. "Em quatro casos o emparelhamento randômico venceu", explicou Rips. "O emparelhamento correto venceu 999.995 vezes."

Mas, numa segunda experiência em que todas as combinações corretas de nomes e datas foram eliminadas dos emparelhamentos misturados e a única informação correta aparecia na lista perfeitamente acurada, após a verificação de 10 milhões de permutações os resultados foram 1 em 10 milhões.

"Nenhum dos emparelhamentos randômicos funcionou", disse Rips. "Os resultados foram 0 *versus* 9.999.999, ou 1 em 10 milhões."

Numa entrevista por telefone em 25 de janeiro de 1993, Harold Gans contou-me os resultados de sua experiência independente e mais tarde, num telefonema em dezembro de 1996, deu-me maiores detalhes. No ensaio que submeteu a *Statistical Science*, Gans afirmava: "Concluímos que estes resultados oferecem corroboração aos resultados reportados por Witztum, Rips e Rosenberg."

Gans afirmava que as probabilidades de encontrar as cidades codificadas, junto com os nomes dos sábios, eram de 1 em 200 mil.

Nos anos que se seguiram à publicação do ensaio Rips-Witztum (agosto de 1994), ninguém apresentou qualquer refutação ao boletim matemático, afirmou-me Kass numa entrevista telefônica em janeiro de 1997.

Avraham Hasofer, cientista australiano, publicou uma breve crítica ao código da Bíblia num pequeno boletim religioso, *B'Or Ha'Torah* (nº 8, 1993, pp. 121-131). Mas isso foi antes de Rips e Witztum publicarem sua experiência. Hasofer não discutiu a evidência matemática de que existia um código no Gênesis, nem realizou ele próprio qualquer experiência ou chegou a investigar de fato o código da Bíblia.

Outro matemático australiano, Brendan McKay, levantou questões sobre a experiência Rips-Witztum através da Internet, depois que este presente livro foi escrito. McKay sugeriu que o código encontrado no Gênesis poderia não existir no restante da Bíblia. Mas ele não estava ciente de que o assassinato de Rabin tinha sido encontrado com antecipação, codificado em Números e no Deuteronômio, e que outros grandes acontecimentos foram encontrados em cada um dos cinco livros da Torah.

McKay também questionou o método estatístico utilizado por Rips. Mas o trabalho de McKay é apenas um esboço preliminar. Não passou pelo processo de revisão estatística, tal como ocorreu com o trabalho de Rips. McKay não o submeteu a *Statistical Science* ou a qualquer outra publicação especializada. Rips respondeu a McKay, aceitando o desafio. "Acho que ele não está certo", disse Rips.

Robert J. Aumann, o mais famoso matemático de Israel, observou que, mesmo McKay estando certo, seu próprio trabalho preliminar afirmava que os resultados da experiência Rips-Witztum continuariam a ser 1 em 1.000; resultados ainda muito fortes na ciência usual e, na verdade, o teste mais rigoroso já aplicado por matemáticos.

Em carta datada de 7 de maio de 1990, Persi Diaconis, estatístico de Harvard, estabeleceu o padrão para a experiência Rips-Witztum que provava a existência do código da Bíblia: "Para publicar alegação tão fantástica, acho que deve ser exigido um nível de significância de 1/1.000, ou até maior."

A experiência realizada por Rips e Witztum de acordo com todas as exigências de Diaconis teve um nível de significância de pelo menos 1/50.000 (e uma experiência posterior mostrou que as probabilidades eram realmente 1/10.000.000). Diaconis recomendou que o ensaio fosse publicado no boletim matemático *Statistical Science*.

Um matemático israelense, que pediu para não ter seu nome divulgado, disse-me em dezembro de 1996 que tinha começado uma "investigação preliminar" da experiência Rips/Witztum. Afirmou que não dispunha de "prova alguma" de que as descobertas deles estivessem erradas e, na verdade, afirmou que "a matemática é perfeita, e assim é a ciência do computador". Contudo, ele questionava o modo como Rips e Witztum escolheram os nomes dos sábios que combinaram, no código da Bíblia, com suas datas de nascimento e morte.

Levantei esta questão com Rips. Rips disse-me que ele e seu colega Witztum começaram compilando uma lista de 34 sábios a partir de uma obra de referência padrão, *The Encyclopedia of Prominent Jewish Scholars*, fazendo-o de modo totalmente mecânico, usando apenas os nomes das pessoas a quem a enciclopédia devotava três ou mais colunas.

A primeira experiência, segundo Rips, mostrou "uma correlação muito forte entre os nomes e as datas", parecendo provar a existência de um código no Gênesis.

Mais tarde, Persi Diaconis, o estatístico de Harvard e autoridade independente que supervisionava a experiência deles, exigiu "dados novos", uma nova lista que não pudesse ter sido selecionada com o fim específico de ter êxito.

Diaconis também sugeriu o método experimental que Rips e Witztum utilizaram, 1 milhão de permutações dos nomes e datas, para testar se o emparelhamento correto de nomes e datas era realmente a melhor combinação no código da Bíblia.

Rips e Witztum compilaram uma segunda lista de 32 nomes, mais uma vez de modo mecânico, usando na experiência todos os sábios a quem a mesma enciclopédia devotava um mínimo de coluna e meia e um máximo de três colunas.

Uma vez que muitos sábios, especialmente nos tempos pré-modernos, usavam diferentes nomes e havia diversas grafias de alguns nomes, Rips e Witztum submeteram a lista final de 32 nomes ao diretor do Departamento de Bibliografia Bíblica da Universidade Bar-Ilan de Israel, Dr. Shlomo Z. Havlin.

Havlin, um dos mais destacados especialistas do mundo em literatura rabínica e um dos compiladores do famoso banco de dados de Bar-Ilan sobre a antiga literatura hebraica, tomou a decisão final quanto à grafia dos nomes que Rips e Witztum usariam em sua experiência. Entrevistei Havlin em Jerusalém, em dezembro de 1996, e ele confirmou que decidira, por si mesmo e com independência, quais dados seriam utilizados por Rips e Witztum naquela experiência.

Havlin fez também uma declaração por escrito: "Confirmo que ambas as listas de nomes e denominações foram decididas por meu próprio julgamento, e que as examinei escrupulosamente no banco de dados computadorizado do Centro de Processamento de Dados da Universidade Bar-Ilan."

Estes, portanto, são os fatos:

(1) A lista de nomes utilizados na experiência final foi decidida por um erudito independente (Havlin, da Universidade Bar-Ilan);
(2) Os nomes foram encontrados codificados junto com as datas, de acordo com um teste matemático projetado por um segundo erudito independente (Diaconis, da Universidade de Harvard);
(3) Um terceiro cientista independente (Gans, decodificador do Pentágono) verificou que os mesmos 32 nomes, mais os 34 nomes originais, combinavam com as cidades.

A experiência que provava a existência do código da Bíblia não poderia ter sido fraudada.

Mesmo assim, aquele matemático israelense que não quis ter seu nome divulgado desafiou os resultados da experiência Rips-Witztum, alegando que se as colunas da enciclopédia fossem medidas com mais precisão, três dos 32 nomes utilizados na experiência de Rips seriam eliminados e outros dois nomes seriam acrescentados.

Rips e Witztum aceitaram o desafio, e realizaram toda a experiência novamente em dezembro de 1996 e janeiro de 1997, usando a lista revisada de nomes exigida pelo cético matemático. Os resultados, relatou Rips, foram "vinte vezes melhores que os da experiência original" — em vez de 4 em 1 milhão, obtiveram 2 em 10 milhões. Usando outra maneira de medir as probabilidades, os resultados originais foram 1 em 10 milhões; os novos resultados, 5 em 100 milhões.

Eu realizei minha própria experiência, mais limitada, checando 20 descobertas do código da Bíblia mostradas neste presente livro, para verificar se algumas das mesmas codificações também apareciam num texto de controle do mesmo tamanho: as primeiras 304.805 letras da tradução para o hebraico de *Crime e Castigo*. Metade dos nomes ou frases nem chegou a aparecer, e nenhum deles apareceu junto com informações correlatas e coerentes.

Por exemplo, "Yitzhak Rabin" não apareceu em *Crime e Castigo*, qualquer que fosse a seqüência de saltos, nem "holocausto atômico". Isso era de esperar, porque as probabilidades contra o nome completo de Rabin aparecer num texto de 304.805 letras eram de 10 para 1, e as de "holocausto atômico", quase 100 para 1.

Outras expressões, como "Presidente Kennedy" e "Shakespeare", apareceram em *Crime e Castigo*. Isso também era de esperar, por ser bem provável que aqueles nomes aparecessem, com alguma seqüência de saltos, num texto daquele tamanho.

Contudo, enquanto na Bíblia a palavra que vinha após "Presidente Kennedy" era "morrer", estando "Dallas" codificada no mesmo trecho, em *Crime e Castigo* não havia qualquer emparelhamento do nome de Kennedy com a cidade onde ele foi morto, nem qualquer referência no mesmo trecho a seu assassinato.

Similarmente, "Shakespeare" aparecia uma vez em *Crime e Castigo*, mas não junto com "Hamlet" ou "Macbeth".

O padrão mostrou-se consistente para todos os 20 nomes e frases verificados. Às vezes apareciam em *Crime e Castigo* combinações alfabéticas randômicas, mas nunca junto com informações coerentes.

"É evidente que se alguém procurar um número suficiente de exemplos em outro livro", disse Rips, "acabará por encontrar algumas palavras correlatas que combinam, que aparecem no mesmo trecho. Isso se pode esperar através do acaso randômico.

"Mas é somente no código da Bíblia que encontramos informações consistentes e coerentes. E ninguém encontrou em *Guerra e Paz* ou em *Crime e Castigo* a predição acurada de um assassinato um ano antes que acontecesse, ou a data correta do início de uma guerra três semanas antes. Ninguém encontrou nada semelhante em qualquer outro livro, em qualquer tradução ou em qualquer texto hebraico original, exceto a Bíblia."

A lendária forma original da Bíblia ditada por Deus a Moisés — "contínua, sem quebras de palavras" — foi afirmada por um dos maiores sábios da História, Nachmanides, em seu *Commentary on the Torah* (Shilo, 1971, ed. Charles Chavel, vol. I, p. 14). A continuidade da Bíblia original também se expressava na sua forma original de rolo de pergaminho, não como um livro com páginas separadas, mas como um único documento contínuo que ia se desenrolando.

A afirmação de Einstein de que "a distinção entre passado, presente e futuro é apenas uma ilusão" foi extraída de uma carta que ele escreveu à família de seu grande amigo Michele Besso em 21 de março de 1955 (Einstein Archive, 7-245, publicado em *The Quotable Einstein*, Princeton University Press, 1996, p. 61).

Besso trabalhava no escritório de patentes da Suíça quando Einstein, então com 25 anos de idade, formulou a Teoria da Relatividade. A carta citada foi escrita 50 anos mais tarde, logo após a morte de Besso e menos de um mês antes da morte do próprio Einstein. O contexto completo desta afirmação sobre a verdadeira natureza do tempo é comovente: "Agora ele partiu deste estranho mundo, pouco antes de mim. Isso nada significa. Para nós, físicos que acreditam, a distinção entre passado, presente e futuro é apenas uma ilusão, embora persistente."

A afirmação de Stephen Hawking de que a "viagem no tempo talvez esteja dentro de nossa capacidade" foi extraída de sua introdução a *The Physics of Star Trek* (Basic Books, 1995, p. xii). Hawking reitera sua crença na viagem no tempo na mais recente edição de seu livro *A Brief History of Time* (Bantam, 1996, p. 211): "A possibilidade da viagem no tempo permanece aberta." Ele também observa que qualquer forma avançada de jornada no tempo exigiria uma viagem em velocidade mais rápida que a da luz, o que automaticamente significa retroceder no tempo.

A colisão do cometa Shoemaker-Levy com Júpiter, iniciada em 16 de julho de 1994, foi observada por astrônomos de todo o mundo e reportada na mídia internacional. Os detalhes aqui citados provêm de uma série de artigos publicados no jornal *New York Times* e na edição de 23 de maio de 1994 da revista *Time*.

EXISTE uma versão completa da Bíblia no hebraico original com quase mil anos de idade, o Códice de Leningrado, publicado em 1008 d.C. É o mais velho exemplar intacto do Antigo Testamento. Há um exemplar ainda mais velho da Bíblia hebraica no Santuário do Livro, em Jerusalém, chamado Códice de Alepo, mas parte dele foi destruída num incêndio. Esse livro, quando ainda intacto, foi utilizado por Maimônides, o grande sábio do século XII.

Partes de todos os livros da Bíblia (exceto o Livro de Ester) bem como um exemplar completo do Livro de Isaías foram encontrados entre os Pergaminhos do Mar Morto, que já têm mais de 2.000 anos de idade.

Todas as Bíblias na língua hebraica original que hoje existem são iguais letra por letra. Segundo Adin Steinsaltz, o eminente tradutor dos antigos textos hebraicos, o Talmude afirma claramente, diversas vezes, que se uma cópia da Torah tiver uma só letra errada, não pode ser utilizada e deve ser queimada.

O programa de computador do código da Bíblia utiliza o texto hebraico original universalmente aceito.

Portanto, é inquestionável que as informações sobre o mundo de hoje estão codificadas num livro que já existia há pelo menos mil anos, e quase certamente há dois mil anos, na mesma forma exata que mantém até hoje.

Meu encontro com Kazhdan e Rips em Harvard ocorreu em 22 de março de 1994, no gabinete de Kazhdan. Seus comentários sobre o código da Bíblia, aqui citados, provêm daquela reunião.

Kazhdan, juntamente com Piatetski-Shapiro, de Yale, e dois outros matemáticos famosos, também fez uma declaração por escrito, que foi publicada em 1988, seis anos antes que o experimento Rips-Witztum passasse por três níveis de revisão técnica, observando que embora fosse prematuro dizer que o código estava decisivamente estabelecido naquela etapa, "os resultados obtidos são suficientemente extraordinários para merecer ampla atenção e encorajar maiores estudos".

Quando nos encontramos em Harvard em 1994, o experimento original de Rips acabava de passar pela última revisão técnica. Kazhdan afirmou, naquele momento, que acreditava na realidade do código da Bíblia, mas ainda era incapaz de explicar sua existência.

Meu encontro com Piatetski-Shapiro ocorreu no Instituto de Estudos Avançados da Universidade de Princeton em novembro de 1994, e suas declarações aqui citadas provêm daquela entrevista.

A afirmação de Stephen Hawking referente ao Princípio da Incerteza foi publicada em *A Brief History of Time* (Bantam, 1988, pp. 54-55).

A afirmação de Einstein referente à física quântica e a Deus foi feita numa carta de 4 de dezembro de 1926 ao físico Max Born, publicada em *The Born-Einstein Letters* (Macmillan, 1971, pp. 90-91).

Encontrei-me com Robert J. Aumann em seu gabinete na Universidade Hebraica, em Jerusalém, no dia 25 de janeiro de 1996, e suas declarações aqui citadas provêm daquela conversa, exceto sua última afirmação — "O código da Bíblia é um fato estabelecido" — que foi feita na reunião de 19 de março de 1996 da Academia de Ciências de Israel, quando ele apresentou Rips, que tinha sido convidado para ali fazer uma palestra.

Aumann foi o matemático sênior mais diretamente envolvido na supervisão do experimento original Rips-Witztum e possuía, portanto, os mais detalhados conhecimentos sobre o trabalho deles. Conversei com Aumann diversas vezes desde nosso primeiro encontro. Ele continua a ser um cético convicto: "Psicologicamente, é muito difícil de aceitar, mas o aspecto científico é totalmente equilibrado."

A sugestão do código de que existe uma "quinta dimensão" levou-me a um encontro com o chefe do Departamento de Física de Harvard, Sidney Coleman, e com um dos maiores especialistas na origem do Universo, Alan Guth, físico do MIT — Instituto de Tecnologia de Massachusetts. Ambos me disseram, em entrevistas separadas, que a maioria dos físicos hoje acredita na existência de uma quinta dimensão, mas nenhum deles ainda é capaz de defini-la. Ambos, contudo, afirmaram um aparente paradoxo — a quinta dimensão é menor que o núcleo de um átomo, mas nós e todo o Universo estamos dentro dela.

O antigo texto religioso citado por Rips é *The Book of Creation* (*Sefer Yetzirah* — "O Livro da Criação") que, segundo a lenda, teria sido escrito pelo patriarca Abraão mil anos antes de Moisés receber a Bíblia no Monte Sinai. O "Livro da Criação" afirma que existimos num mundo pentadimensional: as três dimensões do espaço, a quarta dimensão, do tempo, e a quinta dimensão, do espírito. A ciência moderna confirma as quatro primeiras dimensões e não tem qualquer definição da quinta.

O quinto versículo do primeiro capítulo do "Livro da Criação" (traduzido para o inglês por Aryeh Kaplan; Samuel Weiser, 1990, p. 44) assim define as cinco dimensões: "Uma profundeza do início / Uma profundeza do fim, Uma profundeza do bem / Uma profundeza do mal, Uma profundeza do acima / Uma profundeza do abaixo, Uma profundeza do leste / Uma profundeza do oeste, Uma profundeza do norte / Uma profundeza do sul."

Ao citar esta antiga definição da "quinta dimensão", Rips observou que toda dimensão é definida por um sistema de medidas e que a quinta dimensão poderia conter todas as outras porque ela é definida pela distância entre o bem e o mal, e esta, disse Rips, "é a maior distância do mundo".

Capítulo 2: O Holocausto Atômico

Há uma profecia consistente em todo o Antigo Testamento de que Israel seria devastado em alguma guerra terrível, e foi essa profecia que fez surgir a visão mais ampla do apocalipse, mais conhecido através das assustadoras predições encontradas no Livro do Apocalipse (ou Livro da Revelação) do Novo Testamento.

A palavra "apocalipse" vem do grego e na verdade significa "desvendar, revelar". Mas, nos tempos modernos, passou a significar a destruição final que é revelada na Bíblia.

No Antigo Testamento, a destruição final está claramente focalizada sobre Israel. Sua afirmação mais famosa está em Daniel 12:1 — "E haverá uma época de tal desolação, como jamais houve igual desde que existem as nações." Mas a primeira afirmação do apocalipse vem de Isaías. Em Isaías 9:13, está dito desta maneira: "E então o Senhor cortou a cabeça e a cauda de Israel, a palma e o junco num só dia." Em Isaías 29:1, a ameaça é mais especificamente focalizada sobre Jerusalém, como em Daniel 9:12, que afirma: "Descarregou sobre nós tais calamidades, como jamais houve sob o céu coisa semelhante àquela que fulminou Jerusalém."

Tanto Daniel como Isaías (no capítulo 29) tornam claro que o perigo último é num tempo ainda por vir, que a destruição de Jerusalém não está apenas no passado, mas também no futuro.

A mais conhecida profecia da "Batalha Final" é a do Livro do Apocalipse, 20:7-9, que prediz que Satã irá liderar um grande exército no ataque a Jerusalém. Os nomes das nações que formam a satânica horda invasora, "Gog e Magog" (Ap 20:8), na verdade provêm do Livro de Ezequiel, no Antigo Testamento, onde são descritas simplesmente como os inimigos que invadirão Israel vindos do Norte em alguma desconhecida época futura (Ez 38-39). A própria palavra "Armagedon", que também provém do Apocalipse (Ap 16:16), é a transliteração grega do nome de uma cidade no norte de Israel, Megiddo.

No atual ambiente tenso do Oriente Médio, já é difícil lembrar que quando Rabin foi morto Israel vivia uma singular fase de paz. Aquela paz foi alcançada em grande parte pelo aperto de mãos entre Rabin e Arafat nos gramados da Casa Branca em 13 de setembro de 1993. E não se rompeu até começar a onda de terrorismo, tal como predito no código, em 25 de fevereiro de 1996.

As letras que soletram o ano judaico de 5756 também formam uma pergunta que traduzi como "Vocês o mudarão?" Na verdade, o "o" dessa frase fica implícito no hebraico, não chega a ser afirmado. A tradução literal do hebraico é uma pergunta no plural: "Vocês mudarão?" A questão não é se nós seremos mudados, mas se mudaremos alguma outra coisa.

Assim, a melhor tradução da pergunta formulada pelas letras que soletram o ano de 5756, as palavras em português que dão o sentido mais claro do hebraico, são "Vocês o mudarão?"

Minha carta original a Shimon Peres era datada de 9 de novembro de 1995 e foi-lhe entregue naquele mesmo dia por Elhanan Yishai, que conhecia o primeiro-ministro desde que este tinha 13 anos de idade, e permanecera sempre seu bom amigo pessoal e seu aliado no Partido Trabalhista. Yishai contou-me a reação de Peres à carta, menos de uma semana após Rabin ser morto.

Poucos dias mais tarde encontrei-me com a secretária de imprensa de Peres, Eliza Goren, no gabinete do primeiro-ministro. Seu comentário aqui citado provém daquele encontro. Vi Goren novamente em Nova York no dia 10 de dezembro de 1995, e naquela ocasião entreguei-lhe outra versão da mesma carta que antes enviara ao primeiro-ministro.

A citação do relatório do Senado norte-americano sobre o perigo do terrorismo nuclear provém do discurso de abertura do senador Sam Nunn, vice-presidente do Subcomitê Permanente de Investigações do Senado, conforme transcrito no relatório original da sessão de 31 de outubro de 1995. Suas palavras foram ligeiramente alteradas no relatório final do Comitê, "A proliferação global das armas de destruição em massa" (Sen. Hrg. 104-422, p. 4).

O comentário de que "até as batatas são mais bem guardadas" do que as armas nucleares, após o colapso da União Soviética, foi feito por Mikhail Kulik, oficial que investigou o roubo de 13,5 quilos de urânio enriquecido de uma base de submarinos nucleares perto de Murmansk. Foi citado em *Scientific American* (janeiro de 1996, p. 42), no artigo "A real ameaça do contrabando nuclear", assinado por Phil Williams e Paul Woessner.

Esse perigo foi também confirmado por diversos especialistas em terrorismo nuclear, dentro e fora do governo norte-americano, incluindo oficiais do Pentágono e da CIA que conversaram comigo numa base informal.

A oferta, por parte de um dos maiores cientistas russos, de vender um sistema de mísseis soviéticos que ele tinha ajudado a desenvolver foi feita a mim numa reunião em Moscou em setembro de 1991. As condições de evidente empobrecimento dos grandes cientistas nucleares, que tanto me chocaram nos dias que se seguiram ao início do colapso da União Soviética, parecem ainda existir até hoje.

Em outubro de 1996, o chefe da mais importante instalação de projetos de armas nucleares da Rússia, Vladimir Nechai, suicidou-se por causa da vergonha de não poder pagar seus cientistas já havia alguns meses. Numa coluna do *New York Times* de 15 de novembro de 1996, outro oficial russo que fora ao funeral de Nechai observou o estado dos cientistas nucleares que compareceram: "Ali estava a nata da ciência russa. Ali estavam físicos de envergadura mundial, vestindo paletós coçados e camisas desbotadas com os punhos puídos." Esse oficial, Grigory Yavlinsky, concluía: "Na Rússia, ninguém é capaz de garantir a segurança dos programas termonucleares."

Minha conversa telefônica com o General Jacob Amidror ocorreu em novembro de 1995. Amidror era então subchefe do Aman, o serviço de informações militares de Israel. Ele é hoje o principal assessor do Ministério da Defesa.

O General Danny Yatom fez seu primeiro contato comigo através de uma carta datada de 18 de dezembro de 1995, mas só viemos a conversar na primeira semana de janeiro de 1996. A carta de Yatom dizia: "Em vista de sua carta de 10 de dezembro de 1995 ao primeiro-ministro, Sr. Shimon Peres, este pediu-me para fazer contato consigo e discutir o assunto."

Nas nossas conversas telefônicas posteriores, Yatom (que era então o principal assessor militar de Peres) arranjou-me um encontro direto com o primeiro-ministro. A frase de Yatom aqui citada provém de um desses telefonemas.

Meu encontro com Shimon Peres em 26 de janeiro de 1996, no gabinete do primeiro-ministro em Jerusalém, foi arranjado através de Yatom e Eliza Goren esteve presente. As perguntas de Peres aqui citadas provêm daquele encontro.

A declaração de Kaddafi foi anunciada através da agência de notícias da Líbia em 27 de janeiro de 1996, e publicada nos jornais de Israel no dia seguinte. A citação foi traduzida do diário *Ha'aretz*.

Meu encontro com o General Yatom ocorreu em 28 de janeiro de 1996, no gabinete do primeiro-ministro em Jerusalém. Yatom disse-me que já tinha falado com Peres a respeito da nossa reunião, e também que já lera a declaração de Kaddafi. Seus comentários aqui citados provêm daquele encontro.

O discurso de Peres, afirmando o perigo de terrorismo nuclear, foi feito em Jerusalém no dia 30 de janeiro de 1996. A citação foi extraída da reportagem de 31 de janeiro, no *Jerusalem Post*. Mais tarde, Peres fez uma declaração similar no "Nightline" da rede ABC (29 de abril de 1996): "É a primeira vez na História que um movimento perverso e maligno, encoberto por um véu religioso, tem condições de adquirir essas armas terríveis. Imaginem o que teria acontecido se Hitler tivesse uma bomba nuclear."

Capítulo 3: "Todo o seu Povo para a Guerra"

A explosão das bombas terroristas em Jerusalém no dia 25 de fevereiro de 1996 e a série de bombas nos nove dias seguintes foram reportadas no mundo todo. O relato aqui citado foi extraído do *New York Times* e do *Jerusalem Post*.

Embora aquela data — 5 de Adar, no calendário judaico — tivesse sido encontrada no dia em que Rabin morreu, quase quatro meses antes, a predição "Todo o seu povo para a guerra" parecia-me tão improvável de se cumprir que não falei do assunto com o primeiro-ministro Peres quando de nosso encontro em janeiro. No último minuto, na noite anterior ao ataque matinal do domingo, tentei falar com o General Yatom, mas seu gabinete não atendia.

Encontrei-me com Yatom em 30 de abril de 1996, no portão da Embaixada de Israel em Washington, conforme tínhamos combinado por telefone naquele mesmo dia.

Chamei Eli Rips em 28 de maio de 1996, véspera das eleições israelenses, e disse-lhe que encontrara "Primeiro-ministro Netanyahu" codificado na Bíblia. Foi Rips quem descobriu, durante a conversa telefônica, que a palavra "eleito" cruzava o nome de Netanyahu. Disse-lhe que eu não acreditava na vitória de Netanyahu e perguntei o que ele achava daquela aparente falsa predição no código da Bíblia. Ele sugeriu esperarmos pelos resultados da apuração.

Rips concordou que era claramente contra todas as probabilidades o fato de duas afirmações de morte cruzarem "primeiro-ministro Netanyahu", mas ele não estava certo se aquelas palavras, que apareciam no texto aberto da Bíblia, tinham sentido em relação ao acontecimento moderno, o homem vivo, codificado no mesmo trecho.

— Mas eu fiz as mesmas restrições quanto à predição do assassinato de Rabin — disse Rips —, de modo que agora não sei o que dizer.

As palavras que acompanham o nome "Amir" nas listagens em que "Netanyahu" aparece junto com "Yitzhak Rabin" — "Ele mudou a nação, ele lhes fará mal" — surgem às avessas no texto aberto da Bíblia que se sobrepõe a "Amir", cujo nome também aparece de trás para a frente. Ambos estão no mesmo versículo da Bíblia em que as palavras "nome do assassino" aparecem no texto aberto: Números 35:11.

Falei pela primeira vez com Ben-Zion Netanyahu em 3 de junho de 1996, por telefone, e enviei-lhe a mencionada carta de 29 de maio ao primeiro-ministro. Conversei novamente com ele em 9 de junho e ele confirmou ter recebido minha carta e a entregue ao primeiro-ministro na sexta-feira, 7 de junho.

O livro do Professor Netanyahu, *The Origins of the Inquisition*, foi publicado em 1995 pela Random House. É dedicado à memória de seu outro filho, Jonathan, que morreu em 4 de julho de 1976, liderando a famosa operação de resgate no aeroporto de Entebbe (Uganda).

Rips retornou o chamado do Professor Netanyahu na minha presença, em 31 de julho de 1996. Rips confirmou-lhe que o código da Bíblia era um fato cientificamente provado e que tanto "holocausto atômico" como "holocausto de Israel" estavam codificados na Bíblia. Encontrei-me no mesmo dia com Ben-Zion Netanyahu em sua casa, em Jerusalém. Suas palavras, aqui citadas, provêm daquele encontro.

No dia seguinte, 1º de agosto, voltei a visitar o Professor Netanyahu em sua casa, no fim da tarde. Desse segundo encontro reproduzi suas palavras.

Minha última conversa com Ben-Zion Netanyahu, naquela minha viagem a Israel, ocorreu em 3 de agosto, por telefone; daí provêm as citações.

A última carta que enviei ao primeiro-ministro Netanyahu era datada de 20 de agosto de 1996 e mais uma vez foi-lhe entregue através de seu pai.

Capítulo 4: O Livro Selado

O "livro selado" é descrito no Apocalipse 5:1-5, e a história do Messias que rompe os "sete selos" é contada no mesmo Livro, capítulos 6 a 8.

A versão original dessa história aparece em Daniel 12:1-4.

É extraordinário que, no Novo Testamento, o livro selado seja aberto para soltar os quatro cavaleiros do apocalipse, fazer os mortos bradarem vingança contra os vivos, provocar um grande terremoto, obscurecer o Sol, a Lua e as estrelas, e, finalmente, causar "silêncio no Céu".

Contudo, na história original contada no Antigo Testamento, o livro selado é aberto para salvar o mundo do desastre: "E então, entre os filhos de teu povo, serão salvos todos aqueles que se acharem inscritos no livro." (Daniel 12:1).

O foco de Isaac Newton sobre Daniel e o Apocalipse é revelado por diversos biógrafos, incluindo Keynes. Descrevendo os papéis ocultos de Newton, Keynes escreveu (*Essays*, p. 286): "Outra grande seção trata de todos os ramos dos escritos apocalípticos, a partir dos quais Newton buscava deduzir as verdades secretas do Universo — o Livro de Daniel, o Livro do Apocalipse."

O "Fim dos Dias" aparece quatro vezes nas palavras originais da Bíblia — Gênesis 49:1-2, Números 24:14, Deuteronômio 4:30 e Deuteronômio 31:29. Uma segunda expressão bíblica do "Fim dos Dias" aparece nas últimas palavras de Daniel 12:13 — final dos tempos.

Há três maneiras de escrever qualquer ano judaico com letras. Cheguei todas elas para cada um dos próximos 120 anos, verificando qual delas combinava melhor com as duas expressões bíblicas do "Fim dos Dias". Das 360 combinações possíveis com cada um dos modos como a Bíblia originalmente se referia ao "Fim", só um ano combinou com ambos — 5756 (no nosso calendário gregoriano, o ano que começou em setembro de 1995 e terminou em setembro de 1996).

A "época de desolação" é profetizada em Daniel 12:1. A promessa de salvação, "teu povo será salvo", também está em Daniel 12:1.

Um dos primeiros Pergaminhos do Mar Morto a ser encontrado era uma profecia não-bíblica da "Guerra dos Filhos da Luz contra os Filhos das Trevas", que descreve a Batalha Final em termos militares detalhados. Para uma discussão mais profunda das profecias apocalípticas através dos tempos, ver *When Time Shall Be No More*, de Paul Boyer (Harvard University Press, 1992).

A própria Bíblia descreve Deus entregando a Torah a Moisés, no Êxodo 24:12. E Moisés é claramente identificado, no Deuteronômio 31:24, como o homem que escreveu "as palavras desta Torah em um livro".

A descrição de Deus descendo sobre o Monte Sinai é vividamente narrada no Êxodo 19:16-20, a fonte da descrição aqui neste livro.

A citação de Paul Davies foi extraída de *The Mind of God* (Touchstone, 1993, p. 96).

Em 18 de fevereiro de 1997, o *New York Times* noticiou que os "computadores quânticos" talvez estejam ao nosso alcance, que a humanidade talvez esteja pronta para utilizar os mundos que existem no interior do átomo e criar "um método de processamento de informações tão poderoso que seria, para a computação comum, aquilo que a energia nuclear é para o fogo".

O astrônomo Carl Sagan sugeriu que uma avançada tecnologia alienígena "talvez nos pareça magia" em *Pale Blue Dot* (Random House, 1994, p. 352).

O autor de *2001: Uma odisséia no espaço*, Arthur C. Clarke, fez uma observação similar: "Qualquer tecnologia suficientemente avançada é indistinguível da magia." (*Profiles of the Future*, Holt, Rinehart e Winston, 1984).

O "artefato alienígena" imaginado por Paul Davies é descrito em seu livro *Are We Alone?* (Basic Books, 1995, p. 42). Stanley Kubrick, em sua famosa versão cinematográfica do *2001* de Clarke, mostrou um misterioso monólito negro que parecia ressurgir nos sucessivos estágios da evolução humana, sempre que estávamos prontos a ser levados a um nível mais elevado. Quando lhe falei sobre o código da Bíblia, a reação imediata de Kubrick foi exclamar: "É como o monólito de *2001*."

O começo de vida da Bíblia como pedra gravada é contado no Deuteronômio 27:2-8, no qual Moisés instrui o povo a "escrever claramente sobre pedras grandes todas as palavras desta Torah".

A citação de Jack Miles foi extraída de *God: A Biography* (Knopf, 1995, p. 365).

O epíteto de José, "Tzafenat-Paneah", aparece no Gênesis 41:45. Uma discussão de todas as especulações eruditas sobre seu possível significado pode ser encontrada em Kaplan, *The Living Torah*, p. 207, incluindo uma representação do nome em hieroglifos egípcios. A passagem sobre o "revelador dos segredos" está em Daniel 2:47. A afirmação de Jack Miles no sentido de que Deus, ao ajudar José, parecia ser capaz de revelar o futuro mas não de mudá-lo, foi extraída de *God: A Biography*, p. 365, e sua comparação do futuro com "um imenso rolo de filme" que pode ser visto numa pré-estréia foi extraída da p. 365.

O trecho que Rips leu para mim — de Isaías 45:7, no qual o próprio Deus afirma claramente que Ele é bom e mau — causou impacto em todo o país quando foi citado por um rabino num programa da série "Gênesis", criado por Bill Moyers para a rede educativa PBS, em 1996. Foi espantoso que tal citação causasse tamanha surpresa e tanta controvérsia, pois ela não estava oculta e sim abertamente afirmada num livro bíblico de 2.500 anos, tanto no original hebraico quanto nas incontáveis traduções para todos os idiomas, incluindo a Versão do Rei James *("I am the Lord and there is none else, I form the light, and create darkness; I make peace, and create evil; I, the Lord, do all these things.")*. Se após dois milênios tantas pessoas ainda não conheciam, e não conseguiam aceitar aquilo que estava claramente afirmado na Bíblia como sendo as palavras de Deus, como poderiam elas aceitar um código oculto na Bíblia?

A tradução alternativa das palavras finais do Livro de Daniel não está oculta num código; trata-se simplesmente de uma outra maneira de ler as palavras abertas do texto.

Capítulo 5: O Passado Recente

A afirmação de Isaías, "Para ver o futuro, devemos olhar para trás", provém do versículo 41:23, e é discutida mais plenamente no Capítulo 8.

Ela tem um significado especial na Bíblia, mas é também uma afirmação que poderia ser feita por qualquer pessoa conhecedora da história do mundo. Foi Churchill quem disse, "Quanto mais para trás pudermos olhar, tanto mais para a frente seremos capazes de ver". E o filósofo George Santayana disse, "Aqueles que não conseguem lembrar o passado estão condenados a repeti-lo".

Doron Witztum, o colega de Rips, discutiu comigo a pesquisa do código quando nos encontramos em junho de 1992, em sua casa em Jerusalém. Witztum também publicou, por conta própria, uma edição limitada de suas descobertas relativas ao código, *The Additional Dimension* (Israel, 1989). O material referente ao Holocausto, citado no Capítulo 1, foi incluído naquela publicação.

Um fato significativo que observei desde a primeira semana que passei com Eli Rips pesquisando o código da Bíblia é que fomos capazes de encontrar, no código, nomes e lugares determinados por acontecimentos conhecidos da história mundial ou pelas manchetes dos jornais do dia, coisas que eu lhe pedia para procurar de imediato. Do mesmo modo, quando mais tarde as pessoas me pediam para encontrar nomes e acontecimentos que eu nunca pensara em procurar, estes freqüentemente estavam codificados junto com informações relevantes.

Um editor com quem me encontrei enquanto fazia as pesquisas para este livro, Sonny Mehta, da Knopf, pediu-me para procurar Mahatma

Gandhi. "M. Gandhi" estava codificado numa única seqüência de saltos, junto com as palavras "Ele será morto", tal como "Presidente Kennedy" era imediatamente seguido, numa única seqüência de saltos, pelas palavras "morrer".

O assassinato de Sadat foi encontrado no código da Bíblia pelo colega de Rips, Witztum.

A história de Abraão comprando o pedaço de terra que hoje é conhecido como a Tumba do Patriarca, em Hebron, há quatro mil anos, é contada no capítulo 23 do Livro do Gênesis, que descreve detalhadamente toda a transação, incluindo o regateio entre Abraão e o hitita Efrom, até acertarem o preço final: "400 siclos de prata".

Os planos da seita Aum Shinrikyo (Verdade Suprema) foram documentados num relatório senatorial norte-americano sobre a ameaça do uso de armas não-convencionais por terroristas, "A proliferação global das armas de destruição em massa" (Subcomitê Permanente de Investigações do Senado — Sen. Hrg. 104-422). "O mundo foi forçado a prestar atenção à manhã do dia 20 de março de 1995", disse o vice-presidente do Comitê, senador Nunn, citando o dia em que o gás venenoso foi disseminado no sistema metroviário de Tóquio. "A seita, conhecida como Aum Shinrikyo, ganhou assim a dúbia distinção de tornar-se o primeiro grupo, exceto países em tempo de guerra, a usar armas químicas em grande escala. Acredito que este ataque é o sinal de que o mundo entrou numa nova era" (Sen. Hrg., p. 5).

O relatório do Senado citava o livro *(Second Set of Predictions)* publicado pelo líder da seita, Shoko Asahara, no qual ele afirmava: "Estou certo de que em 1997 o Armagedon será deflagrado." De acordo com um especialista independente norte-americano em terrorismo, os documentos apreendidos por ocasião da prisão de Asahara revelavam que ele antes tinha fixado outra data para o Armagedon, 1996.

Os detalhes da bomba da cidade de Oklahoma foram extraídos das reportagens publicadas no *New York Times, Time* e *Newsweek*.

Um especialista em terrorismo nuclear do Pentágono contou-me mais tarde que se os autores do atentado de Oklahoma tivessem uma quantidade de plutônio que pudesse ser colocada numa latinha de Coca-Cola, e tivessem incluído essa latinha na tosca bomba feita de fertilizantes e óleo combustível que colocaram naquele caminhão, teriam tornado a cidade de Oklahoma inabitável por um século, pelo menos.

CAPÍTULO 6: O ARMAGEDON

A história da descoberta dos Pergaminhos do Mar Morto é contada no respeitado livro de Millar Burrow, *The Dead Sea Scrolls* (Viking, 1956, pp. 4-5). Houve diversas versões dessa descoberta, mas todas envolvem um beduíno que acidentalmente deparou com os pergaminhos de 2.000 anos de idade. Alguns acreditam que esse beduíno não era um jovem pastor de cabras e sim um contrabandista.

Norman Golb, em seu livro *Who Wrote the Dead Sea Scrolls?* (Touchstone, 1995 — "Quem escreveu os Pergaminhos do Mar Morto?"), afirma que os pergaminhos foram escondidos para salvar dos romanos a Bíblia e outras escrituras do Templo, antes da destruição de Jerusalém em 70 d.C.

As cavernas onde os pergaminhos foram encontrados localizam-se em Qumran, nos penhascos sobranceiros ao Mar Morto.

O texto de Isaías foi o único livro completo da Bíblia a ser encontrado entre os Pergaminhos do Mar Morto. O original ficou em exibição, envolto num cilindro no centro do Santuário do Livro, até que os curadores perceberam que o antigo pergaminho começava a rachar. Hoje, uma reprodução envolve o cilindro e o original está sendo restaurado.

Numa entrevista por telefone em 21 de outubro de 1996, o arquiteto do Santuário, Armand Bartos, revelou-me que o cilindro fora projetado para ser recolhido e coberto por placas de aço a fim de proteger o pergaminho de Isaías em caso de guerra nuclear. Parece que o artefato por ele projetado deixou de ser usado.

O apocalipse é descrito no capítulo 29 do Livro de Isaías, e a primeira referência bíblica a um "livro selado" encontra-se em Isaías 29:11.

A tradução alternativa de Isaías 29:17-18, afirmando que o livro selado será aberto e seus segredos revelados, não está oculta num código de saltos seqüenciais; é simplesmente um conjunto, ligeiramente diferente, de quebras entre palavras no texto original.

Verifiquei "Guerra Mundial" e "holocausto atômico" contra as três maneiras de escrever cada ano judaico, nos próximos 120 anos. Das 360 combinações possíveis para cada uma das duas expressões, somente dois anos combinaram com ambas — 5760 e 5766 (os anos 2000 e 2006, no calendário gregoriano). Mais tarde, Rips verificou as estatísticas para as combinações de "Guerra Mundial" e "holocausto atômico" com aqueles dois anos, e concordou que os resultados eram "excepcionais".

A estimativa de que hoje existem 50.000 armas nucleares no mundo provém dos especialistas em proliferação nuclear do Pentágono. Esses mesmos especialistas afirmam que os mísseis balísticos terrestres norte-americanos e russos podem alcançar qualquer alvo na Terra dentro de meia hora, e que os mísseis nucleares lançados por submarinos são capazes de alcançar a maioria das grandes cidades dentro de quinze minutos. Uma Guerra Mundial nuclear causaria, em poucas horas, muito mais destruição do que a Segunda Guerra Mundial causou em seis anos. Maiores detalhes são encontrados no livro *The Fate of the Earth*, de Jonathan Schell (Knopf, 1982).

O Mezuzah contém quinze versículos extraídos do último livro da Bíblia original (Deuteronômio 6:4-9 e 11: 13-21), num total de 170 palavras, sempre escritas em 22 linhas. O pequeno pergaminho é enrolado e colocado numa caixinha de madeira ou metal, sendo afixado na parte superior do batente direito da porta da rua, segundo o mandamento bíblico: "Escrevei-as nos umbrais de vossa casa, e em vossas portas." Em hebraico, a palavra que designa "umbral" ou "batente" é *mezuzah*.

A declaração do senador Nunn foi extraída do relatório "A proliferação global das armas de destruição em massa" (Sen. Hrg. 104-422, p. 4). O alerta do senador Richard Lugar encontra-se às páginas 10 e 11 do mesmo relatório senatorial.

A afirmação de Peres foi extraída de seu discurso em Jerusalém no dia 30 de janeiro de 1996.

Jerusalém é a única cidade, dentre as nove mais prováveis de serem o alvo de um ataque nuclear, que apresenta uma clara combinação estatística no código da Bíblia com "holocausto atômico" e também com "Guerra Mundial", e em ambos os casos contra altas probabilidades. As outras cidades verificadas são Washington, Nova York, Londres, Paris, Tóquio, Pequim, Moscou e Tel-Aviv. Paris é a outra única combinação possível com "Guerra Mundial", mas o texto oculto completo parece ligar aquela codificação a um ex-premiê israelita: "de Paris, Peres".

A codificação de "Jerusalém" que combina tanto com "holocausto atômico" quanto com "Guerra Mundial" é a melhor codificação do nome daquela cidade na Bíblia, a que apresenta a mais curta seqüência de saltos. Ela aparece num único versículo, Deuteronômio 5:9.

Além disso, o antigo nome bíblico de Jerusalém, "Ariel", também aparece tanto com "Guerra Mundial" quanto com "holocausto atômico". "Ariel" é o nome utilizado para designar Jerusalém na primeira visão do apocalipse, em Isaías 29:1-2.

"Ariel" tem um segundo sentido literal em hebraico, "fogo de um altar"

— o local onde se queimava a oferenda sacrifical. E em Isaías 29:2, é feita a chocante conexão: "E tu te tornarás para mim como Ariel", ou seja, a cidade banhada em sangue justificaria seu nome simbólico de *altar dos sacrifícios*. Segue-se a visão de Isaías de uma futura destruição de Jerusalém, em palavras que parecem descrever um holocausto atômico.

A descrição da bomba atômica sobre Hiroshima em 6 de agosto de 1945 foi extraída da página 37 do livro de Schell, *The Fate of the Earth*. Citei somente poucas sentenças, e sem elipses, de sua detalhada descrição.

A descrição de Schell da explosão de uma bomba nuclear no solo, que também parece ecoar as antigas palavras de Isaías, foi extraída das páginas 50, 51 e 53 de *The Fate of the Earth*. Também aqui citei trechos, sem elipses, de sua longa e detalhada descrição.

Schell também observa que a bomba atômica de 12,5 quilotons lançada sobre Hiroshima era "pequena, pelos padrões atuais, e nos arsenais de hoje seria classificada entre as armas meramente táticas" (*The Fate*, p. 36).

Para uma discussão mais detalhada da longa e sangrenta história do conflito religioso em Jerusalém, pode-se consultar o livro de Karen Armstrong, *Jerusalem* (Knopf, 1996). Na resenha desse livro, Serge Schmemann, chefe do escritório do *New York Times* em Jerusalém, observou: "Três grandes religiões monoteístas consideram sagrada a cidade de Jerusalém, e, no entanto, nenhuma outra cidade apresenta história comparável de carnificina, destruição e antagonismo" (New York Times Book Review, 8 de dezembro de 1996, p. 13).

O versículo do "Armagedon" foi extraído da Versão do Rei James do Novo Testamento, Livro do Apocalipse *(Book of Revelation)* 16:14 e 16:16 — *"The spirits of devils, working miracles, go forth onto the Kings of the Earth and of the whole world, to gather them to the battle of that great day of God Almighty [...] And he gathered them together into a place called in the Hebrew tongue Armageddon."*

A etimologia da palavra "Armagedon" é confirmada pelo *The Oxford Companion to the Bible* (Oxford University Press, 1993, p. 56). Observa-se ali que a palavra "Armagedon" só é encontrada no Livro do Apocalipse 16:16, no qual é especificamente identificada como sendo o nome, "na língua hebraica", do sítio da Batalha Final. O verbete afirma: "Os estudiosos geralmente explicam o nome Armagedon (ou 'Armageddon' ou 'Harmagedon') como uma transliteração grega do termo hebraico *har megiddo* ('a montanha de Megiddo')."

O versículo de "Gog e Magog" foi extraído da Versão do Rei James,

Apocalipse 20:7-8 — "... *Satan shall be loosed out of his prison [...] and shall go out to deceive the nations in the four quarters of the Earth, Gog and Magog, to gather them together to battle...*"

O *Oxford Companion* observa, à página 256, que o Apocalipse de João parece citar equivocadamente os capítulos 38 e 39 do Livro de Ezequiel; neste, "Gog" é identificado como o governante da terra de "Magog". O verbete também afirma que "a localização exata de Magog é desconhecida".

A versão original encontrada em Ezequiel 38:15 prediz claramente que Israel será invadida pelo norte. A "Síria" está codificada naquele versículo, e os antigos nomes do Irã e da Líbia aparecem em Ezequiel 38:5. A matança que se seguirá é afirmada em Ezequiel 39:17-18.

A visão de Einstein sobre a Terceira e a Quarta Guerras Mundiais era citada na exibição de seu manuscrito original da Teoria da Relatividade no Museu de Israel, em Jerusalém, que também hospeda o Santuário do Livro, no qual se exibem os Pergaminhos do Mar Morto. A idéia dos "paus e pedras" também foi publicada em *The Quotable Einstein*, p. 223.

CAPÍTULO 7: O APOCALIPSE

"O grande terror" foi predito no Deuteronômio 34:12, o último versículo da Bíblia original, as últimas palavras que, diz a Bíblia, Deus ditou a Moisés no Monte Sinai.

A tradução de Kaplan dos três últimos versículos da Torah afirma: "Nenhum outro profeta como Moisés, a quem Deus conheceu face a face, ergueu-se em Israel. Ninguém mais poderia reproduzir os sinais e milagres que Deus lhe permitiu exibir na terra do Egito, nem quaisquer dos atos poderosos ou das grandes visões que Moisés mostrou ante os olhos de todo o Israel."

O texto oculto do último versículo não está realmente num código, mas é revelado pelas quebras, ligeiramente diferentes, entre as palavras do texto original. O alerta é claríssimo — "Para todos, o grande terror: fogo, terremoto" — e não pode ser por acaso que este é o último segredo revelado na Bíblia.

Três anos apresentam uma excelente combinação matemática com "o grande terror": os anos de 2000, 2014 e 2113. É surpreendente que todos os perigos apocalípticos, quer desastres naturais ou causados pelo homem, apareçam no código da Bíblia agrupados, com maior ou menor exatidão, dentro dessas mesmas molduras temporais.

O "grande terremoto" foi predito no Apocalipse 16:18 e 16:20. Uma visão anterior do "grande terremoto" encontrava-se em Ezequiel 38:19-20, onde se afirmava claramente que ocorreria na "terra de Israel". E uma versão ainda mais antiga pode ser encontrada em Isaías 13:13, onde a ameaça de terremoto parece ser global e até mesmo cósmica.

O nome completo da cidade de Los Angeles, em hebraico, não aparece no código da Bíblia, mas a forma abreviada, "L. A. Calif.", está mais claramente codificada junto com o "grande terremoto" do que qualquer outra grande cidade do mundo, e também aparece junto com "fogo, terremoto". Ambas as codificações aparecem junto com o mesmo ano, "5770" (2010, no calendário gregoriano).

O relatório da pesquisa geológica realizada pelo governo dos Estados Unidos que predizia um grande terremoto no sul da Califórnia antes de 2024 foi publicado no Boletim da Sociedade Sismológica Americana (vol. 5, nº 2, pp. 379-439) em abril de 1995.

Também entrevistei, em 23 de outubro de 1996, o coordenador daquela pesquisa na Califórnia, David Schwartz, e ele confirmou que um gigantesco terremoto era esperado no sul da Califórnia dentro dos próximos trinta anos, acrescentando que o norte da Califórnia é a segunda região do país que apresenta maiores probabilidades de ser atingida no futuro próximo. "Ninguém sabe o valor das nossas previsões", disse Schwartz, "mas aquelas duas regiões são os principais 'centros do alvo' no mapa."

A estimativa oficial do governo chinês é de que o número de mortos no grande terremoto de 1976 em Tangshan foi de 242.000, mas, segundo o *New York Times*, morreram 800.000 pessoas.

Em abril de 1993, eu disse ao meu então editor, Dick Snyder, que o código da Bíblia indicava que o Japão seria atingido por uma série de grandes terremotos. O abalo sísmico na ilha de Okushiri ocorreu em 12 de julho de 1993, e estava codificado junto com o nome do epicentro e o mês. Meu encontro com Wakako Hironaka, ministra do gabinete japonês, ocorreu em seu escritório em Tóquio no mês de setembro de 1993. Um grande terremoto atingiu Kobe em 16 de janeiro de 1995, matando mais de 5.000 pessoas.

Nos dias de hoje, praticamente todos os cientistas acreditam que os dinossauros foram aniquilados por um asteróide que caiu na região agora conhecida como Golfo do México, há aproximadamente 65 milhões de anos. As mais recentes descobertas sugerem que a colisão provocou uma tempestade de fogo em toda a América do Norte, eliminando de imediato todas as formas de vida naquele continente, e que as precipitações da explosão obscureceram o Sol em todo o globo, finalmente matando todos os dinossauros. A teoria original da extinção por causa do asteróide foi proposta em 1980 por Walter Alvarez, geólogo da Universidade de Berkeley. As descobertas mais recentes foram publicadas por Peter Schultz e Stephen D'Hondt na edição de novembro da *Geology Magazine*.

A criação do "grande *tanin*" é contada no Gênesis 1:21. O nome do dragão com quem, diz a Bíblia, Deus lutou — "Rahab" — provém de Isaías 51:9. É um apelo a Deus: "Desperta, como nos dias passados, como nas gerações de outrora. Não foste tu que esmagaste Rahab e fendeste de alto a baixo o Dragão?" A palavra hebraica nesse trecho é também *tanin*.

O mais antigo mito da Criação conhecido foi escrito milhares de anos antes da Bíblia, na Suméria, a região próxima ao Golfo Pérsico que hoje é chamada de Iraque. O mito sumeriano começa com a destruição de um "dragão" por um "deus". E quase todas as antigas civilizações do mundo todo tinham um mito primordial similar a este.

O alerta de Brian Marsden de que o cometa Swift-Tuttle poderia atingir a Terra em 14 de agosto de 2126 foi publicado em 15 de outubro de 1992. A citada reportagem do *New York Times* saiu na edição de 27 de outubro de 1992; o artigo da *Newsweek*, em 23 de novembro de 1992.

A colisão do cometa Shoemaker-Levy com Júpiter, em 1994, foi notícia em todo o mundo. O relato aqui citado foi extraído do jornal *New York Times* e da revista *Time*.

Eleanor Helin, a cientista da NASA encarregada do rastreamento de asteróides e cometas, foi citada no *New York Times* de 14 de maio de 1996, e os planos para evitar uma colisão com a Terra foram publicados no *New York Times* e na *Newsweek*.

A antiga lenda sobre o rei que quebrou a pedra em pequenos pedaços antes de atirá-la no filho é contada em dois antigos comentários, o Midrash Salmos 6:3 e o Midrash Yalkut Shimoni 2:635. Mais tarde, um sábio do século XVIII, Genius de Vilna, relacionou esta fábula com o destino último de um dos dois Messias profetizados, aquele que, segundo a lenda, virá primeiro e tentará evitar o horror do Fim dos Dias. Tal como o filho do rei, disse Genius de Vilna, ele "não sofrerá a pena de morte. Mas irá, contudo, sofrer a dor das pedras menores" (*Kol Ha Tor*, cap. 1, parágrafo 6).

O cometa que atingiu Júpiter fragmentou-se em vinte partes antes de bombardear o planeta. É surpreendente que o nome hebraico do planeta

Júpiter, *Zedek*, que significa "justiça", seja a raiz de um nome usado para o Messias que vem primeiro, *Zadik*, que quer dizer "o justo".

A teoria de que a antiga colisão de um cometa com a Terra teria inspirado os posteriores cenários apocalípticos da Bíblia foi extraída do artigo de Timothy Ferris, "É este o Fim?", publicado na revista *New Yorker* em 27 de janeiro de 1997, p. 55. As probabilidades de um cometa ou asteróide colidir com a Terra são discutidas na pág. 49 daquela publicação.

Capítulo 8: Os Dias Finais

A informação de que Netanyahu programara encontrar-se com o rei Hussein da Jordânia em Amã, no dia 25 de julho de 1996, foi publicada na edição semanal do *Jerusalem Post* que chegou às bancas em 21 de julho. A data da viagem programada também foi publicada em diversos outros jornais israelenses naquela semana. A razão para o adiamento da viagem, a súbita doença do rei Hussein, foi confirmada pela Secretaria de Imprensa do primeiro-ministro. A informação de que Netanyahu se encontrara com Hussein em 5 de agosto foi publicada no *Jerusalem Post* de 6 de agosto.

"As duas viagens foram decididas no dia em que fui eleito", declarou Netanyahu numa conferência de imprensa, referindo-se à visita que já realizara ao Cairo e à programada viagem de julho a Amã. Ambas as viagens foram encontradas codificadas na Bíblia uma semana antes de Netanyahu ser eleito, quando sua própria vitória foi conhecida por antecipação.

Uma afirmação mais formal do Princípio da Incerteza é feita por Stephen Hawking: "Quanto mais acuradamente tentamos mensurar a posição de uma partícula, tanto menos acuradamente somos capazes de mensurar sua velocidade, e vice-versa." A conclusão, segundo Hawking, é que a física quântica pode apenas "predizer um certo número de diferentes resultados possíveis" e "não um único resultado definido" (*A Brief History of Time*, p. 55).

Meu encontro com Dore Gold teve lugar pouco antes da meia-noite de 10 de setembro de 1996, no Essex House Hotel de Nova York. Meu fax ao General Yatom era datado de 11 de setembro e foi enviado naquele mesmo dia. Falei com nosso intermediário, General Ben-Israel, em 10 de setembro e novamente no dia 12, e ele me disse que se encontrara com Yatom e que este confirmara ter recebido a mensagem e que os serviços de informações de Israel estavam verificando o perigo potencial de um ataque atômico.

Meu último fax a Yatom foi enviado em 16 de setembro.

O assassinato do arquiduque austríaco Ferdinand, em 28 de junho de

1914, é aceito por todos os historiadores como a causa imediata da Primeira Guerra Mundial. Um documentário da PBS realizado em 1996, "A Grande Guerra", reconfirmou esse fato; e um historiador de Oxford, ali entrevistado, disse que aquele assassinato não só deflagrara a guerra como também levara inexoravelmente à Revolução Russa. Na verdade, a PBS levantou uma questão: o que teria acontecido se a carruagem do arquiduque tivesse virado à direita em vez de virar à esquerda, se não tivesse cruzado o caminho do nacionalista sérvio que o baleou — "Quando o cocheiro do arquiduque entrou na rua errada, o herdeiro do trono austríaco viu-se face a face com Gavrilo Princip", o assassino sérvio.

O assassinato detonou uma reação em cadeia. Citando novamente o documentário da PBS: "Em 28 de julho de 1914, a Áustria declarou guerra à Sérvia. Mas uma guerra entre a Áustria e a Sérvia significava guerra entre a Áustria e a Rússia. Isso significava guerra entre a Rússia e a Alemanha. E isso significava guerra entre a Alemanha e a França. E isso significava guerra entre a Alemanha e a Grã-Bretanha. Num átimo, todo o continente estava em guerra."

O "Efeito Borboleta" é citado por James Gleick em *Chaos* (Penguin, 1987, p. 8). E à página 23, Gleick cita também uma versão bem mais antiga do mesmo conceito, provinda das cantigas de roda:

Por falta de um prego, a ferradura se perdeu.
Por falta de uma ferradura, o cavalo se perdeu.
Por falta de um cavalo, o cavaleiro se perdeu.
Por falta de um cavaleiro, a batalha se perdeu.
Por falta de uma batalha, o reino se perdeu!

O dia 9 de Av não é apenas uma triste tradição do povo judeu. Foi em 9 de Av que o Templo foi destruído (primeiro em 586 a.C. e novamente em 70 d.C.). Foi também nessa data que os judeus foram expulsos da Inglaterra (em 1290) e da Espanha (em 1492). E foi nesse dia que as câmaras de gás de Treblinka entraram em operação, em 1942, iniciando o Holocausto. Maiores detalhes podem ser encontrados no livro de Aryeh Kaplan, *Handbook of Jewish Thought* (Maznaim, 1979, vol. II, pp. 339-340).

Alguns historiadores sugerem que os nazistas escolheram esse dia deliberadamente: "As expulsões em massa de Varsóvia começaram em 22 de julho de 1942, véspera do 9 de Av. No dia seguinte, 9 de Av, as câmaras de gás de Treblinka começaram a operar. Organizar tais ações num melancólico feriado judaico não foi uma coincidência. Os nazistas estudaram o calendário judaico e muitas vezes programaram as ações mais destrutivas [para tais datas]. Em dois meses, 300.000 judeus tinham sido enviados para a morte", afirma Nora Levin em *The Holocaust* (Schocken Books, 1973, p. 318).

De acordo com o Talmude, Deus amaldiçoou aquele dia porque foi nele que, em tempos bíblicos, os primeiros batedores enviados por Moisés à Terra Prometida voltaram com "más notícias", dizendo aos antigos israelitas que não poderiam conquistá-la.

"Ariel" é o antigo nome de Jerusalém, usado no primeiro alerta do apocalipse em Isaías 29:1-2.

A paradoxal citação do Talmude sobre a coexistência de livre-arbítrio e presciência provém do Mishnah Avot 3:15, e é atribuída ao Rabino Akiva.

Em hebraico, o nome "Jacó" (que significa "ele evitará" e "ele adiará") também quer dizer "ele seguirá", especificamente a pista ou mesmo a sombra, como um detetive. Assim, o nome do patriarca bíblico sugere que ele está de algum modo zelando por seu povo. O nome Jacó foi-lhe dado após um misterioso combate corpo-a-corpo com um visitante noturno não-identificado (Gênesis 32:25-29) e tornou-se o nome do país, "Israel". Em hebraico, "Israel" significa "aquele que luta com Deus". A própria Bíblia (Gênesis 32:29) assim explica o novo nome de Jacó: "De ora em diante já não te chamarás Jacó, e sim Israel, pois lutaste com Deus e com os homens, e venceste."

Os três dias de conflito iniciados em 25 de setembro de 1996 foram noticiados em todo o mundo. O relato feito aqui baseou-se nas reportagens do *New York Times* e do *Jerusalem Post*. O túnel arqueológico sob o Monte do Templo, em Jerusalém, conecta os locais sagrados de três religiões: o Muro das Lamentações, o Domo da Rocha e a Via Dolorosa (o caminho que Jesus teria percorrido até o Calvário).

A palavra "anexados", que aparece duas vezes junto com "holocausto de Israel", é utilizada pelas autoridades israelenses para descrever os únicos dois territórios capturados na Guerra dos Seis Dias, em 1967, que se tornaram formalmente parte do Estado de Israel: as Colinas de Golan e Jerusalém Leste. As Colinas de Golan pertenciam à Síria, que ainda as reivindica e recentemente posicionara tropas de elite à sua volta. Jerusalém Leste era parte da Jordânia e é reivindicada pelos palestinos como a capital de sua pátria.

O nome "Arafat" aparece apenas duas vezes, sem quaisquer saltos, no texto original da Bíblia; numa delas, aparece junto com o único encontro das duas expressões bíblicas do "Fim dos Dias". Na verdade, encontra-se diretamente abaixo daquela frase, contra probabilidades altíssimas. Além disso, as palavras que seguem seu nome no texto oculto são: "Lembrem-se! Não esqueçam a confirmação do Tempo Final."

O "exílio de Ismael" é predito basicamente no Zohar, um antigo comentário que faz parte do chamado "Midrash oculto", o qual revela os segredos que não são enunciados abertamente na Torah. No Zohar, há diversas referências a um futuro tempo de guerra em Israel no "Fim dos Dias", antes da vinda do Messias. No Zohar Gênesis 1:19A, afirma-se que "os filhos de Ismael se prepararão para erguer todas as nações do mundo contra Israel". Também afirma, contudo, que Israel poderia ser salvo do ataque.

A história de Isaac e Ismael, os dois filhos de Abraão, é contada no capítulo 21 do Gênesis. A mãe de Ismael era uma escrava, Agar, a egípcia. Quando Isaac nasceu, sua mãe, Sara, disse a Abraão: "Expulsa esta escrava e seu filho, pois o filho de uma escrava não será herdeiro com meu filho Isaac" (Gn 21:10). Quando Ismael nascera, as palavras abertas da Bíblia pareciam predizer a batalha que estava por vir: "Este menino será indomável como um jumento selvagem; sua mão se levantará contra todos e a mão de todos contra ele" (Gn 16:12).

O aperto de mãos no meio da noite entre Netanyahu e Arafat, em 15 de janeiro de 1997, foi registrado pelo *New York Times* daquele mesmo dia. Dois dias antes, quando se tornaram conhecidas as primeiras notícias sobre o acordo, aquele jornal informara: "As autoridades norte-americanas não têm a ilusão de que o acordo de Hebron irá evitar novas crises e confrontos, em vista da profunda e mútua desconfiança e aversão entre o conservador governo de Israel e o Sr. Arafat. Espera-se que as futuras retiradas e as questões ainda a ser negociadas — Jerusalém, fronteiras, assentamentos judaicos — venham a avivar tantas paixões e crises quanto o caso de Hebron, ou até mais. Os colonos judeus militantes fatalmente verão a retirada de Hebron como uma traição. Entre os palestinos, os grupos islâmicos radicais poderão tentar usar novamente o terror para frustrar os acordos."

A série de acontecimentos de março de 1997 foi aqui relatada com base nas reportagens do *New York Times* e do *Jerusalem Post*. O trecho da carta do rei Hussein a Netanyahu foi extraído de um artigo do *New York Times* de 12 de março de 1997. A bomba suicida de 21 de março foi noticiada no *New York Times* do dia seguinte.

A frase de Richard P. Feynman foi extraída de seu livro *Six Easy Pieces*

(Helix, 1995, p. 135). E à página 136, ele também afirma acreditar que o Princípio da Incerteza está relacionado com todas as coisas e que, portanto, "no momento presente devemos nos limitar a computar as probabilidades".

Feynman diz ainda que não acredita que um dia venhamos a "compreender esse quebra-cabeça": "Ninguém jamais encontrou (ou sequer pensou em encontrar) um meio de contornar o Princípio da Incerteza. Por isso, devemos assumir que ele descreve uma característica básica da natureza" (*Six Easy Pieces*, pp. 136 e 132).

Por mero acaso, eu estava lendo o livro de Feynman quando voei até Israel e soube que Netanyahu programara a viagem para a Jordânia no dia exato predito pelo código da Bíblia. Quando aquela viagem foi subitamente adiada, percebi que o grande físico tinha razão: não podemos ter certeza do que acontecerá, só podemos afirmar probabilidades.

Na *New York Times Magazine* de 29 de setembro de 1996 (pp. 143 e segs.), o escritor científico Timothy Ferris afirmara que a física quântica "continua a ser um ramo extremamente bem-sucedido da ciência". Seu artigo intitulava-se "O estranho faz sentido".

O Prêmio Nobel Gabriel García Márquez, no romance *Cem Anos de Solidão*, fala da descoberta de um manuscrito que revelava a história da família Buendía com "cem anos de antecedência". Do modo como o descreve, García Márquez parece ter imaginado, em menor escala, a verdadeira natureza da Bíblia e de seu código. O autor do manuscrito "não pusera os acontecimentos na ordem do tempo convencional humano, mas concentrara um século de episódios cotidianos de tal modo que eles coexistiam num só instante". Pensei nele quando Rips me disse que todo o código da Bíblia tinha sido escrito de uma só vez, num único momento.

Meu primeiro encontro com o rabino Adin Steinsaltz teve lugar em seu escritório, em Jerusalém, no dia 30 de junho de 1992, dois dias após eu ter conhecido Eli Rips. Encontrei-me várias vezes com Steinsaltz nas minhas muitas visitas a Israel. No primeiro encontro e em ocasiões posteriores, discutimos a verdadeira natureza do tempo e o modo como ele pode ser revelado pela reversão dos tempos verbais na Torah. Steinsaltz disse-me que, embora a afirmação do futuro como passado e do passado como futuro seja uma característica única da Bíblia, não existem comentários mais extensos sobre essa reversão dos tempos verbais.

Steinsaltz foi quem me indicou Isaías 41:23, o versículo da Bíblia que especificamente relaciona a visão do futuro com o "dizer as coisas de trás para a frente". Foi somente anos mais tarde que descobri, por mim mesmo, que aquele versículo, lido às avessas, afirmava o ano do holocausto que nos ameaçava, "5756".

Rips calculou as probabilidades de que todos os perigos apocalípticos afirmados no código combinassem com uma única expressão do ano 2006 — "em 5756" — em cerca de mil para um. Ele concordou que era "admirável" que aquele ano, dentre outros 120, combinasse singularmente com todos os perigos verificados — "o Fim dos Dias", "Guerra Mundial", "holocausto atômico", "holocausto de Israel" e "grande terremoto". Rips também concordou que era "surpreendente" que as várias expressões dos anos 2000 e 2006 também combinassem com os mesmos perigos, mas disse que não havia meios claros de efetuar uma mensuração matemática.

— Podemos estar certos de que não é randômico, de que foi intencionalmente codificado — disse Rips. — Mas não podemos estar certos de que isso significa que o perigo é real.

A data do primeiro ataque dos mísseis Scud, 18 de janeiro de 1991, foi noticiada no *New York Times* e confirmada no *Facts on File Yearbook 1991*, p. 28. Oito mísseis Scud foram disparados contra Israel por volta das 2 horas da madrugada do dia 18 de janeiro (hora de Israel). Dois atingiram Tel-Aviv. Três caíram perto de Haifa. Três caíram em campo aberto. Jerusalém não foi atingida. Os Estados Unidos tinham lançado o Desert Storm, iniciando a Guerra do Golfo, no dia anterior, 17 de janeiro de 1991.

"O código salvará", as palavras que aparecem acima de "holocausto atômico" e abaixo de "o Fim dos Dias", tem também uma segunda tradução em hebraico: "códigos de Moisés".

O Êxodo 2:10 conta como Moisés recebeu seu nome. De acordo com a Bíblia, ele nasceu no Egito nos dias em que o faraó decretara que todos os bebês judeus do sexo masculino fossem mortos. Para salvá-lo, sua mãe construiu uma pequena Arca e lançou-a ao Nilo. A filha do faraó encontrou o menino quando foi banhar-se no rio e adotou-o como filho:

"E ela o chamou de Moisés, e disse: 'Porque tirei-o das águas'."

Em hebraico, trata-se de um jogo de palavras. Segundo o respeitado dicionário Alcalay (Massada, 1990, p. 1517), "Moisés" realmente significa "retirar (da água), livrar, resgatar".

Epílogo

A afirmação de Jonathan Schell, "Somos forçados, neste caso, a nos transformar em historiadores do futuro", aparece à p. 21 de *The Fate of the Earth*.

NOTAS DAS ILUSTRAÇÕES

Os nomes e acontecimentos codificados na Bíblia estão expressos na mesma língua hebraica que aparece no texto aberto da Bíblia e que é usada pelos israelenses de hoje.

Os anos codificados na Bíblia são os do antigo calendário judaico, que começa nos tempos bíblicos, 3.760 anos antes da Era Cristã. Os anos equivalentes, no nosso calendário moderno, também são indicados em todas as listagens do código da Bíblia.

Os nomes de pessoas e lugares foram tirados de fontes de referência padrão, tais como a Enciclopédia Hebraica. A grafia em hebraico dos eventos mais atuais é aquela usada pelos jornais de Israel.

A tradução de todas as codificações foi confirmada pelo respeitado dicionário hebraico-inglês R. Alcalay (Massada, 1990) e pelo dicionário mais completo e conceituado da língua hebraica, A. Even-Shoshan (Kiryat Sefer, 1985). E todo o material do código da Bíblia aqui citado foi verificado por tradutores israelenses que trabalharam comigo durante os cinco anos desta pesquisa.

Muitas das mais importantes listagens do código da Bíblia reproduzidas neste livro foram vistas e confirmadas pelo Dr. Rips. A tradução do material referente ao assassinato de Rabin também foi confirmada pelo rabino Adin Steinsaltz, principal tradutor de antigos textos hebraicos.

Estatísticos confirmaram que todo o material do código da Bíblia mostrado neste livro foi codificado de uma maneira que está além do mero acaso. Provou-se que as combinações de palavras não eram randômicas.

As estatísticas foram calculadas automaticamente pelos computadores, de acordo com o modelo matemático projetado por Rips e Witztum, e validadas por revisores técnicos independentes.

O computador avalia os emparelhamentos das palavras, usando dois testes — quão próximas aparecem uma da outra, e se os saltos que soletram as palavras buscadas são os mais curtos existentes no texto da Bíblia. (Para uma explicação mais detalhada, ver Apêndice.)

Embora a língua hebraica seja escrita da direita para a esquerda, as palavras estão codificadas em ambas as direções e, como num problema de palavras cruzadas, também para cima e para baixo.

Às vezes o texto original da Bíblia, com apenas quebras levemente diferentes entre as letras existentes, revela informações precisas sobre os acontecimentos do mundo moderno. Neste livro, tal fato é chamado de "texto oculto". Podemos usar as palavras ocultas codificadas junto com "Watergate" para mostrar como isso funciona.

O texto aberto do quarto livro da Bíblia, Números 3:24, refere-se a um clã de uma das Doze Tribos de Israel, "o chefe da casa paterna dos gersonitas". Reproduzimos abaixo o texto hebraico original desse versículo:

| ׳ | נ | ו | ש | ר | ג | ל | ב | א | ת | י | ב | א | י | ש | נ |

O CHEFE DA CASA PATERNA DOS GERSONITAS

Contudo, a mesma palavra que no hebraico bíblico significava "chefe" ou "dirigente" quer dizer, no hebraico moderno, "presidente". É a palavra usada pelos israelenses de hoje para designar o "presidente Clinton" ou seu próprio "presidente Weizmann".

E, com uma mínima mudança na quebra entre estas palavras, as mesmas letras de Números 3:24 formam uma sentença inteiramente nova: "Presidente, mas foi expulso". Reproduzimos abaixo o original hebraico com essa modificação:

| ש | ר | ג | ל | ב | א | ת | י | ב | א | י | ש | נ |

PRESIDENTE, MAS FOI EXPULSO

Desse modo, na única vez em que "Watergate" está codificado na Bíblia, aparece no mesmo trecho em que o texto oculto descreve a renúncia forçada de Nixon. As palavras na Bíblia são exatas. "Watergate", "presidente" e "expulso" foram as expressões usadas pelos jornais israelenses ao noticiar a queda de Nixon.

Em alguns casos, o código da Bíblia usa uma forma condensada do hebraico, tal como se poderia esperar de um código. E o código da Bíblia, tal como a própria Bíblia, às vezes omite consoantes que costumam ser usadas no hebraico moderno, principalmente o *Vav* e o *Yud*.

Todas as listagens do código da Bíblia mostradas neste livro são citadas abaixo, com os números dos capítulos e versículos da Bíblia, mostrando em que trecho as palavras estão codificadas. Todas as listagens que diferem, mesmo que minimamente, da língua hebraica comum, ou que exigem maiores explicações para benefício das pessoas que não lêem hebraico, são detalhadas.

Capítulo 1: O Código da Bíblia

• "Yitzhak Rabin" está codificado começando no Deuteronômio 2:33 e terminando no Deuteronômio 24:16. É a única vez que seu nome completo aparece codificado na Bíblia. "Assassino que assassinará" aparece no Deuteronômio 4:42, e "assassinará" cruza o nome de Rabin. É a única vez que essas palavras aparecem juntas na Bíblia. [p. 14]

• "Yitzhak Rabin", como foi dito, aparece no Deuteronômio 2:33 a 24:16. O "nome do assassino que assassinará" aparece no Deuteronômio 4:42. O nome do assassino de Rabin, "Amir", aparece em Números 35:11, e o texto aberto do mesmo versículo novamente inclui as palavras "nome do assassino". [p. 15]

• "Assassinato de Rabin" está codificado do Êxodo 36:37 ao Levítico 22:5. O ano em que ele foi morto aparece no Êxodo 39:3-4, cruzando tanto "assassinato de Rabin" quanto a cidade onde ocorreu o atentado, "Tel-Aviv". O nome da cidade está codificado do Êxodo 33:5 ao Levítico 4:9. [p. 16]

• "Fogo em 3 de Shevat", a data hebraica equivalente a 18 de janeiro de 1991, dia do primeiro ataque com mísseis Scud na Guerra do Golfo, está codificado no Gênesis 14:2-12. O nome do líder iraquiano, "Hussein", está codificado no Gênesis 14:9-14. As palavras "guerra" e "míssil", embora marcadas apenas uma vez na tabela, aparecem duas vezes, e o segundo "míssil" cruza "inimigo". [p. 19]

Na verdade, a seqüência completa do código afirma que "Hussein escolheu um dia". Tal frase está codificada no Gênesis 14:6-17, o mesmo capítulo da Bíblia no qual "fogo em 3 de Shevat" está codificado. Mas as duas frases são longas demais para caberem numa única listagem. A tradução literal das palavras codificadas seria "Hussein marcou um dia", como se ele tivesse feito um círculo à sua volta no calendário.

A grafia moderna do nome "Hussein" teria geralmente uma letra a mais, um *Vav*. Porém, a grafia codificada na Bíblia é uma forma alternativa aceita e consistente com o hebraico bíblico. A codificação de seu nome com a data foi claramente intencional; o ataque aconteceu de fato, tal como predito, no dia "3 de Shevat".

• "Yitzhak Rabin", como dito acima, aparece do Deuteronômio 2-33 ao Deuteronômio 24:16. [p. 26]

• "Assassino que assassinará", como dito acima, aparece no Deuteronômio 4:42. [p. 27]

• "Amir" aparece em Números 33:14-15. É a terceira maneira pela qual o nome do assassino está codificado junto com seu crime. [p. 28]

• "Clinton" está codificado começando no Gênesis 24:8 e terminando em Números 26:24. Seu nome é soletrado no código da Bíblia exatamente do modo como é grafado pela imprensa israelense. "Presidente" aparece conectado com "Clinton" em Números 7:2. É, mais uma vez, exatamente a palavra usada para designar o "Presidente" no moderno Israel. [p. 31]

• "Watergate" está codificado do Gênesis 28:21 a Números 19:18. "Quem é ele? Presidente, mas foi expulso", como explicado na introdução destas notas, aparece em Números 3:23-24. [p. 32]

• "Colapso econômico" está codificado do Êxodo 20:9 ao Deuteronômio 11:6. Aparece uma única vez em toda a Bíblia e o ano em que começou a Grande Depressão, 1929, surge no mesmo trecho. O ano hebraico equivalente, "5690", está codificado em Números 10:8. [p. 33]

- "Homem na Lua" está codificado de Números 19:20 a Números 27:1. "Nave espacial" o cruza, codificada em Números 22:25. [p. 34]

- "Shoemaker-Levy", o nome do cometa que atingiu Júpiter, está codificado começando no Gênesis 19:38 e terminando no Gênesis 38:19. A codificação de "Júpiter" vai do Gênesis 30:41 ao Gênesis 31:1. [p. 35]

- "Shoemaker-Levy" está novamente codificado em Isaías, de 25:11 a 27:4. "Júpiter" surge em Isaías 26:16. E a data em que o cometa colidiu com o planeta, o dia "8 de Av", aparece em Isaías 26:20. [p. 36]
  Há duas maneiras de escrever "Júpiter" em hebraico, e ambas estão codificadas junto com o nome do cometa que o atingiu. A primeira grafia é uma transliteração de "Júpiter" e está codificada no Gênesis; apenas uma parte do nome é mostrada na listagem porque a tabela é demasiado grande para ser reproduzida na íntegra. A segunda grafia é o nome hebraico desse planeta, "Zedek", que está codificado em Isaías junto com a data da colisão.

- "Hitler" está codificado no Gênesis 8:19-21. É identificado como "nazista e inimigo" no Gênesis 8:17-18. É chamado de "homem mau" no Gênesis 8:21. "Massacre" surge no Gênesis 8:20. [p. 39]

- "Shakespeare" está codificado do Levítico 23:24 a Números 1:34. "Hamlet", no Levítico 3:13-14:27. "Macbeth" também começa no mesmo versículo da Bíblia, Levítico 3:13, e termina no Levítico 7:29. [p. 46]

- "Irmãos Wright" está codificado do Gênesis 30:30 ao Gênesis 43:14. "Avião" aparece no Gênesis 33:7-8. [p. 47]

- "Edison" está codificado de Números 14:19 a 17:19. "Lâmpada elétrica" aparece em Números 11:26-27; "eletricidade", em Números 13:1-2. [p. 47]

- "Newton" está codificado de Números 18:30 a Números 21:5. "Gravidade" cruza seu nome, codificada em Números 19:20. Em hebraico, a palavra que significa "gravidade" costuma vir precedida de "a força da", sem a qual quer dizer "atração" ou "arrasto". Mas, uma vez que está codificada junto com "Newton", o cientista que descobriu a força da gravidade, o sentido parece claro e a codificação, intencional. [p. 48]

• "Einstein" aparece uma vez na Bíblia, codificado do Êxodo 21:29 a Números 31:39. Tanto a palavra "ciência" como a afirmação sobreposta, "um novo e excelente entendimento", aparecem em Números 3:34 e cruzam o nome "Einstein". "Eles profetizaram uma pessoa inteligente" aparece em Números 11:26. [p. 48]

Capítulo 2: O Holocausto Atômico

• "Todo o seu povo para a guerra" aparece no Deuteronômio 2:32, logo acima de "assassino que assassinará", e esta frase, como dito acima, cruza "Yitzhak Rabin". [p. 52]

• "Holocausto de Israel" está codificado uma única vez na Bíblia, do Gênesis 49:17 ao Deuteronômio 28:64. O ano de "5756" aparece no Êxodo 17:2, única vez em que surge em qualquer parte do texto aberto da Bíblia sem quaisquer saltos. [p. 52]

• "Holocausto atômico" está codificado de Números 29:9 ao Deuteronômio 8:19. Só aparece essa única vez na Bíblia, e as probabilidades contra seu surgimento são de pelo menos 100 para 1. A expressão "em 5756" está codificada no Deuteronômio 12:15. [p. 53]

• "A próxima guerra" está codificada do Gênesis 36:15 a Números 12:8. "Será após a morte do primeiro-ministro" aparece no versículo logo acima, Gênesis 25:11. [p. 56]
Na mesma tabela em que "a próxima guerra" está codificada e no mesmo versículo que afirma "será após a morte do primeiro-ministro", encontram-se os nomes "Yitzhak" e "Rabin"; como a listagem completa desta tabela do código é grande demais para ser reproduzida aqui, vemos somente o primeiro nome do primeiro-ministro.

• "Artilharia líbia" está codificada do Êxodo 21:22 a Números 1:38. Aquela única presença do ano de "5756" (no Êxodo 17:2, junto com "holocausto de Israel") também coincide com esta expressão. [p. 60]

• O nome "Líbia" aparece três vezes junto com "holocausto atômico", uma vez cruzando estas palavras e duas outras vezes na mesma linha, todas três no Êxodo 34:6-7. A palavra hebraica que significa "destruição total" aparece duas vezes nesses mesmos versículos da Bíblia. Logo antes da primeira codificação de "Líbia" estão as palavras "foi explodido". Logo após a terceira codificação de "Líbia" estão as palavras "foram revelados". [p. 62]

• "Artilheiro atômico" está codificado do Deuteronômio 4:40 ao Deuteronômio 6:24. A abertura do primeiro versículo, Deuteronômio 4:40, afirma: "A fim de prolongares teus dias." Em hebraico, essas letras também formam "endereço, data". A aparente localização, "a Pisgah", cruza a segunda letra de "artilheiro atômico", no Deuteronômio 4:49. [p. 63]

Capítulo 3: "Todo o seu Povo para a Guerra"

• "Ônibus" está codificado de Números 9:2 a Números 14:35. "Bomba" ou "explosão" aparecem no mesmo trecho, codificadas em Números 10:23-24. "Jerusalém" cruza "ônibus", codificada em Números 11:1-4. O nome completo da cidade está codificado na Bíblia, mas a listagem é demasiado longa para ser aqui reproduzida na íntegra. [p. 68]

• "Ônibus" está codificado no Gênesis 34:7 a 35:5. "Eles viajarão, e haverá terror" aparece no último versículo, Gênesis 35:5, cruzando "ônibus". "Fogo, grande barulho" aparece no versículo anterior, Gênesis 34:4. [p. 69]

• "Primeiro-ministro Netanyahu" está codificado uma vez na Bíblia, do Êxodo 19:12 ao Deuteronômio 4:47. Cruzando seu nome aparece a palavra "eleito", codificada em Números 7:83. Seu apelido, "Bibi", está codificado no mesmo versículo. [p. 71]

• "Netanyahu" aparece sem quaisquer saltos no texto oculto do Deuteronômio 1:21, na mesma tabela em que "Yitzhak Rabin", "Amir", "nome do assassino" e "todo o seu povo para a guerra" também aparecem juntos (ver Capítulo 1). Logo acima de "Netanyahu", no texto oculto estão as palavras "para o grande horror". [p. 74]

• "A próxima guerra" está codificada do Gênesis 36:15 a Números 12:8. "Será após a morte do primeiro-ministro" aparece no versículo logo acima, Gênesis 25:11. Sobrepondo-se a estas palavras, codificada no mesmo versículo, está a frase "outro morrerá". [p. 78]

• "Primeiro-ministro Netanyahu" já foi citado acima. As palavras "certamente ele será morto", que cruzam seu nome, aparecem no Êxodo 19:2. "Sua vida será ceifada" surge no Êxodo 31:14. A palavra "assassinado" aparece duas vezes em Números 31:17. [p. 79]

Capítulo 4: O Livro Selado

• "No Fim dos Dias" aparece no texto aberto do Gênesis 49:1, que afirma: "E Jacó chamou seus filhos e lhes disse: 'Reuni-vos para que eu vos anuncie o que vos há de acontecer no Fim dos Dias'." O ano, "em 5756", está codificado do Gênesis 48:17 ao Gênesis 49:6. [p. 84]

O "Fim dos Dias" aparece quatro vezes nos cinco livros originais da Bíblia. Na Bíblia de Jerusalém, é traduzido como "os últimos dias" e "os dias do fim" (*the last days* e *the latter days*). Mas Kaplan observa que o sentido literal é "o fim dos dias" (*The Living Torah*, p. 245).

[N.T.: Nas traduções para o português, encontram-se também as expressões "nos dias vindouros" e "nos dias futuros".]

• "Guerra Mundial" está codificada uma vez na Bíblia, do Deuteronômio 4:28 ao Deuteronômio 17:4. "No Fim dos Dias" aparece no texto aberto da Bíblia logo acima, em Números 24:14. [p. 85]

• "Holocausto atômico", como já observamos, também aparece uma vez (Números 29:9 a Deuteronômio 8:19). Também neste caso, "no Fim dos Dias" aparece logo acima, no mesmo versículo que surge junto com "Guerra Mundial" (Números 24:14). [p. 86]

• A segunda expressão bíblica do "Fim dos Dias", que aparece somente no texto aberto de Daniel, está codificada do Deuteronômio 4:34 ao Deuteronômio 32:28. "Em 5756" está codificado logo acima, no Deuteronômio 1:25. [p. 87]

Em seu contexto bíblico original, esta expressão é sempre vista como a predição de um tumultuado tempo futuro, o apocalipse. Mas as últimas palavras de Daniel também são vistas como uma predição "dos dias do Messias".

• "Amir", o assassino de Rabin, está codificado na mesma seqüência de saltos do "Fim dos Dias", de Números 16:3 a Números 29:8. "Guerra" aparece no texto aberto do Deuteronômio 4:34, o versículo onde começa o "Fim dos Dias". [p. 89]

• As duas expressões bíblicas do "Fim dos Dias" aparecem juntas uma vez, no texto aberto do Deuteronômio 4:30, e codificadas de Números 28:9 ao Deuteronômio 19:10. Tanto "praga" quanto o apelo "Salvem!" aparecem no mesmo trecho em Números 14:37-38. [p. 90]

• "Foi feito por computador" está codificado no Êxodo 32:16-17, onde o texto aberto afirma: "E as tábuas eram obra de Deus, e a escrita nelas gravada era a escrita de Deus." [p. 93]

• "Código da Bíblia" está codificado do Deuteronômio 12:11 ao Deuteronômio 12:17. A palavra hebraica para "Bíblia" é *Tanakh*, que significa todo o Antigo Testamento. "Selado ante Deus" aparece no Deuteronômio 12:12. [p. 96]

• "Computador" está codificado em Daniel 12:4-6. O texto aberto de Daniel 12:4 afirma: "Quanto a ti, Daniel, guarda estas palavras em segredo, e conserva selado este livro até o fim dos tempos." [p. 96]

• "5757", o ano judaico equivalente a 1997, está codificado de Daniel 10:8 a Daniel 11:22. O ano ora em curso também aparece junto com as famosas palavras de Daniel 12:4: "Guarda estas palavras em segredo, e conserva selado este livro até o fim dos tempos." No mesmo trecho, em Daniel 11:13 e Daniel 11:40, aparecem duas vezes as mesmas palavras, que têm duas possíveis traduções: "para ti, o codificado" e "para ti, os segredos ocultos". [p. 101]

Capítulo 5: O Passado Recente

• "Guerra Mundial" está codificada do Deuteronômio 4:28 ao Deuteronômio 17:4. "Ele os atacará, para destruir, aniquilar" aparece no Deuteronômio 9:19, cruzando "Guerra Mundial". [p.104]

A palavra "segunda" está codificada logo acima de "Guerra Mundial", mas não foi incluída na listagem porque em hebraico o substantivo "guerra" é do gênero feminino e aqui o adjetivo aparece na forma masculina ("segundo"). Contudo, a intenção parece ser clara, porque o texto oculto completo afirma "segundo e terceiro", e aquela frase cruza "este mundo devastado, Guerra Mundial", que está soletrada numa única seqüência de saltos.

• "Roosevelt" está codificado uma vez na Bíblia, do Gênesis 40:11 ao Deuteronômio 9:1. É identificado como "presidente" em Números 25:18, e o texto oculto daquele mesmo versículo afirma, "Ele deu a ordem de atacar no dia da grande derrota". A última letra da palavra hebraica para "grande derrota" não aparece na listagem, porque tem uma coluna a mais de largura. [p. 104]

• "Holocausto atômico", como dito acima, está codificado de Números 29:9 ao Deuteronômio 8:19. O ano da bomba de Hiroshima, 1945 (ou "5705" no calendário judaico), aparece no Deuteronômio 8:19, cruzando as últimas letras de "holocausto atômico". "Japão" está codificado em Números 29:9. [p. 105]

• "Presidente Kennedy" está codificado uma vez na Bíblia, do Gênesis 34:19 ao Gênesis 50:4. A palavra seguinte na mesma seqüência de saltos, "morrer", está codificada do Gênesis 27:46 ao Gênesis 31:51. "Dallas" aparece no mesmo trecho, começando no Gênesis 10:7 e terminando no Gênesis 39:4. [p. 106]

• "Oswald" está codificado de Números 34:6 ao Deuteronômio 7:11. "Nome do assassino que assassinará" aparece no Deuteronômio 4:42, o mesmo versículo codificado junto com o assassinato de Rabin e o nome de seu assassino, Amir. [p. 106]

• "Ruby" está codificado no Deuteronômio 2:8, junto com "Oswald" e as palavras "ele matará o assassino", que aparecem em Números 35:19. [p. 107]

• "R. F. Kennedy" está codificado no Êxodo 26:21-22. No texto oculto desses versículos, entrelaçadas com seu nome, aparecem duas vezes as palavras "segundo dirigente será morto". O nome de seu assassino, "S. Sirhan", está codificado do Êxodo 19:18 ao Êxodo 29:13, cruzando o nome "Kennedy" no código. [p. 108]

- "Toledano" está codificado do Gênesis 31:39 ao Gênesis 42:34. Na única vez em que seu nome aparece, a seqüência completa do código soletra "cativeiro de Toledano" (do Gênesis 24:6 ao Gênesis 30:20). O nome da cidade, "Lod", aparece no Gênesis 39:14. As palavras "Não derramem sangue" aparecem no texto aberto do Gênesis 37:22, e a afirmação "ele morrerá" aparece no texto oculto do Gênesis 30:20. [p. 110]

- "Goldstein" está codificado do Gênesis 31:10 ao Levítico 25:16. "Homem da casa de Israel que massacrará" aparece cruzando seu nome no Levítico 17:3. O nome da cidade onde Goldstein cometeu o massacre, "Hebron", aparece em Números 3:19. [p. 111]

  O nome Goldstein geralmente se soletra com uma letra a mais, um *Vav* (representando a vogal "o"), mas esta é uma forma alternativa aceita, e coerente com o hebraico bíblico.

- "Oklahoma" está codificada do Gênesis 29:25 ao Gênesis 35:5. "Morte" cruza o nome da cidade que sofreu o atentado a bomba, no Gênesis 30:20. "Haverá terror" aparece no texto aberto do Gênesis 35:5, o último versículo no qual "Oklahoma" está codificada. [p. 114]

- "Murrah Building" está codificado do Gênesis 35:3 ao Gênesis 46:6. As palavras "desolados, massacrados" aparecem no Gênesis 35:3, cruzando o "M" de "Murrah". "Mortos, despedaçados" aparece no Gênesis 37:33, novamente cruzando o nome daquele edifício. [p. 115]

- "Seu nome é Timothy" está codificado no Gênesis 37:12-19, e "McVeigh" está codificado no Gênesis 37:8-9. [p. 116]

  Seu nome está codificado junto com o dia e a hora em que Timothy McVeigh foi acusado de ter explodido o Edifício Murrah na cidade de Oklahoma, matando 168 pessoas. Fazia exatamente "dois anos após a morte de Koresh", o líder de uma lunática seita religiosa. Aquelas palavras também estão codificadas junto com "McVeigh", mas não são mostradas na tabela, em menor escala, reproduzida neste livro.

Capítulo 6: O Armagedon

- Tanto "em 5760" quanto "em 5766" (os anos 2000 e 2006 do calendário moderno) estão codificados junto com "Guerra Mundial" no Deuteronômio 11:14-15. Os dois anos estão codificados nos mesmos versículos da Bíblia.

Eles se sobrepõem: "em 5766" é simplesmente "em 5760" com uma letra a mais. Não há meios de saber se a intenção era citar um deles ou ambos. Os dois combinam com "Guerra Mundial" contra probabilidades altíssimas, e ambos apresentam melhores combinações que qualquer outro ano. Nenhum outro ano aparece na tabela original da "Guerra Mundial" no código da Bíblia. Matematicamente, "em 5766" é uma combinação um pouco melhor, mas "em 5760" aparece uma segunda vez na mesma tabela, codificado em Números 28:5-6. [p. 122]

• "Holocausto atômico", tal como "Guerra Mundial", está codificado tanto com o ano 2000 quanto com o ano 2006. Ambos esses anos aparecem novamente no Deuteronômio 11:14-15. Também neste caso não há meios de saber a qual se pretendia referir. Ambos formam excelentes combinações matemáticas. Embora "5766" forme uma combinação ligeiramente melhor, esses dois anos são os únicos, dentre os próximos 120 anos, que combinam tanto com "holocausto atômico" quanto com "Guerra Mundial". [p. 123]

• "Terrorismo" está codificado junto com "Guerra Mundial" no Deuteronômio 3:13, e as palavras "guerra sem quartel" aparecem logo acima, no Deuteronômio 1:44. [p. 125]

• "Comunismo" está codificado uma única vez na Bíblia, do Gênesis 41:34 a Números 26:12. As palavras de conexão, "queda do", estão codificadas em Números 22:27-28. "Russo" está codificado no mesmo trecho, entre Números 26:12 e Números 34:2. A expressão "Na China" está codificada logo abaixo, no Deuteronômio 22:21, e "a seguir" aparece no mesmo versículo. [p. 126]

• "Arma atômica" está codificada uma vez no Livro de Isaías, do versículo 32:1 ao 65:18. "Jerusalém", "pergaminho" e "ele o abriu" aparecem no texto oculto desse último versículo (Isaías 65:18). Na verdade, tais palavras se sobrepõem umas às outras: o "m" de "atômica" é também o "m" de "Jerusalém" e o "m" de "Megillah" (a palavra hebraica para *pergaminho*); e sobrepondo-se a "pergaminho" estão as palavras "ele o abriu", que em hebraico também começam como o mesmo "m". Uma vez que as palavras abertas de Isaías afirmam que um "livro selado" será aberto, revelando os detalhes de um apocalipse praticamente descrito como um ataque atômico a Jerusalém, a codificação de "arma atômica" é claramente intencional, embora o hebraico moderno costume soletrá-la com uma letra a mais. [p. 129]

- "Ariel", o antigo nome de Jerusalém, aparece no texto oculto do Deuteronômio 4:28, onde começa a codificação de "Guerra Mundial". [p. 130]

- "Armagedon" está codificado do Gênesis 44:4 ao Êxodo 10:16, e o "holocausto de Asad" segue, na mesma seqüência de saltos, do Gênesis 30:6 ao Gênesis 41:57. A listagem do código para "Armagedon" usa as palavras hebraicas "Har Megiddo", que significam *Monte Megiddo*. Os estudiosos da Bíblia concordam que este nome hebraico é a origem da palavra "Armagedon" (o qual, na verdade, é uma transliteração grega do nome daquela localidade situada ao norte do Estado de Israel). A palavra "Armagedon" não aparece no texto aberto do Antigo Testamento, mas somente no Novo Testamento. [p. 131]

- "Síria" está codificada em Ezequiel 38:10-15, começando no versículo que afirma: "Virás de teu país nos confins do norte, seguido por muitas nações, uma grande horda, um poderoso exército." "Gog, terra de Magog" aparece no texto aberto de Ezequiel 38:2. [p. 132]

Capítulo 7: O Apocalipse

- O ano de 2113 está codificado do Deuteronômio 29:24 ao Deuteronômio 33:14. As palavras "vazia, despovoada, desolada" aparecem no Deuteronômio 33:14. "Para todos, o grande terror: fogo, terremoto" aparecem no texto oculto do último versículo da Bíblia original, Deuteronômio 34:12. [p. 136]

- "Grande terremoto" está codificado do Êxodo 39:21 ao Deuteronômio 18:17. Também aparece junto com o ano 2000 e o ano 2006. Nestes casos, sobrepõem-se uns aos outros, codificados no Levítico 27:23. "Em 5760" (equivalente ao ano 2000 no calendário judaico), contudo, aparece duas vezes, codificado no Êxodo 39:21. [p. 136]

- "Los Angeles" não está codificada na Bíblia, mas sua forma abreviada — "L. A. Calif." — está codificada duas vezes, no Levítico 23:10-12 e no

Gênesis 27:9-30. Contra altas probabilidades, "L. A. Calif." aparece junto com "grande terremoto" (do Êxodo 9:24 a Números 23:11) e novamente com "fogo, terremoto" (Gênesis 27:17). E ambas as codificações aparecem junto com o mesmo ano, 2010. Esse ano ("5770" no calendário judaico) está codificado junto com "grande terremoto" em Números 4:23. E "5770" na verdade se sobrepõe a "fogo, terremoto" no Gênesis 27:17. [p. 138]

• "China" aparece em Números 33:12 junto com "grande terremoto" e "em 5760" (citados acima). O ano do último grande terremoto ocorrido na China, 1976, está codificado no Levítico 27:24. [p. 140]

• "Kobe, Japão" está codificado de Números 5:14 ao Deuteronômio 1:7. Tanto "fogo, terremoto" quanto "o grande" aparecem no texto oculto do Deuteronômio 10:21. [p. 142]

• "Ano da praga" está codificado uma vez na Bíblia, do Êxodo 16:10 ao Deuteronômio 2:34. "Israel e Japão" aparecem no texto oculto do Êxodo 16:10, cruzando "ano da praga". [p. 143]

• "Japão" aparece no Levítico 14:18, junto com "grande terremoto". Os anos 2000 e 2006 aparecem logo abaixo, no Levítico 27:23. [p. 144]

• "Colapso econômico" está codificado uma vez na Bíblia, do Êxodo 20:9 ao Deuteronômio 11:6. "Terremoto atinge Japão" aparece logo abaixo, no texto oculto do Deuteronômio 31:18. [p. 144]

• "Dinossauro" está codificado uma vez na Bíblia, do Gênesis 36:14 ao Deuteronômio 30:14. "Dragão" cruza "dinossauro", codificados no Deuteronômio 4:25. O nome do dragão com quem, diz a Bíblia, Deus teria lutado, aparece no texto oculto do Deuteronômio 10:10, que afirma: "Ele atingirá Rahab." "Asteróide" cruza "dinossauro", codificados no Deuteronômio 24:19-21; uma letra não coube na listagem do código da Bíblia aqui reproduzida. [p. 146]

• "Swift" está codificado do Levítico 15:19 ao Levítico 23:29. O ano em que foi predito que este cometa voltará, 2126, está codificado no Levítico 24:5. "No sétimo mês ele veio" aparece no Levítico 23:39. "O sétimo mês" ordinariamente significaria o sétimo mês do calendário judaico, porém neste contexto parece ser uma afirmação de que o cometa virá em julho e, portanto, passará pela Terra sem atingi-la. [p. 147]

• "Cometa" está codificado do Levítico 18:20 ao Deuteronômio 27:1. O ano de 2006 está codificado no Levítico 27:23. "Ano predito para o mundo" aparece logo acima, no Levítico 25:46. [p. 150]

O ano 2012 também aparece junto com "cometa", no Deuteronômio 1:4. "Terra aniquilada" aparece logo acima, no Êxodo 34:10. Mas, junto com 2012, também no texto oculto do Deuteronômio 1:4 estão as palavras "Ele será fragmentado, eu o despedaçarei." [p. 151]

Capítulo 8: Os Dias Finais

• "Primeiro-ministro Netanyahu" está codificado uma vez, do Êxodo 19:12 ao Deuteronômio 4:47. "Julho para Amã" aparece sem quaisquer saltos no texto oculto do Levítico 26:12-13. Aparece uma única vez na Bíblia. [p. 153]

• "Adiado" aparece no Levítico 14:39, logo acima de "julho para Amã". [p. 154]

• "Adiado" aparece três vezes na mesma listagem junto com "primeiro-ministro Netanyahu", logo acima de "julho para Amã", sobrepondo-se a "sua vida foi ceifada" (no Êxodo 31:14) e cruzando "assassinado", que está codificado de Números 19:10 ao Deuteronômio 17:11. [p. 156]

• "A próxima guerra" está codificada uma vez na Bíblia, do Gênesis 36:15 a Números 12:8. "Outro morrerá, Av, primeiro-ministro" aparece no texto oculto do Gênesis 25:11, uma linha acima. [p. 157]

• "9 de Av é o dia da Terceira" aparece no texto oculto de Números 19:12, junto com "Guerra Mundial" e o antigo nome de Jerusalém, "Ariel". Na verdade, a listagem mostra a palavra "Terceiro", no masculino, e "guerra", em hebraico, é uma palavra do gênero feminino. Mas o dia "9 de Av" foi a data da primeira e da segunda destruição de Jerusalém e, como o código da Bíblia alerta que uma terceira Guerra Mundial poderia começar com a terceira destruição de Jerusalém nessa mesma data, a codificação é claramente intencional. E, mesmo sem a concordância, o hebraico é perfeito se descreve a "terceira" destruição de Jerusalém. [p. 159]

- "9 de Av, 5756" (a data, no calendário judaico, equivalente a 25 de julho de 1996) está codificado do Gênesis 45:27 ao Levítico 13:55. "Bibi" e "adiado" estão entrelaçados num texto oculto que afirma, "cinco futuros, cinco estradas", em Números 7:35. [p. 159]

- "Holocausto de Israel" está codificado uma vez, do Gênesis 49:17 ao Deuteronômio 28:64. O ano 2000 ("5760" no antigo calendário) o cruza, codificado no Êxodo 12:4. A expressão "Vocês adiaram" sobrepõe-se ao ano no texto oculto do Êxodo 12:4-5. [p. 162]

- "Eles adiaram o ano da praga" está codificado numa única seqüência de saltos do Gênesis 1:3 ao Deuteronômio 2:34. "Israel e Japão" o cruza no Êxodo 16:10. [p. 162]

- "Amigo adiou" aparece no texto oculto de Números 14:14, onde as palavras abertas predizem "o Fim dos Dias". Ambas as expressões aparecem logo acima de "Guerra Mundial". [p. 163]

- "Túnel" está codificado junto com a mesma seqüência de saltos de "holocausto de Israel", correndo paralelamente a este do Êxodo 17:2 a Números 14:36. [p. 165]

- "Ramallah" aparece em Números 32:25, cruzando "holocausto atômico" (de Números 29:9 ao Deuteronômio 8:19). O texto oculto completo afirma: "Ramallah cumpriu uma profecia". [p. 165]

- "Anexados" aparece duas vezes junto com "holocausto de Israel", no Levítico 13:2 e no Levítico 27:15. [p. 166]

- "Arafat" aparece no Deuteronômio 9:6, logo acima de "no Fim dos Dias" (Deuteronômio 4:30), a única vez em que estas palavras aparecem no texto aberto da Bíblia junto com a segunda expressão bíblica do "Fim dos Dias", codificado de Números 28:9 ao Deuteronômio 19:10. [p. 166]

- "Eles contaram o futuro às avessas" aparece em Isaías 41:23, e esta expressão também pode ser traduzida como "Revelai as coisas que acontecerão mais tarde" ou "Revele as letras de trás para a frente". O ano de "5756" (1996 no moderno calendário) aparece de trás para a frente no mesmo versículo de Isaías. "Eles mudaram o tempo" sobrepõe-se ao ano, também soletrado de trás para a frente em Isaías 41:23. [p. 171]

• "O código salvará" aparece em Números 26:64, logo acima de "holocausto atômico" e logo abaixo de "no Fim dos Dias" (Números 24:14). Em hebraico, as mesmas letras que formam "o código salvará" também formam "códigos de Moisés". [p. 176]

Notas dos Capítulos

• "Código da Bíblia" está codificado do Gênesis 41:46 a Números 7:38. Neste caso, a palavra hebraica usada para "Bíblia" é *Torah* — o nome dos cinco primeiros livros do Antigo Testamento que, segundo a Bíblia, Deus ditou a Moisés. A mesma palavra que significa "código" também é um verbo, de modo que a frase completa poderia ser lida como "Ele codificou a Torah, e mais". As palavras adicionais "e mais" aparecem de Números 20:20 ao Deuteronômio 28:8. [p. 181]

• "Código da Bíblia" está também codificado do Deuteronômio 12:11 ao Deuteronômio 12:17. Neste caso, a palavra hebraica usada para "Bíblia" é *Tanakh*, que significa todo o Antigo Testamento. "Selado ante Deus" aparece no Deuteronômio 12:12. [p. 182]

APÊNDICE

APÊNDICE

O experimento original que provou a existência do código da Bíblia foi publicado num boletim especializado norte-americano, *Statistical Science*, órgão de divulgação do Instituto de Estatística Matemática (vol. 9, nº 3), em agosto de 1994, pp. 429-438.

O editor do boletim, Robert E. Kass, da Universidade Carnegie-Mellon, afirmou em nota introdutória: "Nossos avaliadores ficaram perplexos; suas crenças anteriores os faziam pensar que seria impossível o Livro do Gênesis conter referências significativas a indivíduos dos tempos modernos e, no entanto, quando os autores realizaram análises e verificações adicionais, o efeito persistiu."

Nos quase três anos que se passaram desde que o ensaio Rips-Witztum-Rosenberg foi publicado, ninguém submeteu qualquer refutação ao boletim matemático.

Seqüências Alfabéticas Eqüidistantes no Livro do Gênesis

DORON WITZTUM, ELIYAHU RIPS E YOAV ROSENBERG

Sinopse: Observou-se que quando o Livro do Gênesis é escrito como séries bidimensionais, seqüências alfabéticas eqüidistantes formando palavras com sentidos correlatos aparecem freqüentemente em estreita proximidade. Desenvolveram-se ferramentas quantitativas para mensurar este fenômeno. A análise de randomização mostra que o efeito é significante ao nível de 0.00002.

Palavras-chave: Gênesis, seqüências alfabéticas eqüidistantes, representações cilíndricas, análise estatística.

1. INTRODUÇÃO

O fenômeno discutido neste ensaio foi descoberto há muitas décadas pelo rabino Weissmandel. ① Ele encontrou alguns padrões interessantes no Pentateuco hebraico (os Cinco Livros de Moisés), consistindo de palavras ou frases expressas na forma de seqüências alfabéticas eqüidistantes (SAEs) — ou seja, através da seleção de seqüências de letras igualmente espaçadas no texto.

Por impressionantes que parecessem tais padrões, não havia um meio rigoroso de determinar se aquelas ocorrências não se deveriam meramente à imensa quantidade de combinações de palavras e expressões que podem ser construídas buscando-se progressões aritméticas no texto. O propósito da pesquisa aqui reportada é estudar o fenômeno de modo sistemático. O objetivo é esclarecer se o fenômeno em questão é real, ou seja, se ele pode ou não ser explicado puramente com base em combinações fortuitas.

Eliyahu Rips é Professor Adjunto de Matemática na Hebrew University of Jerusalem, Givat Ram, Jerusalém 91904, Israel. Doron Witztum e Yoav Rosenberg fizeram sua pesquisa no Jerusalem College of Technology, 21 Havaad Haleumi St., P.O.B. 16031, Jerusalém 91160, Israel.

A abordagem que adotamos nesta pesquisa pode ser ilustrada pelo seguinte exemplo. Suponhamos que temos um texto escrito em algum idioma estrangeiro que não compreendemos. Perguntam-nos se o texto é significativo (naquele idioma estrangeiro) ou insignificativo. Evidentemente é muito difícil decidirmos entre essas possibilidades, uma vez que não compreendemos aquele idioma. Suponhamos agora que estamos equipados com um dicionário muito parcial, que nos permite reconhecer uma pequena porção das palavras do texto: "martelo" aqui e "cadeira" acolá, e talvez "guarda-chuva" em outro lugar. Poderemos agora decidir entre as duas possibilidades?

Ainda não. Mas suponhamos agora que, com a ajuda do dicionário parcial, podemos reconhecer no texto um par de palavras conceitualmente correlatas, como "martelo" e "bigorna". Verificamos se há uma tendência para aparecerem no texto em "estreita proximidade". Se o texto é insignificativo, não esperamos ver tal tendência, uma vez que não há razão para que ela ocorra. A seguir, ampliamos nossa verificação; talvez identifiquemos alguns outros pares de palavras conceitualmente correlatas: como

D. Witztum, E. Rips e Y. Rosenberg

"cadeira" e "mesa" ou "chuva" e "guarda-chuva". Temos assim uma amostra de tais pares, e verificamos a tendência de cada par para aparecer no texto em estreita proximidade. Se o texto é insignificativo, não há razão para esperarmos tal tendência. Contudo, uma forte tendência de tais pares para aparecerem em estreita proximidade indica que o texto talvez seja significativo.

Notemos que mesmo em um texto absolutamente significativo não esperamos que, deterministicamente, todos esses pares mostrem tal tendência. Notemos também que ainda não decodificamos o idioma estrangeiro do texto; não reconhecemos sua sintaxe e não somos capazes de ler o texto.

Esta é nossa abordagem na pesquisa descrita no ensaio. Para testarmos se as SAEs de um dado texto podem conter "informações ocultas", escrevemos o texto na forma de séries bidimensionais e definimos a distância entre as SAEs de acordo com a métrica euclidiana bidimensional ordinária. Então verificamos se as SAEs que representam palavras conceitualmente correlatas tendem a aparecer em "estreita proximidade".

Suponhamos que recebemos um texto, tal como o Gênesis *(G)*. Definimos uma seqüência alfabética eqüidistante (SAE) como uma seqüência de letras no texto cujas posições, sem contar os espaços, formam uma progressão aritmética; ou seja, as letras são encontradas nas posições

$$n, n + d, n + 2d,..., n + (k - 1)d.$$

Chamemos de *d* o *salto*, de *n* o *início* e de *k* o *comprimento* da SAE. Estes três parâmetros unicamente identificam a SAE, que é denotada *(n,d,k)*.

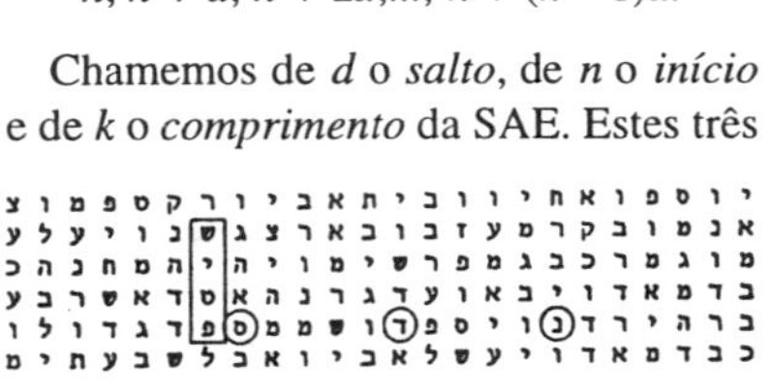

Escrevamos o texto como uma série bidimensional — ou seja, numa única página grande —, com linhas de igual comprimento, exceto talvez a última. Usualmente, então, uma SAE aparece como um conjunto de pontos sobre uma linha reta. Os casos excepcionais são aqueles em que a SAE "cruza" uma das margens verticais da série e reaparece na margem oposta. Para incluir esses casos em nosso arcabouço, podemos imaginar que as duas margens verticais da série estão coladas uma à outra, com o fim da primeira linha colado ao início da segunda, o fim da segunda colado ao início da terceira e assim por diante. Te-

Fig. 1

Fig. 2

Fig. 3

mos, desse modo, um cilindro sobre o qual o texto desce em espiral numa única e longa linha.

Observou-se que quando o Livro do Gênesis é escrito desse modo, as SAEs que formam palavras com sentidos correlatos aparecem freqüentemente em estreita proximidade. Na Figura 1, vemos o exemplo de פטיש (martelo) e סדן (bigorna); na Figura 2, צדקיהן (Sedecias) e מתניה (Matanias) — que era o nome original do rei Sedecias (Reis II, 24:17). Na Figura 3 vemos ainda o exemplo de החנוכה (o Chanucá) e חשמונאי (os hasmoneus) — e recordemos que os hasmoneus, uma família sacerdotal, lideraram a revolta contra os sírios e essa vitória é celebrada na festa do Chanucá.

Na verdade, pode-se esperar que as SAEs de palavras curtas, como as de פטיש (martelo) e סדן (bigorna), numa base probabilística geral, apareçam com freqüência próximas umas das outras em qualquer texto. No Gênesis, porém, o fenômeno persiste mesmo quando confinamos nossa atenção às SAEs mais "notáveis", ou seja, aquelas nas quais o salto |d| é *mínimo* ao longo de todo o texto ou de grandes partes dele. Assim, para פטיש (martelo) não há SAE com salto menor do que o mostrado na Figura 1, em todo o Gênesis; para סדן (bigorna), não há nenhuma numa seção do texto que compreende 71% de G; as outras quatro palavras são mínimas ao longo de todo o texto de G. Em face disso, não está claro se a ocorrência pode ou não ser atribuída ao acaso. Desenvolvemos aqui um método para testar a significância do fenômeno, segundo os princípios estatísticos aceitos. Após fazermos certas escolhas de palavras para serem comparadas e meios para mensurar a proximidade, efetuamos um teste de randomização e obtemos um valor p muito pequeno, ou seja, encontramos os resultados altamente significantes em termos estatísticos.

2. RESUMO DO PROCEDIMENTO

Nesta seção descrevemos o teste resumidamente. No Anexo, oferecemos detalhes suficientes para permitir que o leitor repita as computações com precisão e assim verifique sua correção. Os autores fornecerão, mediante pedido, a preço de custo, os disquetes contendo o programa utilizado e os textos G, I, R, T, U, V e W (ver Seção 3).

Testamos a significância do fenômeno em amostras de pares de palavras correlatas (tais como martelo/bigorna e Sedecias/Matanias). Para fazê-lo, precisamos efetuar os seguintes passos:

(i) definir a noção de "distância" entre duas palavras quaisquer, a fim de emprestar significado à idéia de palavras em "estreita proximidade";

(ii) definir as estatísticas que expressam quão próximas, "no todo", estão as palavras que compõem os pares da amostra (uma espécie de média da amostra toda);

(iii) escolher uma amostra de pares de palavras correlatas sobre a qual realizar o teste;

(iv) determinar se as estatísticas definidas em (ii) são "incomumente pequenas" para a amostra escolhida.

O passo (i) tem vários componentes. Primeiro, precisamos definir a noção de "distância" entre duas SAEs dadas numa série dada; para isso usamos uma conveniente variante da distância euclidiana ordinária. Segundo, há muitas maneiras de escrever um texto como série bidimensional, dependendo do comprimento da linha; precisamos selecionar uma ou mais dessas séries e, de algum modo, amalgamar os resultados (é claro que a seleção e/ou amalgamação devem ser efetuadas de acordo com regras sistemáticas claramente definidas). Terceiro, uma palavra dada pode ocorrer muitas vezes enquanto SAE num texto; também nesse caso, pede-se um processo de seleção e amalgamação. Quarto, precisamos corrigir fatores tais como comprimento e composição das palavras. Tudo isso é feito em detalhes nas Seções A.1 e A.2 do Anexo.

Enfatizamos que nossa definição de distância não é única. Embora existam certos princípios gerais (como a minimização do salto d), alguns dos detalhes podem ser efetuados de outras maneiras. Pensamos ser improvável que uma variação nesses detalhes afete substancialmente os resultados. Seja como for, escolhemos uma definição específica e em todo o trabalho usamos *apenas* ela; ou seja, a função $c(w, w')$ descrita na Seção A.2 do Anexo foi definida antes de qualquer amostra ser escolhida, e não sofreu quaisquer mudanças. [Observações similares aplicam-se a escolhas feitas na execução do passo (ii).]

A seguir, temos o passo (ii), medindo a proximidade total dos pares de palavras na amostra como um todo. Para isso, utilizamos duas estatísticas diferentes: P_1 e P_2 que são definidas e motivadas no Anexo (Seção A.5). Intuitivamente, cada uma delas mede a proximidade total de maneira diferente. Em cada caso, um valor pequeno de P_i indica que as palavras dos pares da amostra são, no todo, próximas uma da outra. Nenhuma outra estatística *jamais* foi calculada para a primeira, a segunda ou, na verdade, para qualquer amostra.

No passo (iii), identificando uma amostra apropriada de pares de palavras, esforçamo-nos para alcançar uniformidade e objetividade quanto à escolha dos pares e à relação entre seus elementos. Conseqüentemente, nossa amostra foi construída a partir de uma lista de personagens (p) e as datas [dia e mês do calendário judaico] (p') de sua morte ou nascimento. As personagens foram tiradas da *Encyclopedia of Great Men in Israel*. ②

De início, o critério para inclusão de uma personagem na amostra era simplesmente o fato de seu verbete conter pelo menos três colunas de texto e especificar a data de seu nascimento ou de sua morte. Obtivemos assim 34 personagens (ver a *primeira lista* — Tabela 1). A fim de evitarmos qualquer aparência concebível de testes ajustados aos dados, decidimos mais tarde usar uma nova amostra, sem mudar nenhum outro elemento. Isso foi feito considerando todas as personagens cujos verbetes contivessem entre meia coluna e três colunas de texto na *Encyclopedia*; obtivemos 32 personagens (ver a *segunda lista* — Tabela 2). O teste de significância foi realizado apenas na segunda amostra.

Notemos que os pares personagem-data (p, p') não são pares de palavras. Cada uma das personagens tem vários apelativos, existem variações na grafia de seus nomes e há diferentes maneiras de designar as datas. Assim, cada par personagem-data (p, p') corresponde a vários pares de palavras (w, w'). O método preciso utilizado para gerar uma amostra de pares de palavras a partir de uma lista de personagens é explicado no Anexo (Seção A.3).

As medidas de proximidade dos pares de palavras (w, w') resultam nas estatísticas P_1 e P_2. Conforme explicado no Anexo (Seção A.5), também utilizamos uma variante deste método, que gera uma amostra menor de pares de palavras a partir da mesma lista de personagens. Denotamos as estatísticas P_1 e P_2, quando aplicadas a essa amostra menor, por P_3 e P_4.

SEQÜÊNCIAS ALFABÉTICAS EQÜIDISTANTES NO LIVRO DO GÊNESIS

TABELA 1
A primeira lista de personalidades

Personagem	Nome	Data
1. The Ra'avad of Posquieres	רבי אברהם, הראב״ד	כ״ז כסלו, בכ״ז כסלו, כ״ז בכסלו
2. Rabbi Avraham, son of the Rambam	רבי אברהם	י״ח כסלו, בי״ח כסלו, י״ח בכסלו
3. Rabbi Avraham Ibn-Esra	רבי אברהם, אבן עזרא, בן עזרא, הראב״ע	א׳ אדר א׳, בא׳ אדר א׳, א׳ באדר א׳
4. Rabbi Eliyahu Bahur	רבי אליהו, הבחור, בעל הבחור	בי׳ שבט, י׳ בשבט
5. Rabbi Eliyahu of Vilna	רבי אליהו, הגאון	ט״ו ניסן, בט״ו ניסן, ט״ו בניסן י״ח ניסן, בי״ח ניסן, י״ח בניסן י״ט תשרי, בי״ט תשרי, י״ט בתשרי
6. Rabbi Gershon Ashkenazi	רבי גרשון, הגרשוני	י׳ אדר ב׳, בי׳ אדר ב׳, י׳ באדר ב׳
7. Rabbi David Gans	רבי דוד גנז, דוד גאנז, צמח דוד	ה׳ אלול, בה׳ אלול, ה׳ באלול
8. The Taz	רבי דוד הלוי, בעל הט״ז	כ״ו שבט, בכ״ו שבט, כ״ו בשבט
9. Rabbi Haim Ibn-Attar	רבי חיים, בן עטר, אבן עטר, אור החיים	ט״ו תמוז, בט״ו תמוז, ט״ו בתמוז י״ה תמוז, בי״ח תמוז, י״ח בתמוז
10. Rabbi Yehudah, son of the Rosh	רבי יהודה	י״ז תמוז, בי״ז תמוז, י״ז בתמוז
11. Rabbi Yehudah He-Hasid	רבי יהודה	י״ג אדר, בי״ג אדר, י״ג באדר
12. Maharal of Prague	רבי יהודה, רבי ליוא, המהר״ל, מהר״ל מפרג	י״ח אלול, בי״ח אלול, י״ח באלול
13. Rabbi Yehonathan Eybeschuets	רבי יונתן, איבשיץ, בעל התמים	כ״א אלול, בכ״א אלול, כ״א באלול
14. Rabbi Heshil of Cracow	רבי יהושע, רבי העשיל	כ׳ תשרי, בכ׳ תשרי, כ׳ בתשרי
15. The Sema	רבי יהושע, בעל הסמ״ע	י״ט ניסן, בי״ט ניסן, י״ט בניסן
16. The Bach	רבי יואל, סירקש, בעל הב״ח	בכ׳ אדר, כ׳ באדר
17. Rabbi Yom-Tov Lipman Heller		ר׳ אלול, בו׳ אלול, ו׳ באלול
18. Rabbenu Yonah	רבי יונה, רבנו יונה	ח׳ חשון, בח׳ חשון, ח׳ בחשון
19. Rabbi Yosef Caro	רבי יוסף, יוסף קרו, יוסף קארו, מהר״י קרו, מהר״י קארו, בית יוסף, המחבר	י״ג ניסן, בי״ג ניסן, י״ג בניסן
20. Rabbi Yeheskel Landa	בעל הצליח	י״ח חשון, בי״ח חשון, י״ח בחשון י״ז איר, בי״ז איר, י״ז באיר
21. The Pnei-Yehoshua	פני יהושע	כ״ח כסלו, בכ״ח כסלו, כ״ח בכסלו י״ד שבט, בי״ד שבט, י״ד בשבט
22. Rabbenu Tam	רבי יעקב, רבנו תם	ד׳ תמוז, בד׳ תמוז, ד׳ בתמוז
23. The Rif	רבי יצחק, אלפסי, רב אלפס	
24. The Besht	רבי ישראל, בעל שם טוב, הבעש״ט	י״ח אלול, בי״ח אלול, י״ח באלול
25. The Maharam of Rothenburg	רבי מאיר, המהר״ם	י״ט איר, בי״ט איר, י״ט באיר
26. The Levush	רבי מרדכי, מרדכי יפה, הלבוש, בעל הלבוש	ג׳ אדר ב׳, בג׳ אדר ב׳, ג׳ באדר ב׳
27. The Rema	רבי משה, איסרלש	י״ח איר, בי״ח איר, י״ח באיר
28. The Ramhal	לוצטו, לוצאטו, הרמח״ל	כ״ז איר, בכ״ז איר, כ״ז באיר
29. The Rambam	רבי משה, הרמב״ם	בכ׳ טבת, כ׳ בטבת י״ד ניסן, בי״ד ניסן, י״ד בניסן
30. Hacham-Zvi	רבי צבי, חכם צבי	א׳ איר, א׳ באיר
31. The Shach	רבי שבתי, שבתי כהן, שבתי הכהן, בעל הש״ך	א׳ אדר א׳, בא׳ אדר א׳, א׳ באדר א׳
32. Rashi	רבי שלמה	כ״ט תמוז, בכ״ט תמוז, כ״ט בתמוז
33. The Maharshal	רבי שלמה, לוריא, מהרש״ל, המהרש״ל	י״ב כסלו, בי״ב כסלו, י״ב בכסלו
34. The Maharsha	אידלש, מהרש״א, המהרש״א	ה׳ כסלו, בה׳ כסלו, ה׳ בכסלו

Finalmente chegamos ao passo (iv), o teste de significância em si. Ele é tão simples e direto que o descreveremos na íntegra imediatamente.

A segunda lista é formada por 32 personagens. Para cada uma das 32! permutações π dessas personagens, definimos a estatística P_1^π obtida permutando-se as personagens de acordo com π, de modo que a Personagem i combine com as da-

D. Witztum, E. Rips e Y. Rosenberg

Tabela 2
A segunda lista de personalidades

Personagem	Nome	Data
1. Rabbi Avraham Av-Beit-Din of Narbonne	רבי אברהם, הראב"ד, הרב אבי"ד, הראב"ד, האשכול	כ' חשון, בכ' חשון, כ' בחשון
2. Rabbi Avraham Yishaki	רבי אברהם, יצחקי, זרע אברהם	י"ג סיון, בי"ג סיון, י"ג בסיון
3. Rabbi Avraham Ha-Malakh	רבי אברהם, המלאך	י"ב תשרי, בי"ב תשרי, י"ב בתשרי
4. Rabbi Avraham Saba	רבי אברהם, אברהם סבע, צרור המר	
5. Rabbi Aaron of Karlin	רבי אהרן	י"ט ניסן, בי"ט ניסן, י"ט בניסן
6. Rabbi Eliezer Ashkenasi	מעשי השם, מעשי י/ה/ו/ה	כ"ב כסלו, בכ"ב כסלו, כ"ב בכסלו
7. Rabbi David Oppenheim	רבי דוד, אופנהיים	ז' תשרי, בז' תשרי, ז' בתשרי
8. Rabbi David Ha-Nagid	רבי דוד, דוד הנגיד	
9. Rabbi David Nieto	רבי דוד, דוד ניטו	כ"ח טבת, בכ"ח טבת, כ"ח בטבת
10. Rabbi Haim Abulafia	רבי חיים	ו' ניסן, בו' ניסן, ו' בניסן
11. Rabbi Haim Benbenest	רבי חיים, בנבנשת	י"ט אלול, בי"ט אלול, י"ט באלול
12. Rabbi Haim Capusi	רבי חיים, כפוסי, בעל נס, בעל הנס	י"ב שבט, בי"ב שבט, י"ב בשבט
13. Rabbi Haim Shabetai	רבי חיים חיים שבתי, מהרח"ש, המהרח"ש	י"ג ניסן, בי"ג ניסן, י"ג בניסן
14. Rabbi Yair Haim Bacharach	חות יאיר	בא' טבת, א' בטבת
15. Rabbi Yehudah Hasid	רבי יהודה	ה' חשון, בה' חשון, ה' בחשון
16. Rabbi Yehudah Ayash	רבי יהודה, מהר"י עיאש	א' תשרי, בא' תשרי, א' בתשרי
17. Rabbi Yehosef Ha-Nagid	רבי יהוסף	בט' טבת, ט' בטבת
18. Rabbi Yehoshua of Cracow	רבי יהושע, מגני שלמה	בכ"ז אב, כ"ז באב
19. The Maharit	רבי יוסף, מטרני, מהרימ"ט, מהר"ם טרני, טראני, מהרי"ט, המהרי"ט	י"ד תמוז, בי"ד תמוז, י"ד בתמוז
20. Rabbi Yosef Teomim	רבי יוסף, תאומים, פרי מגדים	בד' איר, ד' באיר
21. Rabbi Yakov Beirav	רבי יעקב, יעקב בירב, מהר"י בירב, הריב"ר	ל' ניסן, בל' ניסן, ל' בניסן
22. Rabbi Israel Yaakov Hagis	חגיגי, בעל הלק"ט	כ"ז שבט, בכ"ז שבט, כ"ז בשבט
23. The Maharil	רבי יעקב מולין, יעקב סג"ל, מהר"י הלוי, מהר"י סגל, מהר"י הלוי, המהרי"ל	כ"ב אלול, בכ"ב אלול, כ"ב באלול
24. The Yaabes	היעב"ץ, הריעב"ץ, עמדין, הר"י עמדין	ל' ניסן, בל' ניסן, ל' בניסן
25. Rabbi Yitshak Ha-Levi Horowitz	רבי יצחק, הורוויץ, יצחק הלוי	בו' איר, ו' באיר
26. Rabbi Menahem Mendel Krochmal	רבי מנחם, קרוכמל, רבי מענדל, צמח צדק	בב' שבט
27. Rabbi Moshe Zacuto	רבי משה, זכותא, זכותו, משה זכות, משה זכותא, זכותו, מהר"ם זכות, מהרמ"ז, המהרמ"ז, הסלו"ל, קול הרמ"ז	ט"ז תשרי, בט"ז תשרי, ט"ז בתשרי, י"ז תשרי, בי"ז תשרי
28. Rabbi Moshe Margalith	רבי משה, מרגלית, פני משה	י"ב טבת, בי"ב טבת, י"ב בטבת
29. Rabbi Azariah Figo	רבי עזריה	א' אדר א', בא' אדר א', א' באדר א'
30. Rabbi Immanuel Hai Ricchi	אי"ח הע"ה, ישר לבב	בא' אדר, א' באדר
31. Rabbi Shalom Sharabi	רבי שלום, מזרחי, שרעבי, שר שלום, מהרש"ש, המהרש"ש	בי' שבט, י' בשבט
32. Rabbi Shelomo of Chelm	רבי שלמה	כ"א תמוז, בכ"א תמוז, כ"א בתמוז

tas referentes à Personagem $\pi(i)$. Os 32! números P_1^π são ordenados, com suas possíveis ligações, segundo a ordem usual dos números reais. Se o fenômeno em estudo for devido ao acaso, será bastante provável que P_i ocupe qualquer um dos 32! lugares desta ordem, tal como qualquer outro. O mesmo ocorre para P_2, P_3 e P_4. Esta é nossa hipótese nula.

Para calcular os níveis de significância, escolhemos 999.999 permutações randômicas π das 32 personagens; o modo preciso no qual isto foi feito é explicado no Anexo (Seção A.6). Cada uma dessas permutações π determina uma estatística P_1^π, junto com P_1, temos assim 1.000.000 de números. Definimos a *ordem de classificação* de P_1 entre esses 1.000.000 de números como o número de P_1^π que não excede P_1; se P_1 está ligado a outro P_1^π, considera-se que metade desses outros "excede" P_1. Façamos ρ_1 ser a ordem de classificação de P_1, dividido por 1.000.000; na hipótese nula,

SEQÜÊNCIAS ALFABÉTICAS EQÜIDISTANTES NO LIVRO DO GÊNESIS

ρ_1 é a probabilidade de que P_1 se classifique tão baixo quanto de fato ocorre. Definimos ρ_2, ρ_3 e ρ_4 similarmente (usando as mesmas 999.999 permutações em cada caso).

Após calcular as probabilidades ρ_1 a ρ_4, precisamos tomar a decisão geral de aceitar ou rejeitar a hipótese de pesquisa. Ao fazê-lo, devemos evitar selecionar somente evidências favoráveis. Por exemplo, suponhamos que $\rho_3 = 0.01$, sendo o outro ρ_i mais alto. Existe neste caso a tentação de considerar apenas ρ_3 e assim rejeitar a hipótese nula ao nível de 0.01. Mas isso seria um erro; com estatísticas bastantes e suficientemente diversas, é bem provável que apenas por acaso alguma delas seja baixa. A questão correta é, "Na hipótese nula, qual é a probabilidade de que pelo menos um dos quatro ρ_i seja menor ou igual a 0.01?" Assim, denotando o evento "$\rho_i \le 0.01$" por E_i, precisamos encontrar a probabilidade não de E_3, mas de "E_1 ou E_2 ou E_3 ou E_4". Se os E_i fossem mutuamente exclusivos, essa probabilidade seria de 0.04; sobreposições apenas decrescem a probabilidade total, de modo que ela é, em qualquer caso, menor ou igual a 0.04. Assim, podemos rejeitar a hipótese nula no nível de 0.04, mas não no nível de 0.01.

De modo geral, para qualquer δ dado, a probabilidade de que pelo menos um dos quatro números ρ_i seja menor ou igual a δ é no máximo 4δ. Isso é conhecido como a desigualdade de Bonferroni. Assim, o nível total de significância (ou valor p), usando todas as quatro estatísticas, é $\rho_0 := 4 \min \rho_i$.

3. RESULTADOS E CONCLUSÕES

Na Tabela 3, listamos a ordem de classificação de cada um dos quatro P_i entre 1.000.000 de P_i^π correspondentes. Assim, o registro 4 para P_4 significa que, para precisamente 3 dentre as 999.999 permutações randômicas π, a estatística P_4^π era menor que P_4 (nenhuma era igual). Segue-se que min $\rho_i = 0.000004$, de modo que $\rho_0 = 4 \min \rho_i = 0.000016$. Os mesmos cálculos, usando as mesmas 999.999 permutações randômicas, foram efetuados para os textos de controle. Nosso primeiro texto de controle, R, foi obtido permutando-se aleatoriamente as letras de G (para detalhes, ver a Seção A.6 do Anexo). Depois que uma versão anterior deste ensaio foi distribuída, um dos leitores, proeminente cientista, sugeriu que utilizássemos como texto de controle o romance *Guerra e Paz*, de Tolstoi. Assim, utilizamos o texto T, que consiste do segmento inicial da tradução hebraica do *Guerra e Paz* de Tolstoi ③ — segmento esse com a mesma extensão de G. Fomos então solicitados por um dos avaliadores técnicos a realizar um experimento de controle em algum texto hebraico mais antigo. Esse avaliador também sugeriu que usássemos de duas maneiras a randomização nas palavras: no texto todo e dentro de cada versículo. Conseqüentemente, verificamos os textos I, U e W: o texto I é o Livro de Isaías ④; W foi obtido permutando-se aleatoriamente as palavras de G; U foi obtido a partir de G, permutando-se aleatoriamente as palavras dentro de cada versículo. Além disso, produzimos também o texto V, permutando aleatoriamente os versículos de G. (Para detalhes, ver a Seção A.6 do Anexo.) A Tabela 3 também apresenta os resultados desses cálculos. No caso de I, min ρ_i é aproximadamente 0.900; no caso de R, é 0.365; no caso de T, é 0.277; no caso de U, é 0.276; no caso de V, é 0.212; e no caso de W é 0.516. Assim, nos cinco casos $\rho_0 = 4 \min \rho_i$ excede 1, e no caso remanescente $\rho_0 = 0.847$; ou seja, o resultado é totalmente insignificativo, tal como se poderia esperar para os textos de controle.

TABELA 3
Ordem de classificação de P_i entre um milhão de P_i^π

	P_1	P_2	P_3	P_4
G	453	5	570	4
R	619,140	681,451	364,859	573,861
T	748,183	363,481	580,307	277,103
I	899,830	932,868	929,840	946,261
W	883,770	516,098	900,642	630,269
U	321,071	275,741	488,949	491,116
V	211,777	519,115	410,746	591,503

Concluímos que a proximidade de SAEs com sentidos correlatos no Livro do Gênesis não é devida ao acaso.

ANEXO: DETALHES DO PROCEDIMENTO

Neste Anexo descrevemos o procedimento com detalhes suficientes para permitir que o leitor repita com precisão as computações. Também apresentamos alguma motivação para as várias definições. Na Seção A.1, definimos uma mensuração "em bruto" da distância entre as palavras. A Seção A.2 explica como normalizamos essa mensuração em bruto a fim de corrigir fatores tais como o comprimento de uma palavra e sua composição (a freqüência relativa das letras que nela ocorrem). A Seção A.3 apresenta a lista de personagens p com suas datas p' e explica como a amostra dos pares de palavras (w, w') é construída a partir dessa lista. A Seção A.4 identifica o texto preciso do Gênesis que utilizamos. Na Seção A.5, definimos e motivamos as quatro estatísticas P_1, P_2, P_3 e P_4. Finalmente, a Seção A.6 apresenta os detalhes da randomização.

As Seções A.1 e A.3 são relativamente técnicas; para alcançar uma compreensão do processo, talvez seja aconselhável ler primeiro as demais partes.

A.1 A distância entre as palavras

Para definir a "distância" entre as palavras, precisamos primeiro definir a distância entre as SAEs que representam tais palavras; antes de fazê-lo, precisamos definir a distância entre as SAEs de uma série dada; e antes disso, precisamos definir a distância entre as letras individuais da série.

Conforme indicado na Seção 1, imaginamos uma série como uma longa linha que vai descendo em espiral sobre um cilindro; o *comprimento da linha*, h, é o número de colunas verticais. Para definir a distância entre duas letras x e x', seccionamos o cilindro ao longo de uma linha vertical entre duas colunas. No plano resultante, cada x e x' tem duas coordenadas em números inteiros, e computamos a distância entre elas como usualmente, usando tais coordenadas. Em geral, há dois valores possíveis para essa distância, dependendo da linha vertical que foi escolhida para cortar o cilindro; se os dois valores são diferentes, usamos o menor.

A seguir, definimos a distância entre as SAEs fixadas e e e' numa série cilíndrica fixada. Estabelecemos

$f :=$ a distância entre letras consecutivas de e

$f' :=$ a distância entre letras consecutivas de e'

$\ell :=$ a distância mínima entre uma letra de e e uma letra de e'

e definimos $\delta(e, e') := f^2 + f'^2 + \ell^2$. Chamamos $\delta(e, e')$ de *distância* entre as SAEs e e e' numa série dada; ela é pequena se ambas couberem numa área relativamen-

SEQÜÊNCIAS ALFABÉTICAS EQÜIDISTANTES NO LIVRO DO GÊNESIS

te compacta. Por exemplo, na Figura 3 temos $f = 1$, $f' = \sqrt{5}$, $\ell = \sqrt{34}$ e $\delta = 40$.

Ora, há muitas maneiras de escrever o Gênesis como uma série cilíndrica, dependendo do comprimento de linha h. Denotamos por $\delta_h(e, e')$ a distância $\delta(e, e')$ na série determinada por h, e estabelecemos $\mu_h(e, e') := 1/\delta_h(e, e')$; quanto maior for $\mu_h(e, e')$, tanto mais compacta será a configuração formada por e e e' na série com comprimento de linha h. Estabelecemos $e = (n, d, k)$ [lembrando que d é o salto] e $e' = (n', d', k')$. De interesse particular são os comprimentos de linha $h = h_1, h_2, ...$, onde h_i é o número inteiro mais próximo de $|d|/i$ [½ é arredondado para cima]. Assim, quando $h = h_1 = |d|$, então e aparece como uma coluna de letras adjacentes (como na Figura 1); e quando $h = h_2$, então e aparece ou como uma coluna que salta linhas alternadas (como na Figura 2) ou como uma linha reta com o movimento do cavalo no jogo de xadrez (como na Figura 3). Em geral, as séries em que e aparece de modo relativamente compacto são aquelas com comprimento de linha h_i, onde i "não é grande demais".

Definimos h'_i de modo análogo a h_i. A discussão acima indica que se há uma série na qual a configuração (e, e') é incomumente compacta, então é provável que ela esteja entre aquelas cujo comprimento de linha é um dos primeiros 10 h_i ou um dos primeiros 10 h'_i. (Aqui e na seqüência, 10 é um número "moderado" selecionado arbitrariamente.) Assim, estabelecendo

$$\sigma(e, e') := \sum_{i=1}^{10} \mu_{h_i}(e, e') + \sum_{i=1}^{10} \mu_{h'_i}(e, e'),$$

concluímos que $\sigma(e, e')$ é uma medida razoável da "compacidade" máxima da configuração (e, e') em qualquer série. De modo equivalente, é uma medida inversa da distância mínima entre e e e'.

A seguir, dada uma palavra w, buscamos a ocorrência ou ocorrências mais "notáveis" de w enquanto SAE em G. Para isso, escolhemos aqueles $e = (n, d, k)$ das SAEs com $|d| \geq 2$ que formam o w para o qual $|d|$ é mínimo em todo o G ou pelo menos em grandes partes dele. Especificamente, definimos o *domínio de minimalidade* de e enquanto segmento máximo T_e de G que inclui e e não inclui qualquer outro $\hat{e} = (\hat{n}, \hat{d}, \hat{k})$ da SAE para w com $|\hat{d}| < |d|$. Se e' é uma SAE para outra palavra w', então $T_e \cap T_{e'}$ é chamado *domínio de minimalidade simultânea* de e e e'; o comprimento deste domínio, relativo à totalidade de G, é o "peso" que alocamos ao par (e, e'). Assim, definimos $\omega(e, e') := \lambda(e, e')/\lambda(G)$, onde $\lambda(e, e')$ é o comprimento de $T_e \cap T_{e'}$ e $\lambda(G)$ é o comprimento de G. Para quaisquer duas palavras w e w', estabelecemos

$$\Omega(w, w') := \sum \omega(e, e')\sigma(e, e')$$

onde a soma é superior a todos os e e e' das SAEs que soletram w e w', respectivamente. Grosso modo, $\Omega(w, w')$ mede a proximidade máxima dos aparecimentos mais notáveis de w e w' enquanto SAEs no Gênesis — quanto mais próximas, maior é $\Omega(w, w')$.

Quando computando $\Omega(w, w')$, os tamanhos das listas de SAEs para w e w' podem ser impraticavelmente grandes (em especial no caso de palavras curtas). Está claro, a partir da definição do domínio de minimalidade, que as SAEs para w e w' com saltos relativamente grandes contribuirão muito pouco para o valor de $\Omega(w, w')$ devido ao seu pequeno peso. Por isso, a fim de reduzir a quantidade de computação, restringimos antecipadamente o âmbito do salto $|d| \leq D(w)$ para w, de modo que o número esperado de SAEs para w seja 10. Esse número esperado é igual ao produto das freqüências relativas (dentro do Gênesis) das letras que constituem w multiplicado pelo número total de todas as seqüências alfabéticas eqüidistantes com $2 \leq |d| \leq D$. [Este último é dado pela fórmula $(D-1)\{2L-(k-1)(D+2)\}$, onde L é o comprimento do texto e k é o número de letras em w.] A mesma restrição aplica-se também a w' com um limite $D(w')$ correspondente. Abusando um pouco de nossa notação, continuamos a denotar essa função modificada por $\Omega(w, w')$.

A.2 A distância corrigida

Na seção anterior, definimos uma medida $\Omega(w, w')$ de proximidade entre duas palavras w e w' — uma medida inversa da distância entre elas. Contudo, estamos interessados menos na distância absoluta entre duas palavras do que em saber se tal distância é maior ou menor do que o "esperado". Nesta seção, definimos uma "distância relativa" $c(w, w')$, que é pequena quando w está "incomumente perto" de w'; e que é 1, ou quase 1, quando w está "incomumente longe" de w'.

A idéia é usar as perturbações das progressões aritméticas que definem a noção de SAE. Especificamente, começamos fixando uma trinca (x, y, z) de números inteiros na faixa $(-2, -1, 0, 1, 2)$; há 125 dessas trincas. Depois, em vez de procurar as SAEs ordinárias (n, d, k), procuramos "SAEs perturbadas por (x, y, z)", $(n, d, k)^{(x, y, z)}$, obtidas tomando-se as posições

$n, n+d, ..., n+(k-4)d, n+(k-3)d+x,$
$n+(k-2)d+x+y, n+(k-1)d+x+y+z,$

em vez das posições $n, n+d, n+2d, ..., n+(k-1)d$. Note-se que numa palavra de comprimento k, $k-2$ intervalos poderiam ser perturbados. Contudo, preferimos perturbar apenas os três últimos, por razões de programação técnica.

A *distância* entre duas SAEs perturbadas por (x, y, z), $(n, d, k)^{(x, y, z)}$ e $(n', d', k')^{(x, y, z)}$, é definida como a distância entre as SAEs ordinárias (não perturbadas) (n, d, k) e (n', d', k').

Podemos agora calcular a "proximidade (x, y, z)" de duas palavras w e w' de maneira exatamente análoga àquela usada para calcular a proximidade "ordinária" $\Omega(w, w')$. Obtêm-se 125 números $\Omega^{(x,y,z)}(w, w')$, um dos quais é $\Omega(w, w') = \Omega^{(0,0,0)}(w, w')$. Estamos interessados somente em alguns desses 125 números; a saber, aqueles que correspondem às trincas (x, y, z) para os quais existem realmente no Gênesis algumas SAEs perturbadas por (x, y, z) para w, e algumas para w' [os outros $\Omega^{(x,y,z)}(w, w')$ tendem para zero]. Denotamos por $M(w, w')$ o conjunto de todas essas trincas, e por $m(w, w')$ o número de seus elementos.

Suponhamos que $(0, 0, 0)$ está em $M(w, w')$, ou seja, tanto w como w' realmente aparecem no texto como SAEs ordinárias (i.e., com $x = y = z = 0$). Denotamos por $v(w, w')$ o número de trincas (x, y, z) em $M(w, w')$ para os quais $\Omega^{(x,y,z)}(w, w') \geq \Omega(w, w')$. Se $m(w, w') \geq 10$ [também aqui, 10 é um número "moderado" arbitrariamente selecionado], então

$c(w, w') := v(w, w') / m(w, w')$.

Se $(0, 0, 0)$ não está em $M(w, w')$, ou se $m(w, w') < 10$ (caso em que consideramos insuficiente a acurácia do método), então não definimos $c(w, w')$.

Nas palavras, a distância corrigida $c(w, w')$ é simplesmente a ordem de classificação da proximidade $\Omega(w, w')$ entre todas as "proximidades perturbadas" $\Omega^{(x,y,z)}(w, w')$; nós a normalizamos de modo que a distância máxima seja 1. Uma grande distância corrigida significa que as SAEs representando w estão longe daquelas que representam w', numa escala determinada pela distância entre as SAEs *perturbadas* de w e as de w'.

A.3 A amostra dos pares de palavras

O leitor encontrará na Seção 2, passo (iii), uma descrição geral das duas amostras. Conforme mencionado ali, o teste de significância foi efetuado somente para a segunda lista, exibida na Tabela 2. Notemos que cada uma das personagens pode ter diversos apelativos (nomes), e que existem maneiras diferentes de designar as datas. A amostra dos pares de palavras (w, w') foi construída tomando-se cada nome de cada personagem e emparelhando-o com cada designação da data relativa àquela personagem. Assim, quando as datas são permutadas, o número total de pares de palavras na amostra pode (e geralmente irá) variar.

Usamos as seguintes regras com relação à grafia hebraica:

1. Para as palavras em hebraico, escolhemos sempre a chamada *ortografia gramatical* — "ktiv dikduki". Ver o verbete "ktiv" no dicionário Even-Shoshan. ⑤

2. Nomes e designações tirados do Pentateuco são grafados conforme o original.

3. O ídiche é escrito com as letras hebraicas e por isso não houve necessidade de transliterar os nomes ídiches.

4. Ao transliterar nomes estrangeiros para o hebraico, a letra "א" [Alef] é freqüentemente usada como uma *mater lectionis*; por exemplo, "Luzzatto" pode ser escrito "לוצטו" ou "לוצאטו". Em tais casos, usamos ambas as formas.

Ao designar datas, usamos três variações estabelecidas do formato da data judaica. Por exemplo, para o dia 19 de Tishri, usamos יט תשרי, כיט תשרי e יטבתשרי. O 15º e o 16º dias de qualquer mês judaico podem ser denotados como ט״ו ou טו, e ט״ז ou טז, respectivamente. Usamos ambas as alternativas.

A lista de apelativos para cada personagem foi fornecida pelo Professor S. Z. Havlin, do Departamento de Bibliografia e Biblioteconomia da Universidade Bar Ilan, com base numa pesquisa computadorizada do banco de dados "Responsa", daquela instituição.

Nosso método de classificar as SAEs com base nas perturbações (x, y, z) requer que as palavras tenham pelo menos cinco letras para que se possa aplicar as perturbações. Além disso, descobrimos que no caso de palavras com mais de oito letras, o número de SAEs perturbadas por (x, y, z) realmente existente para tais palavras era pequeno demais para satisfazer nossos critérios para a aplicação da distância corrigida. Assim, as palavras da nossa lista estão restritas em comprimento à faixa 5-8. A amostra resultante consiste em 298 pares de palavras (ver Tabela 2).

A.4 O texto

Utilizamos o texto padrão geralmente aceito do Gênesis, conhecido como *Textus Receptus*. Uma edição disponível em toda parte é a da Koren Publishing Company, de Jerusalém. O texto da Koren é precisamente o mesmo que aquele usado por nós.

A.5 As medidas de proximidade total P_1, P_2, P_3 e P_4

Seja N o número de pares de palavras (w, w') da amostra para a qual a distância corrigida $c(w, w')$ é definida (ver Seções A.2 e A.3). Seja k o número de tais pares de palavras (w, w') para os quais $c(w, w') \leq 1/5$. Definimos

$$P_1 := \sum_{j=k}^{N} \binom{N}{j} \left(\frac{1}{5}\right)^j \left(\frac{4}{5}\right)^{N-j}.$$

D. WITZTUM, E. RIPS E Y. ROSENBERG

Para compreender esta definição, notemos que se $c(w, w')$ fossem variáveis aleatórias independentes que estão uniformemente distribuídas sobre [0, 1], então P_1 seria a probabilidade de que pelo menos k dentre N delas fosse menor ou igual a 0.2. Contudo, nós *não* fazemos ou usamos tais premissas sobre uniformidade e independência. Assim P_1, embora calibrado em termos probabilísticos, é simplesmente um índice ordinal que mede o número de pares de palavras numa amostra dada cujas palavras estão "bastante próximas" umas das outras [i.e., $c(w, w') \leq 1/5$], levando em conta o tamanho da amostra toda. Isso nos permite comparar a proximidade total dos pares de palavras em diferentes amostras; especificamente, nas amostras que surgem das diferentes permutações das 32 personagens.

A estatística P_1 ignora todas as distâncias $c(w, w')$ maiores do que 0.2, e dá igual peso a todas as distâncias menores do que 0.2. Para obter uma medida que seja sensível ao tamanho real das distâncias, calculamos o produto $\Pi c(w, w')$ sobre todos os pares de palavras (w, w') da amostra. Definimos então

$$P_2 := F^N\left(\prod c(w, w')\right),$$

com N tal como acima, e

$$F^N(X) := X\left(1 - \ln X + \frac{(-\ln X)^2}{2!} + \cdots + \frac{(-\ln X)^{N-1}}{(N-1)!}\right).$$

Para compreender esta definição, notemos primeiro que se $x_1, x_2, ..., x_N$ são variáveis aleatórias independentes que estão uniformemente distribuídas por [0, 1], então a distribuição de seu produto $X := x_1 x_2 ... x_N$ é dada por $\text{Prob}(X \leq X_0) = F^N(X_0)$; isso provém de (3.5) em ⑥, já que os $-\ln x_i$ se distribuem exponencialmente e $-\ln X = \sum_i (-\ln x_i)$. O método intuitivo para P_2 é então análogo ao de P_1: se $c(w, w')$ fossem variáveis aleatórias independentes que estão distribuídas uniformemente por [0, 1], *então* P_2 seria a probabilidade de que o produto $\Pi c(w, w')$ fosse tão pequeno quanto é, ou menor. Mas, como antes, não usamos quaisquer dessas premissas de uniformidade ou independência. Tal como P_1, a estatística P_2 é calibrada em termos probabilísticos; mas, ao invés de imaginá-la como uma probabilidade, deveríamos imaginá-la simplesmente como um índice ordinal que nos permite comparar a proximidade das palavras nos pares de palavras que surgem das diferentes permutações das personagens.

Usamos também duas outras estatísticas, P_3 e P_4. Elas são definidas tal como P_1 e P_2, exceto que para cada personagem, todos os apelativos que começam com o título "Rabino" *(Rabbi)* são omitidos. A razão para considerar P_3 e P_4 é que os apelativos que começam com "Rabino" geralmente usam apenas o prenome da personagem em questão. Certos prenomes são de uso popular e freqüente (como "John" em inglês ou "Avraham" em hebraico); assim, várias personagens diferentes eram chamadas de Rabino Avraham. Se o fenômeno que estamos investigando é real, permitir tais apelativos poderia ter levado a valores ilusoriamente baixos para $c(w, w')$ quando π combinasse um certo "Rabino Avraham" com as datas relativas a outro "Rabino Avraham". Isso poderia ter resultado em valores P_1^π e P_2^π ilusoriamente baixos para as amostras permutadas, e, desse modo, em níveis de significância ilusoriamente baixos para P_1 e P_2, e desse modo, concebivelmente, a uma injustificada rejeição da hipótese de pesquisa. Notemos que esse efeito tem "mão única"; ele não poderia ter levado a uma injustificada aceitação da hipótese de pesquisa, pois na hipótese nula o número de P_i^π que excede P_i é uniformemente distribuído em todos os casos. De fato, a omissão dos apelativos que começam com "Rabino" não afetou substancialmente os resultados (ver Tabela 3); mas nós não sabíamos disso antes de efetuar os cálculos.

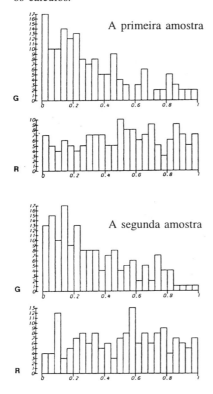

FIG. 4: *A distribuição do valor de $c(w, w')$ no intervalo $[0, 1]$.*

Uma percepção intuitiva das distâncias corrigidas (originalmente, amostras não permutadas) pode ser alcançada a partir da Figura 4. Notemos que na primeira e na segunda amostras, a distribuição de R parece bastante randômica, enquanto em G está fortemente concentrada perto do zero. É esta concentração que quantificamos com a estatística P_i.

A.6 As randomizações

As 999.999 permutações randômicas das 32 personagens foram escolhidas de acordo com o Algoritmo P de Knuth, ⑦ página 125. O gerador pseudo-randômico requerido como *input* para esse algoritmo foi aquele fornecido pelo Turbo-Pascal 5.0 da Borland Inter Inc. Este, por sua vez, requer um *seed* que consiste em 32 *bits* binários; ou seja, um número inteiro que tem 32 dígitos quando escrito na base 2. Para gerar esse *seed*, três proeminentes cientistas foram solicitados, cada um, a fornecer tal número inteiro logo antes de ser efetuado o cálculo. O primeiro deles jogou uma moeda 32 vezes; os outros dois usaram as paridades dos dígitos em blocos largamente separados na expansão decimal de π. Os três números inteiros resultantes foram somados no módulo 2^{32}. O *seed* resultante foi 01001 10000 10011 11100 00101 00111 11.

O texto de controle R foi construído permutando-se as 78.064 letras de G com uma única permutação randômica, gerada tal como no parágrafo acima. Neste caso, escolheu-se arbitrariamente para *seed* o número inteiro decimal 10 (i.e., o número inteiro binário 1010). O texto de controle W foi construído permutando-se as palavras de G exatamente da mesma maneira e com o mesmo *seed*, mas deixando sem permutar as letras dentro de cada palavra. O texto de controle V foi construído permutando-se os versículos de G da mesma maneira e com o mesmo *seed*, mas deixando sem permutar as letras dentro de cada versículo. O texto de controle U foi construído permutando-se as palavras dentro de cada versículo de G da mesma maneira e com o mesmo *seed*, mas deixando sem permutar as letras dentro de cada palavra, bem como os versículos. Mais precisamente, o Algoritmo P de Knuth que utilizamos requer n-1 números aleatórios para produzir uma permutação randômica de n itens. O gerador pseudo-randômico da Borland que usamos produz, para cada *seed*, uma longa fileira de números aleatórios. Usando o *seed* binário 1010, produzimos essa longa fileira. Os seis primeiros números dessa fileira foram usados para produzir uma permutação randômica das sete palavras que constituem o primeiro versículo do Gênesis. Os 13 números *seguintes* (i.e., do 7º ao 19º números aleatórios da fileira produzida pela Borland) foram usados para produzir uma permutação randômica das 14 palavras que constituem o segundo versículo do Gênesis, e assim por diante.

AGRADECIMENTOS

Expressamos nossa gratidão a Yaakov Rosenberg, que preparou o *software* para o teste de permutação. Agradecemos à Escola de Tecnologia de Jerusalém pelo uso de suas instalações, tornando possível este estudo. Gostaríamos de expressar nossa especial gratidão ao Dr. R. Yehezkel, D. Pisanti, A. Sherman e M. Rosen. Agradecemos ao Michlalah, *Jerusalem College for Women*, por nos permitirem utilizar seu computador. Agradecemos pessoalmente ao Dr. I. Isaak e a H. Rosenfeld por seu auxílio.

Agradecemos a comunidade judaica de Venice, Los Angeles, e ao Sr. Bernard Goldstein, de Londres, pelo auxílio com os computadores.

O texto do Livro do Gênesis em disquete foi obtido graças à gentileza do falecido Rabino S. D. Sassoon; outro texto foi-nos oferecido pelo Dr. M. Katz, a quem expressamos nossa sincera gratidão.

Desejamos manifestar nosso agradecimento ao Dr. S. Srebrenik e ao Professor D. Michelson por seus úteis comentários e valiosas sugestões. Agradecemos ao Professor S. Z. Havlin e ao Dr. I. Gottlieb por seus valiosos conselhos. Agradecemos a Y. Orbach pelo auxílio em questões lingüísticas. Agradecemos a M. Goldberg e G. Freundlich por sua assistência.

REFERÊNCIAS

① WEISSMANDEL, H. M. D. (1958). *Torath Hemed*. Yeshivath Mt. Kisco, Mt. Kisco.

② MARGALIOTH, M., ed. (1961). *Encyclopedia of Great Men in Israel; a Bibliographical Dictionary of Jewish Sages and Scholars from the 9th to the End of the 18th Century* 1-4. Joshua Chachik, Tel-Aviv.

③ TOLSTOY, L. N. (1953). *War and Peace*. Tradução para o hebraico de L. Goldberg. Sifriat Poalim, Merhavia.

④ FCAT (1986). "The Book of Isaiah", arquivo ISAIAH.MT. Facility for Computer Analysis of Texts (FCAT) e Tools for Septuagint Studies (CATSS). Universidade da Pensilvânia, Filadélfia (abril de 1986).

⑤ EVEN-SHOSHAN, A. (1989). *A New Dictionary of the Hebrew Language*. Kiriath Sefer, Jerusalém.

⑥ FELLER, W. (1966). *An Introduction to Probability Theory and Its Applications* 2. Wiley, Nova York.

⑦ KNUTH, D. E. (1969). *The Art of Computer Programming* 2. Addison-Wesley, Reading, MA.

AGRADECIMENTOS

Esta aventura começou por acaso há cinco anos, quando fiquei sabendo que um respeitadíssimo matemático israelense tinha descoberto um código oculto na Bíblia que revelava acontecimentos modernos. Fui visitar Eli Rips numa tarde de junho de 1992, pensando que dentro de uma hora já saberia que sua alegação era infundada.

Nos cinco anos que decorreram desde então, Rips e eu nos falamos pelo menos uma vez por semana e nos encontramos pessoalmente diversas vezes. A esmagadora evidência de que o código da Bíblia é real proveio de muitas fontes, mas este livro não poderia ter sido escrito sem a ajuda constante de Eli. Foi escrito independentemente dele, no entanto, e os pontos de vista aqui expressos não são os dele, exceto quanto às citações.

Muitos eruditos israelenses auxiliaram-me em minha pesquisa. O rabino Adin Steinsaltz concedeu-me muito de seu valioso tempo. Yakir Aharonov, reputado físico, ajudou-me a compreender alguns dos difíceis conceitos científicos envolvidos. Robert Aumann, que investigou o trabalho de Rips em mais profundidade do que qualquer outro matemático, encontrou-se comigo repetidas vezes e pacientemente explicou-me as provas do código.

Diversos funcionários do governo de Israel também me prestaram um importante auxílio. Não vou citar seus nomes, porque no ambiente atual isso poderia dificultar-lhes o trabalho.

Vários amigos dedicaram seu tempo a ler, criticar e encorajar-me. Um deles, Jon Larsen, fez mais do que isso. Jon foi o primeiro amigo a quem falei sobre o código da Bíblia e a primeira pessoa a ler o manuscrito deste livro. Seus conselhos foram excelentes, a cada passo, e a tal ponto que a funcionalidade deste livro deve muito a ele.

Jane Amsterdam uniu-se ao projeto num estágio posterior, cheia de entusiasmo. Tanto ela como Jon se arriscaram por mim, e fizeram naturalmente, sem hesitar, coisas que exigiam coragem.

Meu amigo e advogado, Michael Kennedy, esteve envolvido com o livro desde o começo e, como tem feito ao longo da minha vida, ajudou-me de todos os modos possíveis. Seu sócio, Ken Burrows, um genuíno advogado de escritor, manteve o projeto na rota certa.

Finalmente, quero agradecer a meu tradutor, Gilad, um brilhante jovem israelense cujo avô ajudou a fazer do hebraico uma língua viva, após a Segunda Guerra Mundial; e a minhas assistentes de pesquisa, Hilary e Elizabeth.

E um agradecimento especial a Vendela, que trabalhou comigo dia após dia e me ajudou a escrever este livro. Eu não o teria feito sem ela.

ÍNDICE REMISSIVO

Os números em **negrito** remetem às ilustrações do código da Bíblia.

Abraão: 19, 32, 95, 167, 192, 211
  túmulo de: 112, 201
Additional Dimension, The
  (Witztum): 200
Agência de Segurança Nacional (EUA): 22
Alvarez, Walter: 207
Amidror, Jacob: 58, 195
Amir, Yigal: **15**, **16**, 16-17, 25, **28**, 28, 40, 73-74, **74**, 107, 117, 183, 197
  "Fim dos Dias" e: 88-90, **89**
apocalipse: 83-84, 89, 100, 103, 152, 170-176, 207-208
  derivação do termo: 193
  desastres naturais no (*ver* asteróides; cometas; terremotos)
  "grande terror" no: 135, 136, **136**, 205
  predito em Isaías: 120, 121, 128-129, 170-172, 193, 202, 203-204, 210
  ver também Armagedon; "Fim dos Dias"
Apocalipse, Livro do: 51, 90, 130, 132, 193, 204-205
  "livro selado" no: 83, 197-198
  terremotos no: 135, 205-206
Apolo 11: 26, 32
árabes: 55, 76, 84, 133
  em Kiryat-Arba: 112
  massacrados na mesquita de Hebron: 112
Arafat, Yasser: 55, 69, 78, 80, 164, 167, 168, 183, 193

"Fim dos Dias" e: 166, **166**, 211
Arca da Aliança: 92
Armagedon: 87, 100, 103, 114, 121-124, 130-133, 152, 155, 158, 163, 166-167, 168, 172, 201
  como transliteração de Megiddo: 130-131, 193, 204
  Gog e Magog no: 51, 132, **132**, 135, 193, 204-205
  na língua hebraica: 130-131
  Síria e o: 130-133, **131**, **132**, 205
  terremotos ligados ao: 135
armas biológicas: 113-114, 126
armas químicas: 113, 126, 201
Armstrong, Karen: 204
Armstrong, Neil: 32
Asad, Hafez: 131, **131**
Asahara, Shoko: 114, 201
assassinatos: 106-109
  de John F. Kennedy: 13, 14, 26, 40, **106**, 107-108
  de Robert F. Kennedy: 13, 14, 107, **107**, 108, **108**
  de Sadat: 13, 14, 106, 109, 201
  padrão dos: 108
  Primeira Guerra Mundial deflagrada por: 157-158, 208-209
  ver também Rabin, Yitzhak, assassinato de:
asteróides: 143, 145, **146**, 148, 149, 206-207
  "cruzadores da Terra": 148
  defesa contra: 148-149

Aum Shinrikyo: 113-114, 117, 201
Aumann, Robert J.: 42, 186, 192
Auschwitz: 39
avião: 46, 47

Bach, Johann Sebastian: 46
Balaam, o "Fim dos Dias" profetizado por: 84-85, 163
Barak, Ehud: 16, 184
Bartos, Armand: 120, 202
Batalha Final, a: 51, 91, 100, 132, 142, 157, 193, 198, 204
  ver também Armagedon; holocausto atômico; Terceira Guerra Mundial
Beethoven, Ludwig van: 46
Ben-Israel, Isaac: 16, 183, 208
Bers, Lipman: 35-38
Besso, Michele: 190
Bíblia: 190-191
  como artefato alienígena: 95, 199
  origens da: 24-25, 35, 91-95
  profecias na: 97-98
  reversão do tempo na: 170-172, 171, 172
  ver também Torah
Booth, John Wilkes: 108
B'Or Ha'Torah: 186
Born, Max: 192
Boyer, Paul: 198
Brief History of Time, A (Hawking): 190, 191, 208
Burrows, Millar: 202

calendário judaico:
  abertura do "livro selado" no: 100-101, **101**
  assassinato de Rabin no: 14, 15-16, 16, 17, 55-56, 109, 183
  assassinato de Sadat no: 109
  ataque com gás no metrô de Tóquio no: 113

ataques terroristas no: 67, 68, 69
colisão do cometa com Júpiter no: 35, 34-35, 148
cometa Swift-Tuttle no: 147, 147-148
cometas no: 146, 145-148, 150, 151, 150-152
"Fim dos Dias" no: 81, 83-84, 84, 85-86, 87, 88-89, 89, 101, 172, 198
Grande Depressão no: 32, 33
Guerra do Golfo no: 19, 18-19, 173, 184
Hiroshima no: 54, 105, 105
holocausto atômico no: 52, 53, 53-54, 56-57, 59, 60, 62, 61-62, 70, 75-76, 80-81, 123, 121-125, 155, 161, 162, 171, 172, 172, 202
Holocausto no: 103, 124
massacre de 1929 em Hebron no: 112
9 de Av no: 158-160, 159, 209
Revolução Americana no: 45
Revolução Comunista na Rússia no: 45
Segunda Guerra Mundial no: 103, 105, 124
Terceira Guerra Mundial no: 122, 121-125, 158-160, 159, 172, 202
terremotos no: 135-144, 136, 137, 138, 139, 140, 142, 144, 172
Califórnia, terremotos na: 137-139, 138, 139, 206
camada de ozônio: 174
Chaos (Gleick): 158, 209
China: 131
  terremotos na: 137, 140, 140, 206
  queda do comunismo na: 126, 127
Churchill, Winston: 45, 103, 200
civilizações alienígenas: 93, 199
Clarke, Arthur C.: 199
Clinton, Bill: 26, 31, 31, 70

CNN: 28
Códice de Alepo: 191
Códice de Leningrado: 35, 37, 190-191
código da Bíblia: 11-12, 13-50, 177-178, **181**, 182-193
  adiamento no: 153-164, **154, 156, 159, 162, 163,** 171-172, **171, 172**
  aspecto inclusivo do: 25-26, 43-49
  avaliações independentes do: 22-23, 29-30, 38-40, 41-42, 186
  bem e mal no: 99-100, 199-200
  como "livro selado": 86-101, 120-121, 122, 129, 182, **182**
  como programa de computador: 18, 21, 24-30, 44-45, 95-96, 120-121, 174
  estrutura de palavras cruzadas do: 18, 24, 26, 27, 44
  estrutura holográfica do: 44-45, 169
  explicações do: 38-40
  fonte do: 91-101
  inteligência não-humana e o: 35, 41, 49-50, 77, 87, 93-94, 169
  natureza de fechadura de controle de tempo do: 21, 54, 86-87, 96
  num fluxo contínuo de letras: 25, 27
  palavras entrelaçadas no: 26
  pesquisas do: 24-28
  prevenção possibilitada pelo: 16, 17, 40-41, 55, 56-57, 63, **64,** 99, 100-101, **101,** 113, 151, 153-163, **162,** 171-176, **176,** 193-194
  primeiras referências ao: 18-19, 43
  probabilidades no: 17, 40, 43, 61, 65, 99-100, 113, 121, 155-156
  processo de revisão técnica aplicado ao: 24, 191
  procura de Newton pelo: 20-21, 30, 46, 83, 184-185, 198

programas de computador para o: 11, 18, 21-22, 34, 45, 182
prova da existência de Deus no: 40, 49-50, 59, 76-77, 100
publicações sobre o: 22-24, 30
seqüências de saltos no: 20, 25, 26, 89, 105, 201
significância estatística do: 21-22, 28-30, 42, 54, 61, 72, 185, 186-187, 188
textos de controle para o: 22, 25-26, 31, 188-189
colapso econômico: 32, **33**
  no Japão: 143, **144**
Coleman, Sidney: 192
cometas: 143-152, 207-208
  "cruzadores da Terra": 148
  defesa contra: 148-149, 207
  fragmentados: **151,** 152, 207
  no calendário judaico: **146,** 145-148, **150, 151,** 150-152
  Shoemaker-Levy: 14, **35, 36,** 34-37, 91, 148, 151-152, 181, 190, 207
  Swift-Tuttle: **147,** 143-148, 149, 207
Commentary on the Torah (Nachmanides): 190
computadores: 21, 25, 92-96, **93, 96,** 97, 120-121
  quânticos: 93
comunismo: 45, **126,** 127
  chinês, queda do: **126,** 127
  ver também União Soviética
cristãos primitivos: 94
"cruzadores da Terra": 148
culto do Dia do Juízo Final: 112-114

Dallas: 26, **106,** 107, 108
Daniel, Livro de: 99, 181, 193, 199, 200
  "Fim dos Dias" no: 83, 85, 88, 90, 96, 101, 198

"livro selado" no: 83, 86, 88, 90, 96, 100-101, 197-198
Davies, Paul: 94, 95, 198
Dead Sea Scrolls, The (Burrows): 202
Departamento de Defesa dos Estados Unidos: 14
depressão econômica: 143
  grande: 32, **33**
desastres naturais: 135-152, 205-208
  ver também asteróides; cometas; terremotos
Deuteronômio, Livro do: 20, 35, 108, 163, 181, 198, 199, 203, 205
Dez Mandamentos: 92
D'Hondt, Stephen: 207
Diaconis, Persi: 186-187
dinossauros: 143-145, **146**, 149, 206-207
2001, Uma Odisséia no Espaço: 199
Domo da Rocha: 164, 210
dragão: 144-145, **146**, 207

Edison, Thomas A.: 46, **47**
"Efeito Borboleta": 158, 209
Egito: 55
  Dez Pragas do: 114
  José no: 97-98, 199
Eichmann, Adolf: 39
Einstein, Albert: 46, **48**, 49, 133, 155, 205
  o acaso visto por: 41
  o tempo visto por: 190
Elba: 45
eletricidade: 46, 47
Eliot, T. S.: 30
Encyclopedia of Prominent Jewish Scholars, The: 187
Entebbe, operação de comando em: 78, 197
Estados Unidos: 45, 103, 131
  terremotos nos: **138, 139,** 137-139

Êxodo, Livro do: 20, 92, 109, 116, 198, 213
extinções: 145, 149, 152, 207
Ezequiel, Livro de: 132, 193, 205
  terremotos no: 136, 140, 206

Fate of the Earth, The (Schell): 128, 177, 203-204, 213
fenda geológica do Mar Vermelho: 140
Ferdinand, arquiduque da Áustria: 157-158, 208-209
Ferris, Timothy: 152, 208, 212
Feynman, Richard P.: 168, 211-212
"Fim dos Dias": 83-101, 103, 117, 119, 207
  adiado: 161-164, **163**
  Arafat e: 166, **166**, 210-211
  assassinato de Rabin e o: 84, 89, **89**
  conforme predito por Balaam: 84-85, 163
  conforme predito por Jacó: 52, 83, 97, 162
  conforme predito por Moisés: 84, 97, 163
  desastres naturais no: *ver* asteróides; cometas; terremotos
  em Daniel: 83, 85, 88, 90, 96, 101, 198
  expectativas recorrentes do: 90-91
  holocausto atômico e: 85, **86**, 87-88, 99, 174, **176**
  no calendário judaico: 81, 83-84, **84**, 85, 87, 89, **89**, **101**, 172, 198
  no Livro do Apocalipse: 85, 90, 100
  Novo Testamento e o: 91
  possível prevenção do: 98-101, **101**
  pragas e o: 90, **90**
  Terceira Guerra Mundial e o: 85, **85**, 87, 99
  ver também apocalipse; Armagedon

ÍNDICE REMISSIVO

física: 170-171
  newtoniana: 38, 40
  quântica: 13, 40, 41, 49, 154, 168, 208, 212
fogo: 135, **136**, 137, 139, **139**, 141, **142, 144**

Gandhi, Mohandas K., o "Mahatma": 106, 109, 201
Gans, Harold: 22-23, 186, 188
García Márquez, Gabriel: 212
gás de efeito nervoso: 113
Gênesis, Livro do: 20, 29, 32, 34, 35, 52, 98, 105, 108, 110, 112, 144, **181, 181**, 182, 186, 198, 199, 201, 207, 210, 211
Genius de Vilna: 18, 43, 184, 207
geológica, pesquisa (EUA): 138, 206
Gleick, James: 158, 209
God: A Biography (Miles): 97, 199
Gog e Magog: 51, 132, **132**, 135, 193, 204-205
Golan, Colinas de: 166, 210
Golb, Norman: 202
Gold, Dore: 155, 208
Goldstein, Baruch: **111**, 112
Gorbachev, Mikhail: 58
Goren, Eliza: 57, 194, 195
Grande Depressão, a: 32, **33**
"Grande Guerra, A": 209
gravidade: 46, **48**
guerra biológica: 113
Guerra do Golfo: 14, 25-26, 98, 156, 213
  no calendário judaico: **19**, 18-19, 173, 184
"Guerra dos Filhos da Luz contra os Filhos das Trevas": 119, 198
Guerra Mundial, Primeira: 157-158, 209

Guerra Mundial, Segunda: 14, 40, 45, 103-105, **104**, 121, 203
  no calendário judaico: **105**, 105, 124
Guerra Mundial, Terceira: 55, 70, 119-133, 152, 174, 177, 205
  adiada: 154-163, **163**
  "Fim dos Dias" e a: **85**, 85, 87-88, 99
  Jerusalém na: 129-130, **130**, 133, **159**, 158-160
  no calendário judaico: 121-125, **122, 159**, 158-160, 172, 202
  Síria e a: 131-133, **132**
  ver também holocausto atômico
Guri, Chaim: 13, 16, 17, 182-184
Guth, Alan: 192

Hamas, terroristas do: 69
Hamlet (Shakespeare): 45, 46
Har Homa, projeto habitacional de: 168
Hasofer, Avraham: 29, 186
Havlin, Schlomo Z.: 188
Hawking, Stephen: 30, 40-41, 155, 190, 191, 208
hebraico, idioma: 20, 75, 181-182, 191, 203
  Armagedon no: 130-131
  "Israel" no: 210
  letras equiparadas a números no: 56, 161, 198
  nome de Jacó no: 210
  nome de José no: 98
  nome de Moisés no: 213
  "pensamento" no: 92, 94
  planeta Júpiter no: 208
  "Tzafenat-Paneah" no: 97-98, 199
Hebron: 167, 211
  ataques terroristas em: **111**, 110-112, 168
  massacre de 1929 em: 112
  Tumba dos Patriarcas em: 112, 201

Heisenberg, Werner: 40
Helin, Eleanor: 148, 207
Hironaka, Wakako: 141, 206
Hiroshima, bomba atômica em: 14, 121, 204
   descrição da: 128
   no calendário judaico: 54, **105**, 105
Hitler, Adolf: 26, **39**, 39, 45, 75, 103
holocausto atômico: 51-81, 119-133, 152, 168, 171-176, 193-196
   adiado: 153-164, **162**, 171-172
   alertas do autor sobre um: 57, 59, 61-63, 65, 70-71, 75, 76-77, 155
   de Hiroshima: *ver* Hiroshima
   a bomba atômica de "Fim dos Dias" e: 85, 86, 88-89, 99, 174, **176**
   Jerusalém no: 51, 52, 127-129, 129, 133, 170, 193, 203-204, 210
   Líbia no: 59, **60**, **62**, 62, 64-65, 195
   Netanyahu e o: 73-80
   no calendário judaico: **52**, **53**, 53-54, 56-57, 59, **60**, 61-62, **62**, 70-71, 75, 76, 80-81, 121-125, **123**, 155-156, 161, **162**, **171**, **172**, 172, 202
   palcos para um: 59-61, 63-64, 70
   possível prevenção do: **63**, 64, 171, 176, **176**
   Ramallah e o: 165, **165**
   Terceira Guerra Mundial e o (*ver* Terceira Guerra Mundial)
   terrorismo nuclear no: 58-65, 125-127, 128, 130, 156, 194-196, 201
Holocausto, o: 14, 39, 75, 103, 124, 200, 209
Homero: 45
Hussein, rei da Jordânia: 153-154, 167, 208
Hussein, Saddam: **19**, 19, 25-26

inteligência não-humana: 35, 41, 49-50, 77, 87, 93-94, 169

Intifada: 55
Irã: 133, 205
Isaac: 112, 167, 211
Isaías, Livro de: 34-35, 100, 119-121, 181, 199-200
   apocalipse predito no: 120, 121, 128-129, 170-172, 193, 202, 203, 210
   "livro selado" no: 120-121, 129, 202
   no Santuário do Livro: 119-120, 202
   nos Pergaminhos do Mar Morto: 119-120, 128, 133, 170
   "Rahab" no: 145, 207
   tempo e o: 170-171, 200, 212, 213
   terremotos no: 135, 206
Islambuli, Chaled: 109
Ismael: 167, 211
Israel: 13-31, 42, 51-81, 103, 124, 130-131, 153-175, 193-197
   Academia de Ciências de: 42, 192
   arsenal nuclear de: 62-63
   Base da Força Aérea em Ramat David: 131
   Biblioteca Nacional de: 20
   eleição de 1996 em: 71-73
   "holocausto de": **52**, 52-53, 59-61, 70, 75-76, 142, 152, 153, 154, 155, 161, **162**, 164, **165**, **166**, 166, 177, 210; *ver também* Armagedon; holocausto atômico
   Japão e: 142-143, 161, **162**
   Ministério da Defesa de: 16
   Mossad (Serviço de Informações de): 64-65, 70, 159
   na Guerra dos Seis Dias (1967): 127, 164, 166
   pragas em: 142, **143**, 161, **162**
   terremotos em: 137, 140, 142

territórios anexados a: 166, **166**, 210
terrorismo em: 55, 58-65, **68**, 67-70, **69**, 72, **110**, **111**, 109-112, 168, 193-194, 195-197
ver também Jerusalém
"Is This the End?" (Ferris): 208

Jacó: 112, 210
"Fim dos Dias" predito por: 52, 83, 162
Japão: 103, 104, **105**, 140-144
ataque com gás no metrô de Tóquio: 113-114, 201
colapso econômico no: 143, **144**
Israel e: 142-143, 161, **162**
pragas em: 142, **143**, 161, **162**
terremotos no: 137, 141-144, **142**, **144**, 206
ver também. Hiroshima, bomba atômica de
Jerusalém: 18, 167, 202, 204-205
antigo nome de: 128, 129, 131, **159**, 160, 203-204, 210
em Isaías: 127-130, 203, 210
na Terceira Guerra Mundial: **130**, 129-130, 133, **159**, 158-160
no holocausto atômico: 51, 52, **129**, 127-129, 133, 170, 193, 203-204
Santuário do Livro em: 119-120, 191, 202, 205
terrorismo em: **68**, **69**, 67-70, 168, 196
túnel sob o Monte do Templo: 164, **165**
Jerusalem (Armstrong): 204
Jerusalem Bible: 182
Jerusalem Post [jornal]: 31, 110, 112, 153, 196, 208, 210, 211
Jesus Cristo: 91
Jewish Mind, The (Rabinowitz): 184

Jordânia:
adiamento da viagem de Netanyahu à: 79, 153-161, **153**, **154**, **156**, 208, 212
Montanha Pisgah: 60, **63**, 63-64, 70
José: 97-98, 199
Júpiter, colisão do cometa com: 14, **35**, **36**, 33-37, 91, 148-149, 152, 181, 190, 207, 208

Kaddafi, Muammar: 59, 62-63, 195-196
Kaplan, Aryeh: 182, 192, 199, 205, 209
Kass, Robert: 24, 185, 186
Kazhdan, David: 38, 191
Kennedy, John F.: 13, 14, 26, 40, **106**, 107-108, 189, 201
Kennedy, Robert F.: 13, 14, 107, **107**, 108, **108**
Keynes, John Maynard: 20-21, 185, 198
Kiryat-Arba: 112
Kobe (Japão), terremoto em: 141-142, **142**, 206
Koresh, David, seita de: 116
Kubrick, Stanley: 199
Kulik, Mikhail: 194

lâmpada elétrica: 46, 47
Líbia: 59, **60**, **62**, 62, 64-65, 133, 195, 205
Life of Isaac Newton, The (Westfall): 185
Lincoln, Abraham: 106, 108
Living Torah, The (Kaplan): 182, 199, 205
livre-arbítrio: 43, 99, 160, 210
Livro da Criação, O (Sefer Yetzirah) (Kaplan, trad.): 192
"livro selado": 83-101, 197-200

abertura do: **101**, 100-101, 120-121, **129**, 129
código da Bíblia como o: 86-101, 120-121, 122-124, 129, **182**, 182
em Daniel: 83, 85, 86, 90, 96, 100-101, 197-198
em Isaías: 120-121, 129, 202
no Livro do Apocalipse: 83, 197-198
Los Angeles, terremotos em: 137-139, **138**, **139**, 206
Lua, pouso na: 14, 26, 32, **34**
Lugar, Richard: 126, 203

Macbeth (Shakespeare): 45, **46**, 64-65
Maimônides, Moisés: 191
Marconi, Guglielmo: 46
Mar Morto: 64, 90, 119, 202
Marsden, Brian: 145, 147, 149, 207
McKay, Brendan: 186
McVeigh, Timothy: 115-116, **116**, 117
Megiddo: **131**, 130-131, 193, 204
Mehta, Sonny: 200-201
Messias: 83, 89, 197, 207-208, 211
Mezuzah: 123-125, 203
Midrash: 99, 167, 207, 211
Miles, Jack: 97, 98, 99, 199
Mind of God, The (Davies): 94
mísseis russos: 19, 26
mísseis Scud: 19, 26, 173, 184, 213
mitos da Criação: 144-145, 207
Moisés: 25, 35, 190, 198-199, 205, 210
  "Fim dos Dias" predito por: 84, 163
  no Monte Sinai: 18, 91-95, 98, 198
  Sarça Ardente e: 95
  significado do nome: 213
  Terra Prometida vista por: 60, 63, 70

Montanha Pisgah: 60, **63**, 63-64, 70
Monte do Templo, túnel sob o: 164, **165**, 210
Monte Nebo: 63
Monte Sinai: 18, 91-95, 98, 198
Moyers, Bill: 199
Mozart, Wolfgang Amadeus: 46
Muro das Lamentações: 164, 210
Murrah Federal Building (Oklahoma): **115**, 115-116

Nachmanides: 190
Napoleão I, imperador da França: 45
NASA: 148, 207
nave espacial: 26, 32, **34**
nazistas: 26, **39**, 39, 103, 113, 209-210
Nechai, Vladimir: 195
Netanyahu, Benjamin "Bibi": 71-80, **74**, 196-197, 211
  cartas de alerta do autor a: 75, 80, 177-178
  eleição de: **71**, 71-73, 79, 196, 208
  possível morte de: 72, **78**, **79**, 78-80, **156**, **157**, 156-157, 196
  viagem à Jordânia adiada por: 79, **153**, **154**, **156**, 153-161, 208, 212
Netanyahu, Ben-Zion: 74-75, 76-77, 78-80, 164, 167-168, 196-197
Netanyahu, Jonathan: 78-79, 197
Newsweek [revista]: 145, 201, 207
Newton, Sir Isaac: 46, 48
  código da Bíblia procurado por: 20-21, 30, 46, 83, 184-185, 198
  tempo visto por: 30
newtoniana, física: 38, 40
New York Times [jornal]: 31, 92-93, 145, 190, 195, 196, 199, 201, 204, 206-207, 210, 211-212, 213
Nixon, Richard: **32**, 32
Northridge, terremoto em: 138

9 de Av: **159**, 158-160, 209
Novo Testamento: 83, 91, 130, 135
nuclear, guerra (*ver* holocausto atômico)
nuclear, terrorismo: 58-65, 125-127, 128, 130, 156, 194-196, 201
nucleares, arsenais: 58, 62-63, 64-65, 125-126, 127, 194-195, 202-203
Números, Livro dos: 20, 35, 163, 185, 197, 198
Nunn, Sam: 113, 125, 194, 201, 203

Oklahoma, bomba na cidade de: 113, **114, 115, 116**, 115-116, 117, 201
Okushiri (Japão), terremoto em: 141, 206
Origins of the Inquisition, The (Netanyahu): 197
Oswald, Lee Harvey: 40, **106, 107**, 107

Pearl Harbor: 104
Pentágono: 23, 148, 188, 194, 201, 203
Peres, Shimon: 55, 68, 70, 80, 203
 alertas do autor a: 57, 59, 61-62, 65, 68, 155, 160-161, 177-178, 194, 195
 na eleição de 1996: 71-73
 perigo de terrorismo nuclear previsto por: 64-65, 127, 156, 196
Pergaminhos do Mar Morto: 90, 119-120, 128, 133, 170, 191, 198, 202
Physics of Star Trek, The (Krauss): 190
Piatetski-Shapiro: 39, 191
Picasso, Pablo: 46
praga: **90**, 90, 113-114, 142, **143, 162**, 161-163
Princip, Gavrilo: 158, 209
Princípio da Incerteza: 40-41, 154, 168, 191, 208, 212

programas de computador: 11, 18, 21-22, 34, 45, 182
 código da Bíblia como: 18, 21, 24-30, 44-45, 95-96, 120-121, 174

quântica, física: 13, 40, 41, 49, 154, 168, 208, 212
quinta dimensão: 49, 192-193

Rabin, Yitzhak, o assassinato de: **14, 15, 16,** 13-17, 25, 40, 51-57, 69, 72, 80, 98, 117, 155, 173, 181
 a procura do: **26, 27, 28**, 26-29
 cartas de alerta do autor a: 13, 16, 17, 57, 59, 62, 109, 178, 183
 "Fim dos Dias" e: 83-84, **89**, 88-89
 no calendário judaico: 15, **16**, 17, 56, 109, 183
 o assassino e: 13, **14, 15, 16**, 16-17, 25, **27, 28**, 27-28, 51, **52**, 67, 73, **74**, 107, 197; *ver também* Amir, Yigal
 "próxima guerra" e: **56**, 56, **78**, 77-78, 105, 109
 "todo o seu povo para a guerra" e: 51, **52**, 54-55, 67-70, **74**, 73-74, 168
Rabinowitz, Abraham: 184
rádio: 46
Rahab: 145, **146**, 207
Ramallah: **165**, 165
Ramat David, Base da Força Aérea em: 131
Rastreamento de Asteróides próximos à Terra: 148
Rembrandt: 46
Revolução Americana: 45
Rips, Eliyahu: 13-31, 37-38, 39, 42-49, 51-55, 59-61, 72, 76, 88-90, 99-100, 154, 160-161, 164, 167, 169-170, 172-174, 177, 181-183,

184, 185-187, 191-192, 193, 196-197, 199-200, 212, 213
romanos, antigos: 119, 127, 158, 202
Roosevelt, Franklin D.: 45, 103, **104**, 104
Rowland, Sherry: 174
Ruby, Jack: **107**, 107
Rússia: 45, 103, 126, **126**, 131, 209
ver também União Soviética

Sadat, Anuar: 13, 14, 106, 109, 201
Sagan, Carl: 93, 199
Saguy, Uri: 184
San Francisco, terremotos em: 137
Santayana, George: 200
Santuário do Livro: 119-120, 191, 202, 205
Sara: 115, 211
Sarin [gás de efeito nervoso]: 113
Schell, Jonathan: 128, 177, 203-204, 213
Schmemann, Serge: 204
Schultz, Peter: 207
Schwartz, David: 206
Second Set of Predictions (Asahara): 201
Senado dos Estados Unidos: 58, 113, 125, 194, 201, 203
"Seqüências Alfabéticas Eqüidistantes no Livro do Gênesis" (Witztum, Rips e Rosenberg): 22-23, 30, 185, 237-250
"sete selos", os: 83, 197
Shakespeare, William: 45, **46**, 189
Shoemaker-Levy, cometa: 14, **35**, **36**, 34-37, 91, 148, 151-152, 181, 190, 207
Sirhan B. Sirhan: 108, **108**
Síria: 55, 65, 166, 210
 Armagedon e a: **131**, **132**, 130-133, 204

Terceira Guerra Mundial e a: **132**, 131-133
Snyder, Dick: 206
"solução final", a: 39, 103
Stalin, Josef: 45, 103
Statistical Science [boletim]: 24, 185, 186
Steinsaltz, Adin: 170-171, 191, 212
Suméria: 207
Swift-Tuttle, cometa: **147**, 143-148, 149, 207

Talmude: 152, 160-161, 191, 210
Tanakh: **182**, 181-182
tanin: 144, 207
Tauber, Azriel: 184
Tchecoslováquia: 20, 37, 184
Tel-Aviv: **16**, 17, 25, 109-110, 183, 213
 terrorismo em: 68, 69, 167-168
Teller, Edward: 149
tempo: 30, 190
 Isaías e o: 170-171, 200, 212-213
 reversão bíblica do: 170-172, **171**, **172**, 212-213
Teoria da Relatividade (Einstein): 49, 190
 manuscrito original da: 133, 205
Teoria de Campo Unificado: 30, 49
teoria de grupo: 13-14
terremotos: 135-143, 205-206
 em Ezequiel: 135, 140, 206
 em Isaías: **136**, **137**, 206
 em Israel: 137, 140, 142
 ligados ao Armagedon: 135
 na Califórnia: 137-139, **138**, **139**, 206
 na China: 137, 140, **140**, 206
 no calendário judaico: 135-144, **136**, **137**, **138**, **139**, **140**, **142**, **144**, 172
 no Japão: 137, 141-144, **142** 144, 206

no Livro do Apocalipse: 135, 206
terrorismo: 109-117
  em Israel: 55, 58-65, 67-70, **68, 69**, 72, **110, 111**, 109-112, 167-168, 193-194, 195-197
  em Oklahoma: 113, **114, 115, 116**, 115-116, 117, 201
  Hamas: 69
  no calendário judaico: 67, 68, 69
  no Japão: 113-114, 201
  nuclear: 58-65, 125-127, 128, 130, 156, 194-196, 201
  reverso, contra a mesquita de Hebron: **111**, 112
terroristas árabes: 58-65, 67-70, 168
Textus Receptus: 182
Time [revista]: 170, 190, 201, 207
Toledano, cativeiro de: **110**, 110, 112
Tóquio: 141
  atentado com gás no metrô de: 113-114, 201
Torah: 18, 20, 91, **181**, 181, 186, 191, 198-199, 211
  forma original da: 25, 190
Torat Hemed: 184
Tumba dos Patriarcas: 112, 201
túnel sob o Monte do Templo: 164, **165**, 210
"Tzafenat-Paneah": 97-98, 199

União Astronômica Internacional: 145
União Soviética: 37, 45
  arsenal nuclear da: 58, 65, 125, 127, 194

colapso da: 58, 125-127, **126**, 194
Universidade Bar-Ilan: 188
Universidade de Colúmbia: 37, 182, 183
Universidade de Harvard: 13-14, 38, 186-187, 188, 191, 192
Universidade de Yale: 13-14, 39, 191
Universidade Hebraica: 13-14, 37, 182, 184, 192

vírus Ébola: 114

Wall Street Journal [jornal]: 12, 55
Washington Post [jornal]: 12, 55
Watergate, o escândalo de: 14, **32**, 32
Waterloo: 45
Weissmandel, H. M. D.: 20, 184
Westfall, Richard S.: 185
When Time Shall Be No More (Boyer): 198
Who Wrote the Dead Sea Scrolls? (Golb): 202
Williams, Gareth: 149
Witztum, Doron: 21-24, 30, 39, 184, 185-187, 200, 201
Wright, irmãos: 46, **47**

Yatom, Danny: 59, 64-65, 70-71, 155, 195, 208
Yavlinsky, Grigory: 195
Yishai, Elhanan 57, 194

Zohar: 211
Zyklon B [gás letal]: 3'

SOBRE O AUTOR

MICHAEL DROSNIN é repórter, já tendo trabalhado para o *Washington Post* e o *Wall Street Journal*. É o autor de *Citizen Hughes,* best-seller na lista do *New York Times.* Vive e trabalha na cidade de Nova York.

Leia também:

O CÓDIGO DA BÍBLIA II
contagem regressiva

MICHAEL DROSNIN

Às 8:48 da manhã do dia 11 de setembro de 2001, fui despertado pelo som de uma explosão que mudou o mundo para sempre.

Corri para o terraço bem a tempo de ver um segundo Boeing 767 voar diretamente para a segunda das Torres Gêmeas, incendiando-a. Estava claro que não se tratava de um acidente. Os dois aviões tinham sido seqüestrados por terroristas. Nova York estava sob ataque.

Desci correndo do terraço e imediatamente pesquisei no meu computador o antigo código da Bíblia.

"Torres Gêmeas" estava codificado nesse texto de três mil anos de idade. "Avião" aparecia exatamente no mesmo trecho. "Provocou a queda, derrubou" cruzava as palavras "avião" e "torres".

Aquilo que eu vi acontecer diante dos meus olhos no dia 11 de setembro de 2001 fora codificado na Bíblia três mil anos antes.

Não foi esse ataque terrorista que realmente me chocou. Foi o que o código da Bíblia predizia sobre o que ainda estava por acontecer.

— de *O Código da Bíblia II: Contagem Regressiva*

A TÃO ESPERADA SEQÜÊNCIA DO
BEST-SELLER INTERNACIONAL Nº 1.

"A maior notícia do milênio, talvez de toda a história da Humanidade."
— *Baltimore Sun*

EDITORA CULTRIX

Leia também:

O GÊNESIS E O BIG BANG

A Descoberta da Harmonia entre a Ciência Moderna e a Bíblia

Gerald L. Schroeder

O mês de abril de 1992 ficará registrado na história da astrofísica como a data em que foram captados pela primeira vez dados que confirmam a tese da Grande Explosão inicial que deu origem ao Universo, o Big Bang.

Qualificadas por Stephen Hawking – um dos mais conhecidos e respeitados físicos da atualidade – como "a maior descoberta do século, se não a maior de todos os tempos", as ondulações captadas pelo satélite CODE, da NASA, tiveram ressonância não apenas nos círculos dos cientistas, mas reacenderam o eterno debate entre Ciência e Religião.

Contudo, segundo o autor de *O Gênesis e o Big Bang*, "um entendimento da física e da tradição bíblica mostra que, em lugar de se contradizerem, os capítulos iniciais do livro do Gênesis e as descobertas da cosmologia moderna corroboram-se mutuamente".

Empenhado em "decifrar se há, de fato, um propósito para a nossa existência e talvez até descobrir qual possa ser esse propósito", e perfeitamente ciente das controvérsias que o resultado de suas pesquisas iriam provocar, o autor prova que a Bíblia "é também uma fonte válida de conhecimento cosmológico", e que "as descobertas da cosmologia constituem valiosa ajuda para o entendimento da Bíblia".

* * *

O autor, Gerald L. Schroeder, além de teólogo, é físico formado pelo Massachusetts Institute of Technology. Reside em Jerusalém e tem viajado pelo mundo todo na qualidade de conferencista e consultor. Suas pesquisas receberam destaque na imprensa mundial, em especial no *Newsweek*, no *The Jerusalem Post* e em inúmeras publicações acadêmicas.

EDITORA CULTRIX

Leia também:

O FENÔMENO HUMANO

Pierre Teilhard de Chardin

Pierre Teilhard de Chardin (1881-1955), jesuíta francês, é, sem dúvida, um dos grandes gênios do século XX. Geólogo e paleontólogo, pensador e autor de centenas de escritos sobre a condição humana, ele foi também um místico contemporâneo, o sacerdote do Progresso Histórico e o apóstolo do Cristianismo Cósmico...

Sua vida e sua obra anunciam uma nova visão da realidade, a *Visão Hiperfísica*, pela qual tudo — das partículas atômicas às galáxias, passando pelas plantas, pelos animais e pelo homem — é um só todo dinâmico, um processo que se vai orientando e evoluindo ao longo do Espaço-Tempo e que culminará na pura espiritualidade do Ponto Ômega.

O Fenômeno Humano, "Obra Mestra" do Autor, revela, explicita e exercita essa visão, exibindo ao leitor uma espécie de filme, a "História do Universo", desde o Nada do passado até o Todo do futuro. Nesse grandioso espetáculo, o Homem, com seu poder de reflexão, eclode como figura-chave da epopéia universal.

Representante oficial da "Fundação Teilhard de Chardin" no Brasil, o Prof. José Luiz Archanjo, Ph.D., cuidou de traduzir, anotar e organizar esta edição crítica, que resultou numa verdadeira "Enciclopédia Teilhardiana", com todos os subsídios para que o leitor possa apreender e exercer a nova visão, que lhe revelará um novo Universo.

EDITORA CULTRIX

A VERDADE POR TRÁS DO CÓDIGO DA BÍBLIA

Dr. Jeffrey Satinover

Prendeu a atenção do mundo todo a descoberta científica de que descrições exatas de acontecimentos recentes da maior gravidade parecem estar codificadas na Torah, os cinco primeiros livros da Bíblia hebraica, sagrados para judeus, cristãos e muçulmanos. Ninguém nos tempos antigos poderia ter tido acesso a esses conhecimentos, que incluem detalhes da História mundial mais recente, como o Holocausto e a Guerra do Golfo. Mas se ninguém inseriu os Códigos nesses livros, quem o fez? Caso se prove que os Códigos são genuínos e, até este momento, algumas das maiores mentes científicas da nossa época foram incapazes de provar que não são, eles seriam vitais para uma prova científica da existência de Deus.

A Verdade por Trás do Código da Bíblia é o primeiro relato acurado e plenamente documentado dos Códigos – a história mais rica, estranha e assombrosa que já foi contada. O Dr. Jeffrey Satinover revela o fascinante desenrolar dessas pesquisas, contrapondo recentes descrições sensacionalistas e inexatas dos Códigos, explicando o aceso debate que existe hoje sobre sua autenticidade e esclarecendo suas profundas implicações para a nossa visão de Deus, da fé e do destino.

"Jeffrey Satinover escreveu um livro *responsável*, e que se pode ler com agrado, sobre um assunto profundamente importante. Toda pessoa que estiver interessada em descobrir alguma coisa sobre as mais profundas mensagens ocultas no mais influente livro da História deveria ler *A Verdade por Trás do Código da Bíblia*."

MICHAEL MEDVED, escritor e crítico de cinema.

"*A Verdade por Trás do Código da Bíblia* é um relato profundamente comovente sobre a tentativa humana de reconciliar as certezas da fé com as exigências da ciência. A erudição religiosa e científica do Dr. Satinover qualifica-o, de modo singular, para desvendar e esclarecer mistérios que cativaram o coração e a mente de tantas pessoas, nos dias de hoje e através dos tempos."

Rabino DANIEL LAPIN, presidente da Toward Tradition e do Cascadia Business Institute, anfitrião de um programa de entrevistas no rádio e ex-professor de física na Yeshiva da África do Sul.

EDITORA PENSAMENTO

IMPRESSÃO E ACABAMENTO
YANGRAF
GRÁFICA E EDITORA LTDA.
WWW.YANGRAF.COM.BR
(11) 2095-7722